Paris 14.2.78

UNION GÉNÉRALE D'ÉDITIONS
8, rue Garancière - PARIS VIe

# SEXUALITÉ ET POLITIQUE

## DOCUMENTS DU CONGRÈS INTERNATIONAL DE PSYCHANALYSE

Milan 25-28 novembre 1975

Textes réunis et présentés
PAR
ARMANDO VERDIGLIONE

GIANGIACOMO FELTRINELLI
EDITORE

ISBN 2-264-00126-7

## SOMMAIRE

# INTRODUCTION

*par*

Armando VERDIGLIONE

Un congrès se fait *habituellement*, c'est-à-dire en tant que commémoration en quelque sorte solennelle, dans la fonction propre au *chapitre*, fermeture, consolidation et lieu d'une congrégation, dans l'exigence d'une confirmation d'un savoir, par exemple d'un savoir disciplinaire, corporatif ou institutionnel. Et afin que s'opère une définition de *la place de chacun*, la résolution des différends ou des « problèmes de catégorie » sur la base de l'accord, tout est préparé afin que rien ne s'y produise. Rien qui ne trouve consentement ou qui ne soit consenti. Il faut donc que tout soit contenu dans les limites du prévisible et du prévu. Tout, même la ligne qui devrait décider du futur. Il en résulte ainsi une idéalité à l'intérieur de laquelle tout est possible, en tant que représentation, en somme, de l'*intérêt commun*. C'est pourquoi un congrès doit se dérouler à l'enseigne de la forme : sur la scène de la célébration, seul le temps de démonstration doit se voir, un temps *exclusif* n'admettant pas de choses futiles, à moins qu'elles ne soient situées ou situables dans un « monde » absolument déterminé, créé, produit, à moins donc qu'elles ne soient incluses dans une situation « mondaine ». C'est-à-dire que c'est donc un fait qui doit être *traité*, un fait ayant la valeur juridique de la matière et du produit traitables et la valeur de la fête, de ce qui doit servir à n'importe quel traitement à venir. Le congrès lui-même doit se résoudre en un fait, dans son plein sens formel, dans sa forme *simple*, fondamentale : et le jargon du barreau, le dernier à se déplacer d'un point par rapport à l'axe de sa conservation, enregistre encore le rapport sexuel comme fait, comme quelque chose de passé et d'objectif, comme *congrès charnel* précisément. Le soutien est celui de l'*habit*, de l'habit du sexe.

Mais donner « sexualité et politique » pour thème à un congrès international, congrès de psychanalyse en plus, c'est une chose tout au moins bizarre, et plus qu'aventureuse sans doute. Considérée maintenant rétroactivement, elle semble être une interprétation étrange, c'est-à-dire non assujettie ou au service de La vérité, mais un geste *provoquant* un enchaînement d'équivoques, et touchant, pour ne s'en tenir qu'à quelques *cas*, le statut social aussi bien des psychanalystes que des psychiatres. Il ne s'agit pas d'un pari, parce qu'il n'y a pas de gage qui puisse se porter garant du résultat et parce qu'il en manque deux en mesure de maintenir leur *position*. A moins d'entendre le pari comme un acte se nouant dans une pratique, lancé aux va-et-vient du langage, un acte qui n'a pas d'autre place que celle de la différence constitutive, à savoir un acte se spécifiant en tant que différent.

A partir de l'énonciation du thème commence une mobilisation, silencieuse autant que possible, dans des

« lieux » différents et avec les effets les plus compliqués. Il semble que chacun se sente obligé de se justifier : chacun, de toute façon, montre de devoir établir son propre profit à participer ou non. Et ceci non sans de nombreuses oscillations, précautions, circonspections, intervalles.

En effet, s'occuper de ce nœud compliqué liant la sexualité à la politique, c'est aujourd'hui, pour beaucoup de gens, la contamination avec la victime, le compromis avec le *démoniaque*, donc le mérite d'un anathème justifié ou bien le barrage définitif d'un accès à un ensemble, qu'il s'agisse de l'école, du groupe ou de l'institution. Et peu importe si la clause est posée officiellement ou pas pour déterminer une fermeture, un raidissement, un chantage : car il suffit qu'on la murmure le long d'un couloir ou dans le cadre d'une direction. Mais cette voie, qui est celle de la publicité négative et de l'exécration, se heurte à des échecs et des accidents. En effet, toute scolastique, toute croyance dans la transmissibilité et dans la maîtrise du savoir, c'est-à-dire, en définitive, *l'escomptabilité* de la jouissance, à savoir dans le calcul considérant déjà passé ce qui va à chaque instant à la dérive, et dans la position de l'instant de la dérive et de ses effets dans le temps de la valeur et de la fatigue, tombe précisément au point de l'alternative insoutenable entre sexualité et politique, se grave sur le bord d'un *vel* où le rapport entre sexualité et politique n'est pas convertible, n'est pas quelque chose pouvant se traduire d'un pôle à l'autre, se doubler, s'assimiler. Ou peut-être doubler un prestige, une compétence. Précisément celle qui est mise en cause, dans la revendication d'un savoir *sur* le sexe, dont il y aurait des techniciens, des détenteurs, des spécialistes, des représentants, des délégués. Et c'est justement ce qui fait la tradition et le discours occidental comme discours sur le sexe. « Je voudrais parler de la sexualité, mais avec des personnes que je connais bien et avec qui j'ai une certaine familiarité, ou bien avec un groupe formé de *seuls* analystes ou de *seuls* psychiatres ». Ou bien encore « je voudrais *en* parler au cours d'une réunion de *seules* femmes ». C'est ainsi que surgit l'appel à une parole *commune*, sans risque d'équivoques ou de contresens, ou mieux, basée sur le bon sens et le consentement, assurée par une condition de privilège, d'identité personnelle gérant le sexe en *solitude*, l'isolant, en faisant le lieu et l'instrument d'un profit, équitablement distribué par exemple. *Se* savoir *seul* n'est en rien une position exempte du sexe, qui, au contraire, y amorce un paradoxe. Mais la présupposition c'est que, par sa faculté du catalogue, celui qui exerce une profession libérale puisse parler sur l'honneur et soit pourvu d'un droit à l'honneur spécial; qu'il soit donc garant et garanti des plis du langage. Et une reconnaissance doit donc s'accomplir afin que l'implication éventuelle laisse la respectabilité sauve, ainsi que la dignité morale et qu'il en dérive, en plus, un avantage professionnel, ne serait-ce que pour l'ouverture démontrée, et une consolidation d'un réseau de relations. Ainsi, il y a qui s'interroge sur le sens du congrès pour s'en emparer ou pour en déterminer le résultat : rien d'impensable en effet ne doit arriver, une fois que la personne est mise à la place de la jouissance, de ce que le parlant n'arrive pas à contrôler, une fois définie une assurance par rapport au contresens.

En effet, aucune garantie n'est donnée — ni ne serait soutenable si elle avait été donnée — aux quatre-vingts personnes environ qui font un exposé et qui sont venues d'une quinzaine de pays différents, exposées au contraire (comme les trois mille et plus « participants », presque la moitié étrangers) au risque d'enchaînements libres surgissant en tant que rapport historique compliqué. Et le congrès *tombe* (et c'est ce qui peut freudiennement se constater et même se souhaiter en tant qu'effectivité inconsciente du langage) dans un moment historique particulièrement problématique, c'est-à-dire bouillonnant de symptômes au niveau politique, économique, institutionnel : symptômes qui, précisément, rencontrent ici un débordement, un éclatement et une articulation au cours des quatre jours, et qui sont marqués — ceci pour dire qu'il ne s'agit que de quelque chose du processus *actuel* — par différentes grèves : de celle des avions la veille, à celle du musée « Leonardo da Vinci » où se déroulent les travaux. Cette dernière grève souligne, de façon spéciale, la structure excentrique, plus que décentrée, déjà à partir des différents lieux où se tiennent les réunions : Teatro dell'arte, circolo di via Vetere, usine occupée de via Leoncavallo, librairie « Sapere », Centre Culturel français, Palazzina Liberty de Dario Fo. Ce sont là les lieux qui remplacent, le dernier jour, les différentes salles du Musée. Au milieu des voitures, des engrenages, des dessins, des exercices mathématiques de Léonard ou des illustrations des tableaux noirs dans la tentative de présenter un nouveau *mos geometricus*, des drapeaux, des colonnes, des tableaux, des cris et des mots qui se croisent, ce musée a l'air de s'offrir comme le dispositif d'une farce, mais aussi d'un rire incontrôlable, d'un mouvement auquel s'accroche, pour s'y éteindre ou osciller différemment, le mirage d'un siège du sexe, d'un lieu de son inscription possible, le mirage du fondement d'une topologie d'où faire dériver la série des *cartes d'accès* au sexe. Cet accès qui prend un caractère distinctif signe la marque d'appartenance à la culture, d'existence juridique. Ici, il s'agit plutôt d'un enchaînement d'événements selon la structure de l'acte manqué, du lapsus, dont la perte est constitutive. A savoir la dimension de la perte effectue le sens, au lieu d'être fondée ou incluse dans un sens, dans la forme du sens. Mais c'est l'irruption de la jouissance entre les failles du dire qui bouleverse la mesure d'une conscience morale, les termes de l'autonomie en tant que *contrôle personnel* en l'entraînant vers un sentiment de culpabilité insituable, qui n'arrive donc pas à se cristalliser dans la création et l'administration d'un « fait ». Chaque fait s'articule comme fantasme, qui ne sert pas à la certitude, mais à fournir l'indice d'une autre étrangeté [*straniamento*].

Entre l'ombre de Machiavel et celle de Freud, certains se sentent immédiatement pris au filet, trompés, raillés, instrumentalisés peut-être pour un jeu absurde, pour un jeu qui, de toute façon, n'a pas les « couvertures » du *cas*. Peut-être vaut-il mieux fuir tant qu'il est encore temps, alors que l'approbation n'a pas été donnée, alors que le projet de jouer *sur* l'inconscient des masses a échoué. Fuir éventuellement comme un intellectuel horrifié, avec un jugement clinique qui lui servira à se procurer un mérite dans quelque institution. Mais il est désormais *trop tard.* Quelques psychanalystes français en arrivent aux plaintes : « Mais pourquoi n'avez-vous pas fermé les portes? Ce n'est pas l'endroit pour parler de politique ou d'affaires de femmes ». Et, ignorant ce qui se passe, ils essaient d'arranger pour leur compte, eux qui connaissent *leur affaire :* ils se servent du congrès comme d'un lieu de bonnes relations entre confrères.

Face à une hétérogénéité radicale et à un parcours flottant ne s'offrant pas comme objet de consommation et ne respectant aucun lieu sacré ou commun, il y a qui demande avec insistance — même pour se rassurer négativement ou positivement — quel est *clairement* le projet des organisateurs. Certains poursuivent même l'idée de se substituer à une supposée *gestion*, de gérer l'espace et la parole. C'est ainsi qu'une pratique se meut entre différents calculs qui se heurtent à l'indécidable et en subissent les contrecoups. Une pratique noue les calculs. *Différemment et spécifiquement.* C'est pourquoi les supposés organisateurs ne se proposent pas de continuer une Histoire de la psychanalyse, mais au contraire ils en vérifient les ruptures. Et il s'agit de trouver, dans ces ruptures, le début de la psychanalyse. Non pas que tout soit improvisé : mais si personne ne trouve une place durable où se reconnaître content, l'appareil mis en place devient occasion de *choses* imprévisibles et imprévues. Le geste des « organisateurs » est de réaliser une parodie du pouvoir. Et déjà en reconduisant l'obligation à l'impératif, à l'impératif de la jouissance par exemple, donc à un paradoxe, à l'humour. Ce qu'une hypothèse peut, pour ainsi dire, souhaiter, ce n'est pas de provoquer une falsification telle qu'elle produise toujours une norme, mais un parcours *faux*, c'est-à-dire de faillite, une chute qui va la constituer comme geste. Et, comme Freud l'indique à partir de l'expérience analytique, l'impératif n'est pas l'obligation : c'est pourtant bien avec cette équivalence que l'anthropologie structurale rejoint la dogmatique judéo-chrétienne, désormais devenue, cependant, instrument, sens et direction des institutions.

Le congrès se structure donc par une multiplicité d'événements, joués comme une « scène primaire », comme un rapport sexuel ininscriptible, non-légalisable, non-grammaticalisable, non-résumable enfin dans la définition du couple ou des oppositions binaires. Les fluctuations font surgir d'autres équivoques, où s'effectuent d'autres contradictions. Ce qui fait *congrès*, c'est précisément l'acte du dire, dans lequel « ça parle » et « ça écoute », en rendant insoutenable toute voie de conciliation entre sexualité et politique. Le congrès trace un chemin explosif de la sexualité et de la politique. *Et ce n'est que ce rapport qui constitue, aujourd'hui, une fonction révolutionnaire, une fonction ne reproposant pas les modèles et les rituels de la chapelle dans la structure des groupes militants*. Dans une contiguïté donc entre transformation politique et transformation sociale.

Les diverses modalités que chacun, ici, se trouve en condition d'employer, en raison d'un certain habit institutionnel, dans leurs énonciations, dans la complication où elles s'immiscent, en tant que *dénégations* du sexuel, arrivent justement à marquer une fonction sexuelle, à se trouver dans l'indécidable d'histoires inouïes, en tant que signifiants liés différemment, c'est-à-dire spécifiquement. Ce qui revient à dire que de tels signifiants ne sont pas rapportés, ni rapportables, à une universalité, à une totalisation du langage. Mais jamais ne manque celui qui cherche *à tout prix*, en se supposant à l'intérieur ou à l'extérieur du congrès, à s'en tenir à un *schéma idéologique*, à le sauver dans les limites précisément d'une totalisation psychanalytique, psychiatrique ou militante. Jamais ne manque celui qui, au début de la première journée, est venu là pour dire, *selon son devoir*, qu'il n'y aura qu'un *débat idéologique*. Cependant, pour continuer à croire à cette thèse, il est obligé de ne rester qu'un quart d'heure. En effet, une fois mis en acte, un schéma s'avère renversé dans cette pratique, sans un enclos maîtrisable, sans aucun autre savoir que celui qui se produit, tout à coup et comme un coup, dans l'acte du dire, comme effet. Et les militants, les anthropologues, les sociologues, les psychiatres, les psychanalystes, plus ou moins étonnés, plus ou moins pris par un certain savoir inédit, se rendent compte que la dialectique du congrès implique et dépasse de très loin les problèmes institutionnels. En particulier, l'hostilité préconçue du groupe dirigeant de quelque courant psychiatrique est emportée par le congrès lui-même, où des instances variées et spécifiques de transformation radicale, plutôt que de simple poussée revendicative, réformiste et, à la limite, corporative, trouvent un investissement et s'alternent. Les différents niveaux sociaux y restent impliqués au point que n'importe quelle tentative d'écarter un problème vaut plutôt à le grossir, à le faire éclater.

Cependant, l'intervention de jeunes, de féministes, de militants, de prostituées, d'homosexuels est loin d'être indifférente : c'est une intervention active frayant un espace politique et s'articulant loin de l'atmosphère confortable des intellectuels italiens qui tiennent au maintien de l'appareil universitaire ou à la solidité somnolente et « mondaine » du cercle, ou plutôt du front, éditorial-journalistique. Les divisions s'ouvrant ici à l'improviste, semblent ensuite se composer, mais seulement pour qu'on en refasse d'autres, encore différentes. *La nette distinction entre sexualité et politique se trouve dissoute* : car tout effort pour la situer ou l'orienter ne tient pas, elle bondit même d'un pôle à l'autre. Par exemple, quelques français comme d'ailleurs quelques anglais, se divisent entre eux et se heurtent à cause d'un impact avec la dimension politique là où et quand ils ne s'y attendent pas. Beaucoup d'entre eux disent qu'il sera impossible maintenant de reprendre le travail avec les mêmes modalités qu'avant. Plusieurs italiens, eux, sont désorientés par la dimension sexuelle, inédite, qu'ils n'arrivent pas à exorciser, mais tout au plus à accentuer par ses différentes traductions en termes de *valeur* — par exemple une valeur qualifiant le *travail* du congrès comme fatigue, souffrance justifiée, représentation *visible* du sexe, donc effacement, refermeture.

Ainsi l'argent, posé de façon idéaliste comme l'*équivalent général de toutes les souffrances*, sert à garantir une *communauté* dans l'imagination que le sexe est signifiable, distribuable, appropriable, représentable dans le *don*. D'où le principe : élever la fonction de l'argent sur la fonction du sexe ; *chercher* l'argent pour *ne pas toucher* la monnaie. Ainsi quelqu'un au congrès veut savoir si le prix payé pour l'autofinancement *en vaut la peine*. Il veut que la chose se soit passée en termes de prostitution, c'est-à-dire avec la foi d'avoir évité le rapport sexuel ou éventuellement avec un certificat l'attestant *publiquement*. Le sens même du public, du reste, c'est de se poser comme lieu de telles certitudes. Et l'on sait que les chefs donnent toujours les bilans en tant que techniques de l'Amour, c'est-à-dire en tant que requêtes et justifications du sacrifice.

La prostitution, occidentalement conçue dans les limites de l'*usure* du signe, doit s'acquitter de la tâche consistant à consacrer la marginalité, les refus : *de façon que le rapport sexuel sans but procréateur soit fonctionnalisé, ritualisé en tant que « fait », passé*. Et, il y a quelques jours, quelqu'un a déclaré à un journal, non sans y ajouter une pointe de racisme, qu'il y aurait eu, là, *la vente* d' « étoffes de peu de valeur », c'est-à-dire, presque, d'un sexe faux contre, au contraire, un sexe entièrement légal livré à chacun par la culture à l'âge adulte, c'est-à-dire à l'âge de la classe, comme le met d'ailleurs en évidence la doctrine de l'État génital. Mais ce congrès se déroule plutôt comme un *processus d'écriture* : c'est-à-dire que le marché de l'*usage* et de l'*usagé* sont mis en jeu et sont structurés dans ce qui est plutôt une *pornographie*, à savoir (selon le rappel étymologique) *dans ce qui de la vente s'écrit*, tourne ailleurs, divague, erre, se noue, se noue provoqué par la fonction irrégulière d'un nom, bref, dans une dimension de langage ignorant l'usure du signe — un langage qui ne peut pas éviter l'image. Cette pornographie n'a rien à voir avec celle que le discours philosophique, publicitaire, qualifie de limite — nécessaire et économisable — de l'esthétique, de la même façon qu'il pose la perversion comme la limite de la (re)production. La pornographie affecte donc le processus de répétition en tant que pratique de différences libres : ce n'est donc pas par hasard que le canon des mots *irrépétables* marche sur les traces du principe théologique du Nom, autrement dit du principe de l'*infigurable* et de l'*imprononçable*, d'où dérive, entre autres, l'obligation du divers et le précepte de l'*iconoclasme*.

Ici plus que jamais, il est impossible de renvoyer le sexe, car chacun ignore ce qu'il renvoie et que l'acte du renvoi marque une errance, se constitue dans la différence sexuelle. Il se constitue dans cette faille du langage à laquelle toute science voudrait se superposer, précisément en tant que science de la sexualité. *La philosophie ne reste que le cauchemar de la sexualité.* D'où la chasse à l'image, le dénigrement du nom quelconque, de la nomination, la condamnation de ce qui arrive au nom du métahistorique, de l'immanence ou de la transcendance de la loi : le seul accès possible à l'existence logique est fourni par l'opération d'*achat et vente de la torture*. D'ailleurs, le sexe a toujours été considéré par les différentes *Weltanschauungen* dans le couple, exemplairement dans le couple positif-négatif, c'est-à-dire sous une dimension qui devait joindre (et occulter cette jonction) le privé et le public : objet et cause d'une bonne économie ou de la dispersion de l'économie, la fameuse « maladie mentale », qui a tant harcelé la tête des psychiatres et des philosophes.

Mais l'appropriation du sexe est ici ce que le parlant met en scène pour être emporté et effectué excentriquement par l'acte de parole. C'est pourquoi la recherche de la salle, presque de la « camera obscura », du lieu où il est possible de nommer le sexe, se dissout le long du parcours du congrès sans jamais s'instituer. C'est l'occasion d'un *autre* processus, d'une *autre* subversion. Il y a une sorte de tour des salles : derrière une salle il n'y a aucun secret, mais une autre salle. Comme dans un labyrinthe. Car il n'y a aucune femme qui n'arrive à être garante (comme l'occident voudrait qu'elle le soit) contre les réfractions du miroir, tout en le représentant. Il n'y a aucune femme qui ne maintienne son pouvoir institutionnel, précisément celui de garantir la perversion comme humaine, légale.

*Le mouvement féministe*, précisément par la suspension de toute délégation, la revendication de parole, l'accentuation du corps, l'assomption tactique, provisoire, d'une identité sexuelle, *rencontre là un moment d'éclatement et d'articulation d'une parole.* Pendant ce temps, la conception traditionnelle de La femme-victime comme garantie de l'ordre et de sa soumission définitive se brise, en élevant, par exemple, le paradoxe de *toutes* les femmes, ou par un « non » insolite, un « ce n'est pas ça », rendant impossible la position d'un ensemble en tant que tel et énonçant une différence sexuelle en termes tout autres qu'objectivistes ou biologistes. Il n'est pas question d'un simple obstacle à la norme servant au contraire à la souligner, à la confirmer, mais d'un obstacle *répétant* la norme, c'est-à-dire la jetant dans le jeu de la différence, la conduisant à sa perte, la livrant à l'équivoque.

C'est ainsi qu'intervient, en certains moments, une course vers l'être-*plus-femme*, plus représentative d'un « non » consacrant *la naissance*, la naissance d'une institution. *Habituellement*, cette course va à la recherche de la femme célèbre, de la femme de la célébration, capable de ritualiser les choses sues ou dites, d'étouffer les accidents, de disposer *l'idée d'homme ou de l'homme*, dans un exercice domestique du savoir, dans un enfoncement de la question sexuelle renvoyée à une « intimité », précieuse et séduisante, de *seules* femmes, de femmes se reconnaissant entre elles, qui savent *y* faire, sur un modèle selon lequel le gynécée est précisément le support de l'idéal humain. Mais on ne trouve pas une telle femme au congrès. C'est ce qui accroît le paradoxe, significatif d'un désir parcourant diagonalement chaque enchaînement et faisant induire une cause objectale, *un semblant*. Le semblant marque précisément le point de résistance du langage, le point matériel, mobile, aléatoire, donc de fuite, de perte, de chute.

En effet, la question « qui parle? » tourne entre les différents pôles imprévus du congrès sans jamais se fixer, se focaliser exclusivement sur quelque chose, provoquée en quelque sorte par la position même d'un semblant. Semblant qu'ont essayé d'ôter du langage, de nier par la subtile campagne personnaliste, dénigrante, moraliste, ceux qui voulaient se sauver de la question sexuelle et politique en occupant la position de rivaux de quelqu'un ou de quelque chose, qui est une position de soumission.

*La personnalisation constitue la façon la plus ecclésiastique de nier une pratique*, en se rapportant à un modèle familialiste qui, en l'occurrence, sert de métalangage : ainsi, se supposer pour ou contre quelqu'un, éventuellement pris comme auteur ou maître d'une dialectique, en restant *au dehors*, sert à garder sa propre *place d'honneur* et à réclamer parfois le respect de l'amour courtois, en définitive de la grammaire *possible* du rapport sexuel.

C'est précisément le semblant, qui ne devient pas le support d'un discours commun car il s'avère être un *reste* insupportable, qui rompt avec le concept de personne, qui provoque un nouement du congrès sur le sentier de la *dépersonnalisation* et d'un jeu où les rôles font fonction de masques provisoires, qui rend *la chose* irrécupérable, selon le modèle humain de l'erreur par exemple. C'est pourquoi chaque geste au niveau d'organisation remplit la fonction d'interprétation, de marque du miroir. Ce qui implique une *démonstration paradoxale : celle de l'impossible maîtrise du langage*. Il est donc impossible de lier la pratique à un nom, à un nom d'auteur, considéré comme responsable de rapports historiques qui se produisent : oublié, déformé, estropié, non-dit, célébré ou condamné, ce nom devient l'occasion liant la structure d'une pratique, le dire, le gérer/gesticuler. Dans une traversée faisant la parodie des différents discours institutionnels.

Il faut peut-être ajouter que ceux qui se sont sentis vaciller, dans leur illusion de maîtrise du sexe, à partir d'un lieu de *vedette*, à la place sûre d'une institution, ont essayé d'empêcher leurs adeptes d'intervenir au congrès, avec la justification, par exemple, que quelqu'un ou certains se seraient *emparés* de la psychanalyse ou du sexe. Et tout cela, comme si une mise en question de l'appareil institutionnel n'était pas *concevable* sans se placer dans le lieu de fondation des institutions.

Mais maintenant, ici, au congrès « sexualité et politique », comment fonctionnent les *vedettes*? Si la *vedette* concerne l'inscription du destinataire au début d'une lettre, écrire à grandes lettres les noms, faire des orateurs précisément des *vedettes*, comporte exactement ceci : les noms provoquent une multiplicité d'enchaînements, de trajets inorganisables, où les « orateurs » sont impliqués non seulement comme « destinataires » supposés, mais surtout comme sujets. Sujets s'effectuant dans chacune des coupures du congrès. Ce dernier démontre donc l'impossibilité d'un code du sexe, l'impossibilité de mise en place du sujet comme « sentinelle », dans un « lieu élevé, d'observation » du sexe, selon une autre acception du terme « vedette » (terme où — même pas en le faisant exprès — se croisent *voilette* et *voir*). Pour leur part, *les journalistes accomplissent un énorme effort pour maintenir l'inattention et l'indifférence*. Mais ils n'arrivent pas, cette fois-ci, à donner *la ligne* du journal, ils ne réussissent pas à garder la place de *vedettes*, d'observateurs. Il en résulte des versions divergentes, contradictoires et, en outre, différentes d'un jour à l'autre : on dirait que le code journalistique bondit, s'écrase, entraîné dans une condition historique non-mesurable avec le mètre du « quotidien ». Un congrès comme celui-ci, même s'il était presque mondial, est tout autre chose qu'un lieu d'harmonies préétablies ou de jouissance cosmique. L'effort est cependant celui de mettre la chose aux archives en la décrivant dans un cadre de manière. Quant à la traduction de la problématique du congrès dans le discours anti-institutionnel, suivant une modalité acquise par les différents journaux après 68, elle vise l'assignation d'un territoire défini pour pouvoir inscrire le sexe, pour pouvoir isoler, localiser la contestation, une contestation mise face à un discours supposé unitaire. Mais l'opération même de classement aux archives du « cas », clinique ou judiciaire, précisément dans son trait d'encerclement, précisément dans son tour, avance l'intrusion *bizarre* d'un détour, d'une déviation, d'un autre accident, qui ne peut donc pas se fermer ou se recomposer. Une fois l'impasse rencontrée, le discours journalistique préférerait clore le chapitre par le silence afin d'éviter l'éclatement d'autres contradictions. La divergence peut continuer dans les couloirs des différents journaux. Et personne n'assure qu'elle s'arrêtera là.

*La conversion de la masse en public*, du supposé amorphe dans le bien formé, est une modalité journalistique pour qualifier un travail en termes de transmission d'un savoir, c'est-à-dire comme *discours persuasif*, à la recherche du consentement. Mais cette modalité sert aussi à saisir les réactions d'un public supposé unitaire ou garant de l'unité de façon à pouvoir isoler l'hétérogénéité comme scandale, folklore, erreur ou dissentiment d'un groupe bien défini et homogène, précisément suivant la tournure d'un formulaire considéré comme pratique et consolidé durant ces dernières années. *Toutefois il n'y a pas de masse amorphe* : même la demande d'ordre et de l'organisation parfaite n'arrive pas à se cristalliser en un point, à se coaguler sur une dimension religieuse, dans un domaine où le couple orthodoxie-hétérodoxie peut fonctionner, mais elle s'immisce dans une caricature complexe des positions identiques, des places sûres, publiques ou personnelles. C'est-à-dire que la tendance à diviniser ou à institutionnaliser le congrès subit un échec *dans l'acte même qui la dit*, pour les différences qui se nouent de façon inextricable et différente, à chaque instant, sans jamais rester stables : on se trouve dans un processus historique, dans un *procès*. Sans fait et sans crime. *La contestation n'est donc pas localisable*, puisqu'elle oscille d'un pli à l'autre du langage.

Ainsi la langue, en tant que ce qui fait la structure d'un accident, *saute à l'œil*, le fait aussi rouler, gicler sur le sillage d'un mirage de *traduction*, qui vient marquer un autre accident, un autre précipice, exaspérer les failles, désagréger en tout cas le principe théologique de la *langue unique*. La langue n'est rien d'autre que le procès de la nomination : les signifiants s'entendent mais avec un glissement qui n'est pas étranger à une structure où ce sont les noms qui lient. J'entends *une autre* langue, par exemple celle que je crois être *la même*, et je suis déjà impliqué et constitué par un procès d'écriture, de parcours qui ne peuvent être parcourus : ainsi *la traduction, c'est le symptôme de la langue*, et elle dépend donc de la dimension de l'impossible. C'est pour elle que le langage n'est pas maniable et le sujet intervient comme effet, plutôt que comme produit, comme hypostase ou résultat d'une opération institutionnelle, plutôt que comme hypothèse morale. D'ailleurs le savoir n'utilise pas le langage, mais il s'y effectue. *C'est en ce sens qu'il n'y a pas d'initiation.* Celle-ci essaie d'anéantir *l'identification*, par la gamme d'équivoques et de pertes (perte de la dite autonomie) qu'elle comporte, sur la base, au contraire, d'une identité idéale : le pouvoir relève donc de la « création », c'est-à-dire d'une construction fondée sur l'idée de paradis, qui présuppose justement que quoi que *tu* fasses, tu la trouves sur la route de la punition. La question de l'*engendrement* n'est pas pour Freud celle de la filiation, de la transmission du nom. A savoir, elle ne correspond pas à l'ordre supposé du discours, d'où tirerait son origine — donc par des sentiers mythologiques — la véhiculation du pouvoir. Mais plutôt, tout cela touche, à sa façon, à la question de l'*engendrement* en tant que nœud, articulation inconsciente du langage.

Ici on peut faire une constatation : aucun groupe, qui en tant que tel, en tant que groupe idéal, ne reste quand même qu'une supposition, qu'une occasion de mise en jeu de signifiants, *aucun groupe ne soutient au cours de ce congrès son statut d'appartenance.* Aucun groupe psychiatrique, psychanalytique ou militant. La politique n'a pas ici de place dominante. Du reste, le fait qu'elle soit dominante peut en faire un attribut essentiel du discours « humain » au sens aristotélicien, donc selon des prémisses qui sont celles mêmes de la maîtrise du sexe, à savoir en général de la ségrégation. La politique, comprise de manière aristotélicienne, précisément dans sa formation comme champ du possible, de la possible valorisation du sexe, constitue le symptôme de l'indistribuabilité de la jouissance, de la nomination. Elle dit que le sexuel fait irruption dans n'importe quelle égalité présumée. C'est-à-dire que ça parle et ça parle autrement, dans l'*acte* de nommer le sexe.

Ici, dans un si vaste parcours coupé de provocations multiples qui procèdent d'un point mobile, les notions de sadisme ou de masochisme se sont détachées du modèle mécaniste qui voudrait traduire le geste, l'écriture, dans le signe, dans la tendance qui va de soi et qui devient un attribut personnel ou humain. La *violence* se produisant dans le mouvement de ce congrès est une violence non-maîtrisable, non-objectiviste, donc non-incriminable. La saisir, dire par exemple : « C'est celle-là », c'est ce qui sert déjà à en produire une autre, à se trouver dans une autre structuration de la parole, dans les angles de laquelle s'effectue une multiplicité de sujets, une subjectivité dialectique, une subjectalité, et en même temps, un pouvoir fou, inappropriable. L'objectivisme, lui, pose la violence *en tant que telle*, une violence formant le chemin idéal du discours dans sa fonction d'économie du sexe : en définitive, *la violence objective c'est ce qui est admis et permis pour proposer pharmaceutiquement sexualité et politique.* C'est-à-dire que la violence en tant que telle permet le discours *sur* la violence, en s'installant comme une sorte de *métasexualité*, celle qu'un postulant universitaire, nostalgique du bon ordre et de l'itération régulière du *déjà dit* pourra peut-être regretter comme absent du congrès, dans une colonne de journal diffusé parmi peu de fidèles.

Effectivement. Cela aussi indique quelque chose : il s'agit de l'expérience de masse la plus déconcertante de ces dernières années — et en effet même la plus *incroyable*, en tant qu'éloignée d'un statut théologique et en tant qu'au contraire elle *fait savoir*, fait un savoir. Elle constitue maintenant un réveil à Milan, en Italie, en France et en Europe après une époque de stagnation, une époque d'apparente *domesticité du sexe, reproposée aussi par un anti-familialisme souvent purement formel et idéal*, confirmation négative du modèle endogamique, paternel, familial.

Il est significatif que certains Français, en particulier, aient notamment ce doute : « S'agit-il peut-être d'un ' retour ' de mai 68? Mais dans ce cas, étant donné que chaque retour entraîne de nombreuses différences, quelles sont-elles? » La dénégation est toujours une façon de viser le réel, sans le vouloir. « Ou bien une dimension historique tout à fait différente est-elle en jeu, un germe d'un mouvement révolutionnaire qui, bientôt, se répandra dans toute l'Europe? » Il y a de toute façon la nette impression de la *fin d'un colonialisme culturel*, ainsi que la notation qu'un certain nationalisme — qui crée et se recouvre toujours de la mode en tant que position d'un habit du sexe — ne fonctionne pas du tout, est périmé, ne prend plus.

Dans cette pratique, la suspension de la réponse, c'est-à-dire de la formule du savoir sur le sexe, ne peut que relancer à plusieurs niveaux l'interrogation et marquer la fonction de l'image, de la semblance dans le langage. C'est aussi pour cela qu'on ne peut donner aucune conclusion qui soit définitive ou provisoire, ou qui s'ouvre sur la vertu de l'espérance :

le dernier soir on projette le film de Pier Paolo Pasolini, *Salò ou les 120 journées de Sodome*, frappé de censure et dont le texte propose, *dans l'espace du congrès*, le lien insituable et inquiétant entre sexualité et politique. Carlos Castilla del Pino propose une motion demandant l'amnistie des prisonniers politiques espagnols et exprimant de la solidarité pour tous les camarades en lutte en Espagne. Un psychiatre portugais décrit dans le détail la situation politique, sociale, institutionnelle de cette dernière année au Portugal. Jürgen Schifferer, avocat d'Ursula et Wolfgang Huber, dont nous avons parlé à Milan lors du colloque *Psychanalyse et politique* (Feltrinelli 1973) au sujet de l'expérience du S.P.K. *(Sozialistisches PatientenKollektiv)* à Heidelberg et qui se trouvent encore en prison, lit la motion suivante :

*Pour sauver Wolfgang Huber.*

Le docteur Wolfgang Huber a commencé le 6 novembre 1975, à la prison de Luwigsbourg, en République Fédérale allemande, une grève totale de la faim qui risque de le mener à la mort.

Le docteur Huber, psychiatre, expulsé avec 40 malades de la polyclinique psychiatrique de Heidelberg, travaillait au sein du « S.P.K. », ce collectif socialiste de patients qui comprenait la maladie comme un problème fondamentalement politique. Arrêté en juillet 1971, inculpé d'avoir, sous couvert du S.P.K., formé une association criminelle, condamné comme meneur à 4 ans et demi de prison, le docteur Huber oppose une résistance systématique au régime carcéral et devient l'objet d'une répression acharnée. Il refuse toute communication avec les agents du pouvoir, boycotte la censure pénitentiaire, ne signe rien, récuse les visites surveillées, etc. Cette opposition lui vaut 20 mois d'isolation totale, 10 mois de traitement spécial, avec privation de tout objet personnel, non acheminement de son courrier, même de celui destiné à son avocat, et finalement suppression des visites de celui-ci.

Pris dans l'engrenage des mécanismes d'extermination du système carcéral, mais déterminé à ne pas plier, il entreprend le 6 novembre 1975 une grève de la faim. Ainsi, après plus de 4 années de détention, et deux mois avant la date prévue de sa libération, « amaigri jusqu'au squelette physique et psychique », comme il le dit lui-même, le docteur Huber est en *danger imminent de mort.*

Nous n'acceptons pas l'élimination d'un homme dont le crime a été de défendre jusqu'au bout les malades victimes de la violence institutionnelle. Nous lançons un appel solennel pour sa *libération immédiate.*

Ces jours-ci, nous avons reçu pour le congrès un article rédigé par Huber et par le *Front des patients* ayant pour titre : *Dialectique de la sexualité.*

Pendant ce temps, alors qu'au congrès les exposants les plus avancés de toutes les associations psychanalytiques existantes interviennent, avec des propositions concrètes sur le plan pratique et théorique, directement mis en cause par un problème qui les pousse à réfléchir aujourd'hui sur la portée même de la découverte freudienne, pendant ce temps, disais-je, quelle est la position de ceux qui ont opéré une vulgarisation de la psychanalyse, vulgarisation *simple* comme la publicité, *claire* comme le sermon, *opérative* comme le service industriel, *réconfortante* comme le catéchisme, *pure* comme le remède — distinct, comme on le sait, pour sa grande *valeur clinique*, voire judiciaire —, *populaire* comme le moralisme [1]? Quelle est la position de ceux qui, pendant vingt ans, se sont servis de la psychanalyse tantôt en fonction du journalisme, tantôt dans les termes d'une doctrine universelle comme le polémopsychologisme, tantôt, contre Freud enfin, pour une récupération pré-freudienne de la problématique analytique ramenée sur le filon médico-légal du XIXe siècle, filon de « spécialistes » pour la tradition qu'il conserve? En tant qu'institution, c'est justement un certain psychanalysme milanais qui, en se plaçant essentiellement *hors* du congrès, à une place qui veut cependant être de privilège entre un couloir et une chaire, c'est-à-dire à l'intérieur d'une forme institutionnelle, s'est exprimé de deux façons différentes *sur* le congrès. De façon publicitaire et, en certains moments, en arrivant jusqu'au paroxysme. L'aile la plus ouvertement conservatrice a parlé d'un *but autopromotionnel*, en se référant à l'ordre et à la logique des investitures divines. L'aile la plus progressiste semble parfois, pour quelques instants, regretter/se réjouir de ce qu'elle veut diagnostiquer comme *but autodestructeur*.

Mais voilà la position prise, de façon explicite, par une branche universitaire qui se présente comme la plus « avancée » ou la plus ouverte face aux choses nouvelles : se tenir presque à l'extérieur, juger la dialectique du congrès comme insoluble dans la « compacité thématique » ou comme non-orientable vers un « objectif commun » qui s'avère être, à la fin, l'instance dominante et unitaire, par une conciliation entre le public et le privé, entre le social et le personnel; trouver irréalisable le céleste débat d'idées parce que le thème proposé non seulement enlève le climat adéquat, serein, mais parce qu'il est trop provocateur pour être compris dans sa version « correcte », celle qui devrait mesurer et équilibrer la « présence de l'individu dans la société », encadrer « la sexualité de chacun, c'est-à-dire l'engagement personnel dans le politique »; se plaindre de ce qui serait la « véritable limite », c'est-à-dire l'absence d'un « intérêt commun du public et des rapporteurs »; sigler ensuite la multiplicité sous la catégorie du spectacle. C'est là une position qui — tiens, quel hasard — est très proche de celle de l'intégralisme catholique.

D'autres organisations réglementaires, qui observent de loin, essaient, au contraire, de donner un jugement hâtif en termes d'*erreur*, « pour ne pas avoir profité d'une occasion, celle d'imprimer une orientation correcte aux choses », par un appel à la « réalité », c'est-à-dire, dans ce cas, au modèle familialiste, aux alliances définies, aux tendances fixées à l'avance qui auraient dû gérer et contenir la parole, par une conclusion et une réponse déjà implicites dans la demande même.

Mais il faudra désormais considérer à nouveau, dans quelques semaines, puis dans quelques mois, les effets en Italie et à l'étranger de ce congrès de toute façon insolite.

***

Quelques documents, et non pas les actes du congrès, sont ici recueillis : tout d'abord parce que ce qui s'appelle le débat n'était ni un appendice, ni un corollaire illustratif, mais c'était ce qui constituait le *congrès* comme procès historique maintenu presque sur le fil d'une scansion analytique par une subversion du temps de l'horloge, et ensuite parce que presque tous les rapporteurs se sont trouvés à dire tout autre chose, même si souvent c'était presque ce qu'ils avaient écrit, mais avec des écarts remarquables, et parfois ils ont inventé. Il y a donc ici l'*adjacence d'un autre texte*. Et les effets ne pourront qu'être différents de ceux qui ont jailli du déroulement du congrès : en raison donc de la différence du texte et aussi de la différence entre le temps de l'écoute et le temps de la lecture. D'autres articles sont recueillis dans le troisième numéro de la revue de psychanalyse « Vel » (à paraître en 10/18), qui est exclusivement consacré au congrès et qui concerne, de façon spécifique, la *Sexualité dans les institutions*. D'autres encore (de Huber, Goux, Wulff, Tosquelles, Ayme, Ratna, Véron, Castilla del Pino, Lang, Sollers, etc.), seront publiés par la suite sous le titre *Sexualité et pouvoir*.

Ceux qui sont ici recueillis sont significatifs d'une convergence problématique, d'un terrain historique, analytique, social les rapprochant, malgré la distance entre les diverses cultures et contextes. C'est au contraire un fil précis qui les tisse avec un avancement pratique et théorique justement à partir du terrain spécifique d'où chacun d'entre eux part.

Ils touchent entre autres deux problèmes, celui de la *perversion* et celui de la *psychose*, qui habituellement donnent lieu à deux modes de nier la sexualité. Dans ces pages il y a un « retour » à Freud en tant que réarticulation inédite de ces deux problèmes, auxquels non seulement des psychanalystes mais aussi des psychiatres et des chercheurs donnent un apport constitutif.

La croyance de posséder le sexe passe, avant Freud, par la conception clinico-psychiatrique du sexe, à travers ce qui constitue pour Freud un fétiche, c'est-à-dire la génitalité. La raison même de la rupture avec Jung concerne, comme on le sait, l'équation entre génitalité et sexualité, qui est à l'origine du spiritualisme de toujours.

La génitalité, c'est le principe moral universel que l'occident a toujours maintenu autour du sexe et du corps, presque l'*équivalent général des valeurs morales*, le fondement et le rappel ultime des institutions. C'est-à-dire qu'elle représente l'idéalité de l'échange avec un passage neutre par le corps qui offre la jouissance en tant que prix du rite reproducteur. Bref, elle dépend — et elle en est la fonction — d'une distribution de la jouissance, portant sur l'idée d'un sexe unique. C'est bien de cette distribution que part la division sociale des sexes, des rôles, donc du travail : donc, suivant une logique du renvoi à une jouissance donnée, idéalement, comme future. Ce qui s'appelle « d'ordinaire » sexualité, c'est la fonction et le produit d'une logique des rapports de production. Elle est *utilisée* comme hypostase et origine ultime de la signification. Dans l'effort de ramener les choses à la *domesticité*, comportant, certes, un malaise, une syncope du sexuel, l'impossible *coupure de la coupure.*

Le long de cette direction, l'identité sexuelle se maintient comme fondement de la théologie du sujet, donc du terrorisme en tant que fonction de la conscience. De façon plus générale, c'est de là que dépendent les modalités du racisme à tous les niveaux. Le principe de l'identité sexuelle, sur lequel s'appuie le statut de la génitalité, comporte, par définition, un sujet raciste.

D'après Hegel, le sexe est un modèle d'identité du sujet, le point d'arrivée d'un idéal et, en même temps, le terrain contradictoire que l'idéal dirige, maîtrise, redresse. Il qualifie la modalité d'accès du sujet supposé dans la procédure grammaticale, juridique, institutionnelle. Il devient donc aussi la caractéristique et la condition du caractère traitable du sujet - manquant, coupable, divisible, déviant. De cette façon, tout *cogito* philosophique, anthropologique ou sémiotique se définit par une implication morale et raciale du sujet sur l'axe qui doit le tenir comme contradiction *à la place de son effectivité multiple et contradictoire.* Autrement dit, l'exorcisme du sexe se produit en utilisant le langage comme instrument dans le but de son économie et d'une fondation de la pédophilie comme technique de l'éducation, de la filiation, du rite institutionnel.

Or, si à partir des indications de Freud et de l'expérience analytique il n'y a pas d'autre identité que celle de l'équivoque, la mise en place d'une identité sexuelle court sur le bord d'un paradoxe. *Pratiquement.* C'est précisément sur ce paradoxe que se fonde la loi dans sa « contemplation » du sexe. La loi contemple le sexe sous forme de perversion : *c'est bien le concept d'identité sexuelle qui présuppose celui de perversion,* de perversion légale par conséquent, qui se démontre valable dans l'économie de la perversion. C'est-à-dire que le statut de la violence part de la valeur comme cause. Le sujet génital (identique) demande en somme le sujet pervers et le sujet psychotique. Le sujet est pour autant pris comme hypostase et garant de la production.

Ainsi, le *sexisme* traduit le *rapport sexuel* dans le *besoin* d'un sexe complémentaire, d'un élément contractuel opérant la *consommation* du sexe, de ce sexe donc qui était vraiment en plus, qui ne servait qu'à camoufler son visage, l'autre versant, celui du manque. Il poursuit donc une conception ontologique servant comme modèle de production. Un modèle éminemment de fête : il assigne au sexe la place d'idéal ultime de réalisation du sujet juridique, qui deviendrait donc sujet moral. Mais le sexisme est aussi un modèle férial, nommément une forme de marginalisme de notre époque : il prêche la copulation, la possibilité domestique, ou mieux ménagère, d'un *report* sexuel, le gain du sexe de *chacun* à tout *prix, la version du sexe dans sa valeur, la perversion légale.* C'est en ce sens que le corps social et institutionnel est transcendé par le corps idéal, construit par là sur l'essentialité de ses parties. L'apologue de Menenio Agrippa côtoie le principe platonicien de *croyance à la nécessité du rôle,* qui suit la croyance au caractère inné de l'ordre social. Or, si tout est corps, chaque marge est carente, défectueuse, manquante. L'objectivité du corps social installe chaque sujet dans le statut du besoin et dans l'office de la célébration de la rédemption d'autrui.

Ainsi la sexualité s'exprime, en occident, dans la *passion*, c'est-à-dire dans la conception cathartique d'un *corps nécessairement souffrant*, besogneux d'un salut, désireux de jouissance de l'Autre comme forme ultime et garantie de sa propre jouissance, de la propriété. *La souffrance, c'est la jouissance au visage humain*, représenté par quelque chose de nécessaire et de *visible*. C'est le prix d'un rachat du corps, le signe de l'accomplissement de la résurrection, d'où toucher devient possible. C'est justement la *vision du sexe* qu'elle met en place, son visage censé être supportable. L'état, en tant que détenteur d'une médiation divine du sexe, demande au binôme sexe-souffrance l'aval de son pouvoir : sur ce binôme prend appui le vaste itinéraire publicitaire où, de temps en temps par exemple, s'inscrivent quelques livres italiens de psychiatrie, entre la doctrine de la souffrance et la *Via Crucis*. Et le système met toujours à la place de la fonction du sexe la fonction de la mort, fonction humaine par excellence, fonction de la généalogie. Et La femme est nécessaire à la mortalité humaine, afin que tous soient *égaux*, c'est-à-dire autonomes et dépendants, face à la loi.

Le discours occidental a autant horreur de la sexualité que de la folie, traduite elle aussi en termes de souffrance, et même — pour en réaliser une pleine expulsion — en termes de maladie, observable, touchable comme quelque chose dont on peut se nourrir, quelque chose servant à donner la valeur de l'ensemble, sur le sentier de la médecine construite sur la vision du corps supposé mort. L'antique rêve de la philosophie était de *voir voyager* la folie. Le progressisme psychiatrique se trouve aujourd'hui à exprimer sa satisfaction dans l'observation de quelques « patients » placés dans un avion pour faire un tour, dans le spectacle de la folie finalement isolée, en se réconfortant enfin du fait qu'elle ne fait plus peur, car les « patients », maintenant, savent attacher leur ceinture — laquelle? — de sécurité.

Dans ces pages est tracée la dimension spécifique du sexe, l'indication du *sexe* en tant que le spécifique de l'articulation de la parole, constitutivement équivoque donc, connectée aux effets de sens, au contresens, au *sexuel.* La *sexualité* co-ïncide avec le travail du langage, elle fait la logique de la jouissance, en assumant la fonction de l'inappartenance, du lien entre le sexe et le sexuel. *Et ce n'est qu'en tant que fétiche,* « souvenir de couverture » selon Freud, quelque chose marquant de toute façon une dérive, *que la génitalité est entraînée par la sexualité au point de s'y trouver nouée.* En effet la sexualité n'a rien à faire avec le besoin, dont le concept viserait à la former à l'intérieur de la légitimité et des modèles finalistes, avec une qualification morale du corps par le rappel à la distinction humaine. Et comme effet, sexuel par conséquent, chaque discours ne peut qu'être radicalement contradictoire, distrait de toute universalité présumée en raison de son attachement à une structure spécifique, provoquée par la fonction de la nomination. Donc, aucun discours ne pourrait inscrire le sexe. Pour cela, qu'il soit ininscriptible, c'est une constatation de la portée du *refoulement originaire.* Au contraire le principe, ou le commandement, de l'ininscriptibilité du sexe est théologique par excellence.

Enfin, précisément à partir des vicissitudes de ce congrès, on peut dire que si autrefois le problème du sexe des anges était tenu pour exemple de discours futile, le problème du sexe des analystes est un fantasme qui, dans l'impossibilité de la conversion du *futile* en *exemple*, souligne, comme la loi, le caractère inappropriable du langage. Où ce qui entre en jeu comme sexuel s'agite autour d'un semblant. S'il semblait vain de discuter du sexe des anges parce qu'il n'était pas observable, le fantasme du sexe énonce radicalement la vanification du dualisme des rôles, la mise en acte de l'observation dans son point de déplacement, dans le point qui la provoque, la marque comme déplacée, la pousse ailleurs. Reste peut-être que ce problème amène en premier lieu à s'interroger sur la position qu'occupe un analyste. Et on voit déjà que celui qui voulait devenir analyste afin de ne pas trébucher sur le rapport sexuel, s'immisce déjà dans son instant catastrophique.

En tout cas, ce que j'ai seulement évoqué là, ne constitue pas une introduction. Ça ne traduit ni ne déchiffre le texte dont la lecture comporte bien autre chose, porte ailleurs précisément lorsqu'elle en saisit les signifiants. Et chacun peut croire en neutraliser les effets ou les nier. Parmi les modalités psychiatriques pour accomplir cette négation, il y a celle consistant à dire que c'est trop vrai, et celle consistant à dire que c'est trop peu vrai. Ce qui, de toute façon, fait qu'un *trop* reste noté.

# LA MATIÈRE FREUDIENNE

par

Armando VERDIGLIONE

> La psychanalyse ne peut se vanter de ne s'être jamais occupée de bagatelles. Au contraire, la matière de son observation est constituée généralement par ces faits peu apparents que les autres sciences écartent comme trop insignifiants, par le rebut du monde phénoménal. (S. Freud, *Introduction à la psychanalyse)*

> Peut-être nous faudra-t-il, après tout, renoncer à l'inceste en tant que source du sentiment de culpabilité. (S. Freud, *Quelques types de caractère)*

Pourquoi tant d'intérêt à donner une définition du narcissisme? Pourquoi une condamnation si prolongée et si réitérée du miroir? Pourquoi une hantise si insistante, une sorte d'obstination à reléguer la jouissance « de soi » dans la dégradation morale? Pourquoi enfin préparer soigneusement et même scrupuleusement une liste des idéaux sexuels à modérer, à atténuer? C'est la question même de l'implantation du principe de l'inimitable et de l'inregardable sur l'effacement du paradoxe de dieu et de

Narcisse qui produisait l'éblouissement de Tirésias.

C'est une question qui ne concerne pas seulement cette forme de psychologie, depuis toujours « clinique », portant sur le concept de maladie et sur sa fonction, et sous laquelle la psychanalyse s'est présentée en Italie. En effet, la grammaire se constitue dans son idéalité comme machine de production de la « réalité », de la réalité de l'usine ainsi que de celle de la famille, de l'asile, de la prison, non moins que de celle de la réalité de parti. Autrement dit, le statut idéal de la grammaire est marqué par la *forme possible de l'image* en vue d'une productivité fondée sur le sexe objectif, réglable et distribuable.

Ce que l'expérience analytique montre tout d'abord — pour remarquer quelque chose qui soit plus près d'un terrain spécifique n'en étant pourtant pas exclusif — c'est justement qu'aucune « réalité » ne peut se passer de l'image, je dirais que, par contre, chacune se constitue en fantasme par rapport à *l'image*. Mais *le fantasme*, ce n'est pas rien. C'est plutôt quelque chose d'inéliminable se structurant comme ce qui dissout n'importe quelle constitution du discours comme cause. Laissant le discours indéfini précisément de ce qui le noue et le spécifie. « Ça » compte, alors que vous parlez ou écoutez. Contrairement, donc, à une position philosophique considérant le fantasme comme ce qui n'est pas, ou n'est pas encore, discours.

Or, si vous êtes en face d'un miroir — alors que, dans la fonction du miroir, vous y êtes toujours, vous ne pouvez l'éviter —, si vous *tombez* dans une relation, par exemple une relation entre un homme et une femme ou bien une relation, pour ainsi dire, entre un point d'énonciation et un point d'écoute, vous vous doutez peut-être de ce que je vais vous dire. C'est ce qui relève d'une pratique. La parole commence par ce geste de non-appartenance qui se marque de l'*image*, où affleure l'érogénéité d'une relation, du langage. C'est-à-dire que chaque zone est érogène en tant que nœud qui part d'un point aléatoire, d'un semblant, d'un corps-semblant. C'est pourquoi l'*imaginaire* est une dimension inéliminable de la parole : une dimension non pas préalable, mais coexistante avec celle du langage, des signifiants. *Et la parole n'a pas de principe.*

C'est pourquoi l'image marque le *mensonge* du signifiant, qui se combine donc par erreur. C'est la forme comme vêtement du *trou* du signifiant, la forme sur laquelle l'ontopsychologie a implanté *l'idéalité en tant que position métathéorique du désir*, pour laquelle toute altérité se trouverait déjà prise, déjà escomptée, sans heurts. L'image indique la place du retour du *même* dans un bouillonnement de fantasmes. *Le retour du même :* à savoir que ça résiste, un *reste* non refusable et qui n'est pas disposé à devenir *refus*. A ce retour des signifiants dans la différence, la philosophie a substitué l'*inertie*, à savoir une façon de justifier le chemin vers l'identité. En ne faisant cependant qu'accentuer l'*équivoque* que fait entrer en jeu chaque retour.

Ainsi le symptôme, en tant qu'il cherche à enlever l'image, est « retour du refoulé » justement en tant que transposition s'effectuant *en tout cas*. En tant que refonte de l'original et de la copie. Une « cicatrice » entre le refoulement et la pulsion (*Moïse et le monothéisme*, 1939) : une cicatrice non exempte d'une satisfaction qui ne se soumet pas à la maîtrise du *moi*, « *notre article de foi le plus ancien* » (Nietzsche).

L'allégorie constitue alors bien plus qu'une voie spirituelle vers le signe, le sens caché, l'unité : c'est ce qui, en traversant l'image, parle d'autre chose et autrement, donc jusqu'à se constituer comme *sémiose de l'image* dans l'enveloppement et dans le volume de la lettre, comme marque d'un glissement de sens de l'image dans l'enchaînement. Le suicide de Narcisse ramène au fantasme l'idée d'unité, *comme pour mettre en évidence le paradoxe d'une fondation, d'un passage de l'acte manqué à l'acte réussi*, c'est-à-dire d'une fermeture de la dyade qui ne peut ni participer, ni être doublée, de l'intervalle entre le signifiant et l'image, bref du miroir. Car Narcisse marque le paradoxe de la représentation se formant précisément sur un *rien à contempler* résolu en un *tout pour séduire*. C'est ainsi que la question de Narcisse introduit la question du semblant sur l'impossibilité de la construction théologique. C'est-à-dire que le suicide s'avère être l'aspect *casuel* de l'effort extrême pour *toucher le rien* dans l'espace de la contemplation. Il marque l'impossibilité de séparer le regard de l'écoute, l'écriture de la lecture.

Hier, quelqu'un a peut-être fait un pas en arrière par rapport au point d'où est partie l'analyse freudienne du langage. A travers l'impossibilité d'une *discipline* des rêves — où la « réalité » est fantasme sans signification, mais non pas dépourvu de sens — c'est bien l'impossibilité de maîtriser le langage, de le dominer, de le posséder que montre Freud. Il montre, dans l'entrelacement de l'image, du signifiant et d'un nom, comment les rêves n'inspirent pas divinement une politique royale, alors qu'ils procèdent selon une structure chaque fois différente, spécifique, non-universelle : l'interprétation est donc la façon d'en indiquer la dérive, et d'en provoquer d'autres.

*L'amour sait en effet quelque chose de la complication d'un nom* qui articule la structure du langage dans l'équivoque, le long de l'axe d'une abondance que l'on ne peut négocier ni commercialiser. Donc par le sentier du sexuel. Rêve, lapsus, oubli, étourderie, altération. L'identification est *nouée :* c'est justement le nœud dont parle la lettre d'amour et par lequel « ça parle » dans l'amour, ça se fait par un nom. C'est pourquoi *le miroir constitue la fonction d'un nom.* Et l'équivoque est constitutif du langage : à savoir que sa structure répond du destin de l'inconscient. Dans l'identification Freud trouve quelque chose qui a toujours hanté l'idéalisme : car l'acte d'identification commence un processus proprement sans retour. A la place du nœud, le métalangage, dans sa tâche d'expliquer en termes de développement et de succession et par ce biais de n'engendrer que l'*atomisme*, veut se sauver de la fonction d'un nom, de la *nomination.* Par le soutien de l'équivalent général, de la métaphore spirituelle, du Nom du nom, qui devrait « souder » le *bord de la mémoire*, vendre l'abondance, isoler le sexe, l'objectiver, l'insérer dans l'échange (des femmes d'abord), en faire le motif de l'échange et de la culture en général, le favoriser une fois traduit dans un système de valeurs.

Sur l'acte de la nomination, où le langage se structure donc en tant que (n')appartenant à personne, tombent les deux hypostases de la « création », à savoir de la conception instrumentaliste et universaliste du langage, les deux hypostases rappelées par le *Cratyle* : la « nature » et la « convention ». En effet, si on les structure dans l'équivoque, les signifiants sont *menteurs :* ce n'est donc pas dans le signifiant qu'habite la contradiction, suivant le principe ontologique de la médiation et de la valeur. La contradiction intervenant plutôt comme effet d'une équivoque.

Partir de la contradiction, c'est en même temps partir du sens, ramener la contradiction au domaine de l'herméneutique, la rendre étrangère à la position radicale où elle s'effectue dialectiquement. Ce qui signifie partir du *nez de Cléopâtre* pascalien en tant que point crucial d'un développement, contradiction détenant un *primat logique* tout au long du chemin de l'histoire, phallus de la construction humaine. Un nez niant son ambiguïté, les effets de contradiction. Un nez, par conséquent, si différent de celui de Vitangelo Moscarda. La croyance à la contradiction comme cause, la croyance que quelque chose est le produit des contradictions, que la contradiction est gouvernable, c'est un symptôme par lequel la *conscience* s'instaure de l'énonciation d'un précipice, comme sensation d'une perte.

Du reste, l'idéal juridique consiste dans la « création » d'un réel, où chaque signifiant demeure à sa place, prédéterminée depuis toujours, à la même place, à la place du même. Occuper une telle place, immobile, éternelle, garder la place d'un mort, s'identifier à une telle place avec une extrême fidélité : c'est ce qui fait intervenir le paradoxe même du *plusréel* qui, en tant que fantasme, met en scène l'acte de la dyade. En effet, sur le bord de la mémoire se déploie la *lettre* comme dimension de chute dans la parole, d'accident, dans l'impossible reconstruction du réservoir ou des archives personnelles et dans l'impossible formation du souvenir comme voie sûre de la dénonciation. Là encore se grave la deuxième topique freudienne, à l'articulation de laquelle je fais allusion dans ce que je vais dire : « Oublie! » (sur-moi), « N'oublie pas! » (moi), « Répète! » (ça).

L'*adjacence* est précisément la loi instaurée par la nomination, par le lien *matériel* des signifiants à travers un nom, c'est pourquoi chaque structure se scande sur l'axe de l'invention lorsque rien ne peut rester sculpté en ne pouvant enlever une marge de la dyade, un bout du sexuel. *L'adjacence est la dimension du trop dans le travail de la mémoire.* La maxime « Le trop estropie » rappelle la version morale du dépassement de la limite où la violence, qui dans le dire glisse, se transforme en honte *(stuprum)*, et par conséquent en stupeur.

*L'écriture se montre donc comme matérielle* puisque l'intervention d'un nom concourt à en nouer la structure sur l'érosion de laquelle s'orchestrent les effets de sens. Que ça écoute, c'est ce qui fait déjà, dans la lecture qui s'en produit, cette érosion qui rend les signifiants spécifiques, ne permettant donc à aucun élément de garder une intégrité ou intégralité supposée. C'est pourquoi *la matière constitue la résistance du langage* dans la mesure où elle y noue n'importe quelle représentation qui puisse être tentée, la retient dans ses revers, la structure dans son acte, de sorte que son trajet idéal rencontre le marquage de l'impossible. Le langage fonctionne ainsi, comme on le constate d'un bout à l'autre du texte de Freud, le long du bord de la mémoire, c'est-à-dire le long du sentier d'un excédent. Dans les manques aussi, dans les trous, dans les intervalles. Il ne peut être réduit au signe, à la logique de l'échange, au modèle élémentaire de reproduction, bref, au *psychisme* réglant le processus d'échange suivant le binôme excédent-manque.

Freud trouve exactement le *fétiche* dans une dimension inouïe : dans le principe de l'origine qui est le principe même d'arrêt de la *substitution*, à savoir le principe du signe selon sa définition médiévale. Mais la logique prédicative ne peut éluder la matérialité qui la constitue dans un texte. Par exemple nier pour éviter un nom, c'est déjà exposer la parole à un tournant, à un tour futile. D'ailleurs, la substitution n'est pas la « propriété » du langage, à moins qu'on ne veuille définir le symbolique à partir de la fameuse hypostase de l'animal, de l'*animal domestique*, mètre des rêves « humains » : rien en effet ne peut être substitué, ne peut assumer la place d'un signifiant, le supprimer, le forclore (moins encore un nom) comme le demanderait au contraire la position saussurienne du signifiant, de la partie d'échecs, brisé et *substitué par un nom, rendu signifiant,* « *identique* » *au premier pour*

*Saussure*. La substitution, en tant qu'elle se nourrit d'une *altérité* provoquée par la nomination, est fonction de l'adjacence qui fait la caractéristique de l'aspect *straniante* (étrange et inquiétant) de la répétition. Le *straniamento* traverse ce que je trouve, mais que *je ne connais pas*. C'est pourquoi la *familiarité* serait la mesure noble et connue de la connaissance; la formalité du nom, donc le symptôme du sexe, de tout ce qui reçoit la qualification d'ignoble, d'imprononçable, de dangereux. C'est justement l'altérité qui marque la production dans sa discordance. Et Socrate apporte donc dans le *Ion* une ironie subtile (l'ironie en tant que figure du subtil) sur le non-savoir du poète, qui surgit en concurrence avec le non-savoir philosophique et qui est rétabli en tant que critère du fondement démoniste de la folie. L'altérité, c'est ce qui est nié essentiellement par la théologie et intégré d'un côté comme erreur en quête de la justice, de la valeur, et de l'autre côté comme justification, principe divin.

L'adjacence comporte entre autres « la toute-puissance des pensées ». C'est sur celle-ci que se construit le fantasme du *pouvoir absolu de l'Autre*, fantasme que sous-tend justement une girandole de noms, que le piétisme rapporte à la parade du nom unique, propre ou du genre. La toute-puissance des pensées, dans l'étude freudienne de la sexualité, relève en fait, par exemple chez l'enfant, de l'instance de la nomination qui opère à l'improviste les combinaisons les plus étranges, l'évocation de l'allure sexuelle de la parole, de son *pouvoir ne s'effectuant* qu'en tant qu'inattendu. C'est ce qui revient à dire qu'*il n'y a pas de pouvoir de l'Autre* et que le pouvoir au contraire se double de la folie. La magie des paroles et du discours, en rien dispensée du *futile*, de la dépense, prend appui au contraire sur l'idéal et sur l'idéalité du pouvoir de l'Autre.

Pour instaurer le pouvoir de l'Autre, il faudrait annuler le miroir, la fonction d'un nom. C'est à ce projet que l'occident s'est justement mesuré. Voilà précisément ce que la philosophie a rêvé : La femme-matière (supposée inerte) incarne et représente — comme un au-delà — le miroir de l'homme et pour l'homme. Le postulat d'inertie forme justement le corollaire du principe de la création. Ainsi le *nu* de La femme est le seul admissible, le seul qui supporte les formes d'admission : c'est l'aspect public, autant que publicitaire, de la *vérité* universelle. L'intouchable de La femme sauvegarde l'ineffable obligeant et mystérieux du Nom. C'est dans la mesure où La femme n'a pas la propriété du Nom, le nom propre, qu'elle en constitue l'aval. L'idéologie joue précisément sa carte obsessionnelle dans la démonstration de la jouissance féminine en tant que retour théâtral et sacrificiel à l'*ineffable*, qui est la définition même de la jouissance divine, inatteignable. Mère, vierge, prostituée; La femme n'est pas simplement une marchandise parmi tant d'autres, car elle a le privilège suivant le principe *humain* du contrat social d'être le support de la production/échange des marchandises. Elle accompagne le rythme logique-capitaliste des marchandises, la valorisation. C'est ce sans quoi on ne peut poser l'équivalent général. Ce qui détient le secret de la découverte de l'étalon. Ni signe, ni marchandise seulement et simplement, mais représentant du miroir, phallus. Le phallus en tant que représentant du pouvoir anonyme sur la nomination, ultime garant de la cohésion de l'ensemble et de l'égalité, signifiant d'une jouissance possible et participable par le contrat (qui se trouve aussi à la base de l'éthique conjugale), c'est *le symptôme de la loi*, ce de quoi il est interdit de se rapprocher trop pour ne pas troubler le principe même de la classe, de la race.

La protestation féminine met en question la division sociale des sexes, en secouant la fixité des rôles, la stabilité du savoir, les échafaudages institutionnels, même si elle peut parfois prendre un autre revers : où elle institue le principe iconographique de l'« exception » sublime (*Quelques types de caractère*, 1915) sur le sillage du fantasme de la construction humaine d'une érection excellente et complète qui puisse vaincre définitivement l'attribution injuste d'un manque et fonder en même temps le *statut de l'infériorité féminine*, la reconnaissance de la valeur domestique et institutionnelle du manque.

Le projet de plus-value subordonne le sexe à la logique sociale des rapports de production, selon la maxime : pas de sexe sans/mais contrat. Le rapport doit donner la mesure du sexe. Le rapport se déroule dans la forme du rapport, avec toutes les obligations qui en découlent. A l'intérieur d'une entreprise morale qui prétend fonder le sexe en tant que propriété et bien communs, c'est-à-dire « le socialiser », le poser comme instrument pédagogique, le rendre productif, égalitaire, légal. Mais cet objet fictif, que le capitalisme se fabrique, n'arrive pas à éliminer le semblant qui en conditionne plutôt le parcours. Les signifiants ne peuvent être enlevés ou économisés, car ils se trouvent dans une différence spécifique, venant de leur intersection avec un nom, d'une *différence sexuelle* qui démontre l'impossible communauté de sens et d'individus. Freud dit précisément que la *pulsion* sexuelle n'est pas déterminée par l'objet, ne s'établit pas sur la base de la valeur de l'objet. Il y a plutôt un débordement qui emporte l'objectivation et qui fait induire le semblant.

C'cst à un tel débordement que se relie la question de la surestimation *sexuelle*. Celle-ci connote justement tout ce qu'il y a de non-symétrique dans le rapport entre objet et pulsion, qui, dans l'altérité constituant l'*adjonction* dans la répétition, effectue la version humoriste de l'esthétique prise comme forme de mesure du corps. La surestimation est sexuelle : la combinaison avec la perversion la traînant dans le tour de la nomination. C'est pourquoi la perversion est tout autre chose qu'un attribut personnel, qu'une version du Nom, une maladie du signifiant, une application réglementaire d'une grammaire divine, d'un code paternel, humain. La surestimation sexuelle, paradoxe du jugement, énonce la dérive du/dans le fétichisme des marchandises, le naufrage de/dans l'organisation en termes de contrat ou de complément de l'amour. La *nécrophilie* porte précisément au paradoxe la thèse idéale de la médecine, à savoir que ce n'est qu'un corps supposé mort qui peut être aimé. La *coprophilie* au contraire part d'un « dernier » terme, d'un reste, d'un résidu, d'où l'idéologie puise la condition de validité de l'ensemble et qu'elle ordonne de sauver, d'économiser, de ménager : c'est le paradoxe de l'économie.

C'est pour cela que, dans la scansion de la parole par rapport à un semblant, l'ambivalence est ce qui résiste à toute contrainte du signifiant et ne peut que demeurer souligné par une soustraction algébrique. C'est-à-dire qu'elle a, comme le dit Freud, un aspect inconscient. Et n'importe quel couple de contraires ne maintient aucune stabilité, mais se trouve mis en jeu par le processus de répétition (*Trois essais sur la théorie sexuelle*, 1905).

Le *désir* marque justement le débordement de la pulsion dans le langage. En effet, le parlant en vient à *désirer malgré lui* : c'est-à-dire que la parole emporte toute supposition de limite ou de territoire. En effet, elle n'a rien à déterritorialiser, parce qu'elle *agit* et ne cesse d'agir. *Je ne me souviens pas, donc je trouve* : c'est là que ça advient dans la parole. Ce qui fait du désir le paradoxe du récit, l'index de la matière. En plus, ce qui ne laisse et ne reconnaît aucun élément stable ou prédiscursif si ce n'est pour en fournir la marque d'une condensation. La répétition suit l'enchaînement *effectif* des contradictions. « Ça se répète » : et l'effet promeut un autre agencement, non pas un accomplissement ou une fermeture.

Car un événement n'est pas un « fait » : il le devient sur la base d'une croyance, qui quand même se dissout différemment dans l'articulation de la parole, dans les divers *discours en tant qu'effets d'une structure de la nomination*. La morphologie du conte s'est exactement aventurée (c'est le cas de le dire) dans quelque chose à quoi se heurte le droit. En effet, le

« passé » n'a jamais été. Pas même le « fait », qui était le point d'appui de l'idolâtrie positiviste. Le récit, c'est ce qui advient, il n'est jamais le récit de ce qui est advenu. Ce qui est « advenu » au contraire, comme le fameux « vécu », fait le tour d'un nom pour insister en tant que fantasme dans le processus de répétition. C'est là que l'investigation de Propp frise la théorie freudienne du mythe.

Lorsqu'un événement ne s'explique plus par la représentation que l'on en fait, il faut la *canonisation.* Il faut que quelqu'un soit la victime et quelqu'un d'autre le despote : et c'est à cela que pense une grande organisation sociale. En outre, l'organisation positiviste de la pratique va à la poursuite du « fait clinique », dans une reconstruction médico-légale, et d'un nom assignable, d'un nom qui doit donner la maîtrise démoniste de la maladie.

Le « fait » est justement le symptôme de la *contingence*, de l'accident dans la structure dudit discours obsessionnel. C'est pourquoi, donner pour déjà acquise, *escomptée*, la « scène primaire », le rapport sexuel, suivant le présupposé même du moralisme, constitue déjà une façon de tomber dans le sexe, non pas de l'éviter, de toucher par le principe de la garde de l'intouchable, par *la garde du Nom* qui devrait garantir la *définition du fait en tant que passé.* Un tel fait ne saurait passer que dans ses éléments de sacrifice et de jouissance de la victime, jusqu'à l'exécration de l'éventuel et de la place vide de dieu, celle où la jouissance de Narcisse se grave sur un *rien*, sur un intervalle (paradoxe de la jouissance divine ou de l'amour-*propre*). Mais la structure du discours obsessionnel s'appuie donc sur une théologie impossible, sur une *négation qui ne fonctionne pas*, sur une traversée du fait, qui est effrité par sa proximité au sexe.

Par contre, le journalisme essaie par exemple d'utiliser la « mort » de Pasolini en tant que fait déjà inscrit dans le récit, en tant que paiement adéquat d'un passage à travers la sexualité, en tant que destin inévitable, évident, obscurément pressenti par le protagoniste lui-même, en tant que dénonciation de la violence aveugle. *L'hypothèse politique de la sexualité* est tenue pour insupportable et incommode, trop bouleversante par rapport aux critères de la narratologie. En outre, il semble plus acceptable de présenter Pasolini comme la victime de lui-même, plutôt que comme la victime d'un crime politique : il manquerait les termes de la cohérence morale d'une histoire dans l'*éventualité* de tomber dans la problématique sexuelle d'une production, dans les filets d'un intellectuel sans place.

Ledit discours hystérique est au contraire caractérisé par l'*oubli du nom* qui laisse indécidable l'appartenance à l'avantage de *la foi dans le fait*, un fait à découvrir et à rappeler en vue de la démonstration d'un crime accompli/subi, d'une séduction unique. Et il en vient par exemple à faire la parodie de La femme, de la femme de tous, la parodie de l'universalité de la matière. La répétition procède d'un oubli.

Ledit discours psychotique, au contraire, fait la caricature du monothéisme absolu, du critère de la représentation impossible, de *l'impossible économie du sentiment de culpabilité*, justement à travers une démonstration en acte. Il part donc du *non* de la répétition du *nom* marquée par un acte d'élision, c'est-à-dire par un acte marquant cet intervalle sur lequel prend appui la subsomption du Nom du nom. Par un acte de respect caricatural qui s'en tient à la *décision* d'éviter que parle un corps mort, que soit touché un point en accentuant l'indécidable précipice du corps et du toucher dans la parole. Une parole qui laisse pour autant *tomber* « la réalité » et met radicalement en question le besoin pris dans son objectivité, ou bien, négativement, en tant que manque ontologique.

*Sur l'aphasie du dieu schrébérien* en tant que place vide et tournante, les noms brisent l'*arbre généalogique* pour en faire l'image de combinaisons intenables *(stranianti)* dans la tentative de *forclusion des signifiants*, à savoir d'escamotage de chaque supposition en tant qu'entrée en jeu des signifiants dans le fantasme du *plusréel*, dans la *mémorisation du Nom*, dans la formation d'une mémoire éternelle remplaçant le réel. C'est pour cela que l'allégorie théologique de Schreber n'a pas de garant linguistique, mais seulement des noms, une mutiplicité de noms qui se précisent dans chaque enchaînement. Les rayons, les nerfs n'ont plus d'unicité, ils ne partent pas d'un point, mais d'un croisement où *la division nette du choix entre le « oui » et le « non »* devient paradoxale parce qu'elle s'enfonce dans l'absolu du regard.

Il y a donc une instance absolue du sexe, dans le lieu de la création continue, où il ne resterait que les noms de la loi, le gestuel des noms, sans autre discours que celui de la sentence. Le sentiment de culpabilité est ainsi poussé, par la contagion énorme des noms, dans une dimension sans issue. Il ne resterait ici que la promesse à fonder *tout fait comme exemplaire*, un fait de famille, de la famille des noms. Un fait du nom familial. La scène éternelle se dessinerait ainsi, à la place de l'Autre, de la place du sexe, pour gérer la nomination. Dans le temps donc de la folie comme cause, dans le temps de la raison donc — le temps dans lequel la folie devrait être totalisable.

D'ailleurs, la thèse selon laquelle il n'y a pas de sexe dans le discours psychotique sert pour se représenter l'état idéal *d'une scène affectée par un non-accès à la logique du père mort, de la rivalité :* le corps de la douleur n'étant donc pas encore parvenu à penser le conflit, le conflit légitime, jusqu'au point de rassurer donc ceux qui reconnaissent la règle de l'échange sur le respect et sur le fondement du Nom, qui selon le principe endogamique noue le lien entre la loi et la propriété.

C'est justement le comble du respect du nom qui impose qu'il soit imprononçable, totalement irreprésentable, intouchable, inaccessible, ce qui oblige donc à un rituel de sacrifice continu, à la périphrase extrême, la plus lointaine, à la représentation la plus décentrée, jamais excentrique. « Ne prononce pas en vain le nom de dieu » : cet énoncé s'écrit par un paradoxe où le nom intervient irrégulièrement, à savoir sans le but de créer ou de respecter la création. Un tel énoncé forme cependant le *principe de l'assignabilité du nom*, sur lequel porte toute « création ». Il implique l'obligation du différent pour le sujet moral. Mais justement le *non-dit*, au lieu de fonder le différent, en produit l'altérité, c'est-à-dire qu'il ne manque pas la lettre de la production. L'adjacence, évoquée par le paradigmatique saussurien introduisant la complication d'un nom dans le jeu de la parole, effectue un *savoir inventif*. Un nom, bien qu'*imaginé* comme unique, bien qu'il soit *image* de l'unicité, n'annule pas le miroir, il fonctionne plutôt dans le joint du miroir, dans le point où l'un et l'autre agissent, se produisent dans l'acte de leur différence, existant *sans besoin*, à savoir sans raison, sans demander d'entrer dans le compte de la raison.

Il faut donc que le Nom soit hypostase de la complétude, de l'écriture sacrée, sans tolérance possible pour les images. *Il constitue le principe de l'iconoclastie.* Si les images sont toujours excédentes et ne supportent pas la limite ou de se faire limite du discours, il vaut mieux les supprimer, en les reléguant tout au plus à la condition d'ornement ou d'illustration, en déterminant leur fonction pédagogique, au niveau régulier, grammatical, des « exemples ». Et le *zéro* forme ainsi le fondement de la série, le principe d'un dédommagement qui n'ira jamais jusqu'au solde, de l'interdiction absolue d'être signifié par quelque chose; par un nom ou par une image, qui ne seraient qu'une offense, donc constitués comme trace, blessure, bref, consumés par une origine imprésentable, impliqués de toute façon dans une copulation divine.

Le monothéisme repousse dès lors l'identification. Il veut l'extirper en faisant du sentiment de culpabilité un point de départ, d'inspiration et d'idéalité de l'ensemble, en créant par là le père mort en tant que modèle inatteignable de *rivalité* et d'accrochage de tous les éléments, en tant que forme de la justice, sentiment de la dette. Il part donc du principe d'une rupture d'avec la famille, d'une coupure du cordon pour disposer les choses par rapport à un manque fondamental, à son lieu, pour faire de la contradiction la condition et la place du sujet. Un sujet installé dans le point du « je ne me souviens pas » sous la version du « je dois oublier » : il en reste la dimension du ne pas mourir assurée par la mort du nom et de l'image.

De cette façon, l'hypostase de la doctrine juive entraîne l'inscription du sexuel comme possible et déjà escomptée pour que le concept divin soit là à garantir, sans aucune médiation possible, un ethnicisme pur, à la conception du discrédit total de l'autre, dans la promesse d'une reconnaissance future, d'une concession de privilèges sur « tous les autres », admis par « tous les autres », indiscutable et désormais incroyable. Le principe biblique, qui qualifie l'occident par le primat théologique de l'écriture, s'instaure sur la base de la négation de la nomination, sur quelque chose qui précède, selon la modalité juive, la prohibition même de l'inceste. C'est le principe théologique par excellence : il fonde le nom *assumable* dans le temps comme ordre et obligation du divers. Principe de non-contradiction. Principe de l'infigurable et de l'imprononçable. En d'autres termes, le symptôme, c'est-à-dire le point d'éclatement, de la sexualité du langage dans le discours occidental. Et dans notre tradition, il n'y a pas d'autre secret que celui du nom donnant même lieu au public et à la publicité : les noms secrets deviennent fonctions d'un pouvoir sur les choses.

La théologie crée donc son espace en assumant la dérive du nom, en assumant l'*effet de jouissance*. C'est-à-dire qu'elle élève un effet en modèle absolu, en valeur fondamentale, en cause qui range les choses selon l'ordre des possibilités. Etant donné l'existence des choses dans le domaine du possible, c'est-à-dire de l'évitable, la jouissance est entendue comme enlevée pour toujours, expiée, pardonnée. Le monothéisme, par cette voie, n'apparaît que comme un remède de la jouissance. Et le principe du métalangage est théologique : se présenter en tant que modèle d'une jouissance déductible, calcul de l'effectivité du langage.

Pour économiser la jouissance, la contenir, l'assumer, la maîtriser, il faut tout d'abord la *diviniser*, de même que, pour *nommer* le sexe, il faut le croire intouchable. *La fête est justement le lieu de la nommabilité du sexe, le soutien de l'idéal d'éternité, bref la jouissance immobile.* Représentée une fois pour toutes dans la statue humaine, élevée en figure du pouvoir absolu, en métaphore de l'universalité, de l'empire illimité. Une immortalité donc, posée en tant que lieu à fonder *la possibilité de la production sur le fonctionnement économique de la mort.* Secret, ou bien hypostase de la profondeur, la fête pose un objet irremplaçable, un objet inamovible : l'enfant merveilleux ou terrifiant, innocent ou coupable, le maître, La femme sublime, le père infiniment jaloux. Apollon ou Dionysos. La nostalgie forme donc la fantasmatique correcte, la série des bons souvenirs au service de la vertu.

C'est pourquoi la fête est la jouissance divine en tant que lieu du sentiment de culpabilité et de son administration sociale et personnelle. Et n'importe quelle pédagogie se sert de cette *version* de la jouissance. Ou plutôt de cette *conversion*, puisqu'il s'agit de la *dépendance du sentiment de culpabilité du statut de la jouissance* en termes d'une traduction en tant que base de toute éthique. Le sentiment de culpabilité est la représentation chaste, *classique*, très élevée de la jouissance : c'est-à-dire le modèle de construction de la classe. Il ne procède donc pas de l'inceste, du crime, du « fait », de l'idée de bien, de la loi immanente ou transcendante, mais plutôt il les « crée » (*Quelques types de caractère*, 1915). Le critère est en effet celui-ci : *la jouissance se paye*. Pas seulement avec la fatigue pour l'atteindre. Même avec un crime qu'il est nécessaire de commettre ou d'imaginer avoir commis pour justifier objectivement et domestiquement le sentiment de culpabilité.

C'est dans la fête que se place cette croyance que tout est positif de façon à ce que tout soit frappé d'intolérance. Et l'harmonie cosmique est le présupposé de la génération géante, de la promesse donc du contrat idéal sur le modèle de la multiplication par couple : s'il y a un paradis, tout le reste est en défaut, ou plutôt, est déjà piégé dans la punition; toute imperfection témoigne de la désobéissance, de sorte que seule la loi peut être satisfaite — la loi ou ce fameux « cours naturel des choses ».

Sur le *fantasme* de l'immortalité propre se fonde donc la théologie du sujet, c'est-à-dire la psychologie dans sa tâche de perpétuer l'instance du racisme. Dans le cas de l'enfant ou du père, du maître ou de La femme, il s'agit de *sélectionner l'image charmante du principe de sélection* : dès le parricide platonicien jusqu'aux épigones de Nietzsche, la tâche de la théologie demeure celle d'un meurtre nécessaire du père et de l'économie de la mort, de la distribution et de l'emploi opérationnel du savoir de la mort. *La mort est conçue par rapport au Nom* : fonction d'*accès* du sujet aux structures culturelles, fonction humaine idéale, elle passe par cette supposition qui la rendrait nommable, avec une mesure de l'Autre. Donc une mort autorisée, dirigée sur l'Autre. Une mort de la matière, de la fonction de l'image et de la nomination. La « dernière cène» accomplit l'exécration du semblant, en servant de modèle de fondation de la théologie du sujet : car elle se construit sur le testament en tant que consommation du corps de l'Autre pour une transmission du nom. Le meurtre nécessaire du père (ou du fils) est accompli déjà depuis toujours. *C'est un « fait »*. Irréalisable donc. Il est déjà « escompté » et si lourdement qu'il faut une erreur ou une croyance dans l'erreur pour qu'il y ait un soulagement, un dédommagement rappelé. C'est justement la conception du crime social, du crime d'où la société tirerait son origine, qui *érige* le père en principe d'une nomination substituable et représentable : à proprement parler non pas en substitut, mais en garant ultime.

*Et si ça manque, c'est parce que quelque chose a été enlevé.* Ce qui constitue le modèle de fondation de la *communauté.* Et le programme idéal de toute hiérarchie trouve son objectif dans l'affranchissement humain. L'interdiction de la jouissance se sert ainsi de sa représentation par le sacrifice. De cette façon, ce qui décide, idéalement, de l'existence de la communauté, ce n'est pas tellement la construction du crime, l'incarnation d'un bouc-émissaire, mais plutôt la *dénonciation* du crime commis, du « fait ». La *dénonciation* inaugure et en même temps confirme la nécessité de l'ordre social. Le crime et sa dénonciation permettant en effet la croyance à l'assumabilité de la jouissance, à la nommabilité du sexe par la gestion du sentiment de culpabilité.

L'apport de Freud, notamment en ce point, ne peut être écarté. *La mort, c'est le symptôme du logos.* En effet, elle marque sa contiguïté au sexe. Strictement impensable qu'elle est, voire inasujettable au concept que l'on peut en avoir, elle s'effectue dans le langage, dans la structure de la nomination, sans rapport à une dette, à une prescription. Le *mythe* du père primitif la frise et comme fantasme et comme effet insistant dans la répétition. Il l'indique dans l'acte comme ce qui, dans l'oubli, choit, comme un geste se précipitant par un décalage débordant, par une surcharge irrépressible. Comme marque du sexuel.

De la parabole du « discours hystérique » à la parabole du discours juif : le « fait » est un fantasme, comme le « trauma originel » ou « traumatisme de la naissance » (Rank). Le *mythe* freudien du père primitif est irréductible à la théologie du père mort. Mais il invente une théorie de la pulsion, précisément de la compulsion de répétition, bref une théorie de la répétition. La répétition se constitue par un oubli et relève de l'acte même de l'oubli, par la fonction d'un nom, à savoir sur le bord de la mémoire. Et « primitif » marque justement la place d'un fantasme. Il n'y a pas de fondement, d'origine, d'événement unique. Il s'agit plutôt d'une parodie de toute procédure juridique, génétique ou généalogique. Une parodie jouée sur le sentier de la nomination, dont elle démontre la logique.

En insistant sur le parcours historique de la religion, sur son procès *matériel*, chaque idéal se trouve ancré à un tissu spécifique où il surgit et qui se répercute sur lui, le combine autrement par rapport à son orientation. Et le monothéïsme instaure sa domination sociale sur le rejet du « mythe », sur le reniement de la répétition, sur l'interdiction de la jouissance, bref sur le *renoncement aux pulsions*. Renoncement précédant la croyance en dieu, aval de l'aspect méritoire du renoncement. Déjà Nietzsche entrevoit le paradoxe du christianisme dans la faillite d'une doctrine de la mort et de la libération, dans son excédent historique.

De *Totem et tabou* à *Moïse et le monothéisme*, le texte freudien se démontre être loin de toute opération anthropologique car il part d'un angle qui en spécifie la lecture : l'angle, *par exemple*, sous lequel il énonce que la religion est un symptôme obsessionnel, qu'elle procède sur la caricature d'elle-même. C'est une lecture qui se distingue de toute consécration de la religion comme type humain ou comme phase du développement historique.

La question œdipienne chez Freud est la question même de la nomination, donc de la différence sexuelle. Du paradoxe du principe du Nom jusqu'au nombre indéfini de noms, tournant dans l'acte de la parole, Œdipe est ce qui dissout l'échafaudage du roman institutionnel dans la fonction sexuelle de la mémoire, à savoir dans la production matérielle dont est inséparable l'effectivité — inconsciente. Après Freud, Œdipe a été réduit à un drame domestique, à une table d'exemples véhiculant des canons utiles à la fabrication de l'individu, à une rivalité comme modèle de fondation et de soumission, jusqu'à renvoyer à une loi générale de la circulation, de la transmission.

[illegible]

[illegible] Révolution [illegible]
[illegible] dans l'histoire [illegible] Révolution [illegible] fait de la [illegible]
tion. Là où il y a regroupement autour de cette [illegible]
[illegible] du social [illegible] crise analytique.
À partir de quel moment [illegible] la marche [illegible]
ses représentations.
Il y a de [illegible] quelque [illegible]
On [illegible]
[illegible]

# LA MAIN DE FREUD

par

Philippe Sollers

## I

Pourquoi ne pas dire que l'histoire du mouvement analytique est celle de la crise d'y former une communauté? C'est vrai de Freud, c'est vrai de Lacan. L'analyse, en son fond, dissout toute communauté possible, et l'on pourrait dire que c'est même en ce point qu'elle est infinie, qu'elle ne peut pas s'y résoudre, qu'elle y *résiste*. Résistance à la dissolution de la lettre dans l'inconscient. Résistance au fait de la signature. Là où il y a regroupement autour de cette dissolution en acte du lien social, là est la crise analytique. A partir de quoi commence à circuler le marché de ses représentations.

Il n'y a de communauté du signifiant qu'imaginaire. On ne peut pas mettre le signe égal entre deux réels de discours. Pas plus qu'il n'y a de commune mesure sexuelle. Ce qui signifie qu'il y a autant de sexualités que d'individus sexués. Et, en conséquence, autant de discours et de résistances de discours pour le marquer. Hommes, femmes, catégories de l'homo ou de l'hétéro : tourbillon du contre-investissement pour essayer à tout prix de laisser subsister le leurre de la commune mesure. Nous vivons à l'époque où ces *massages* apparaissent comme tels.

Ils et elles ne pensent qu'à ça : mesurer le sans-mesure. Obtenir enfin l'empreinte digitale de leur sexe mis en discours. L'inconscient leur apparaît *quand même* comme collectif. Or ça se passe de *un* à *un*. Rien ne prouve ni ne prouvera jamais qu'ils avaient affaire l'un à l'autre. On appelle cure analytique le temps de rêver là-dessus.

Voyez les analysants d'un même analyste, voyez les analystes entre eux. A quoi pensent-ils? A la clé du coffre qui pourrait, en bloc, leur échoir. C'est pourquoi tout s'est passé autour de la mort de Freud, et se repasse autour de celle de Lacan. En attendant le suivant pour peu qu'il existe, parce qu'il n'est pas exclu, après tout, que jamais deux sans trois soit vrai partout sauf en analyse.

Si l'inconscient ne se laisse atteindre que par un et un seul, cela est vrai pour les analysants, les analystes, et, dès lors, on peut se demander ce qu'ils font ensemble sinon se débrouiller pour gérer les impasses de cette vérité, faire qu'elle arrive le plus tard possible, au moins d'uns possibles.

Que l'un ait lieu, et personne, peut-être, n'en entend plus parler.

Lacan s'amuse parfois de cette situation en disant que la place de l'analyste est celle du saint. Plus on est de saints, plus on rit, dit-il, mais évidemment on n'a jamais vu des saints rire ensemble, et aucun saint n'a jamais supporté un autre saint. L'Église a d'ailleurs fonctionné comme ça : par des luttes entre saints. D'où il s'ensuit que vous avez un dogme pour régler au mieux la question : celui de la communion des saints. Il faut bien les mettre quelque part ensemble : paradis. Seulement voilà : l'enfer existe, mais le paradis, non. La croyance générale est, bien entendu, plutôt le contraire. Quant au purgatoire, son nom c'est : l'État. Ce qui explique qu'il soit si difficile de s'en débarrasser, d'autant plus qu'il tourne facilement à l'enfer de temps en temps, rien que pour faire sentir le problème.

Je voulais seulement dire à l'instant que la psychanalyse a tout à dire sur l'église, l'armée, l'université, et en général sur n'importe quelle institution, officielle ou non-officielle.

Ce ne serait pas forcément le cas si les analystes étaient seulement des gens qui écoutent. Mais ils sont bien obligés d'énoncer silencieusement ce qu'ils entendent et c'est là que la différence irréductible les attend.

Quelque part, le lien social se dénoue : je pense que c'est aussi l'horizon de la littérature. Le sol en est l'Un-Seul. Autrement dit, de l'autre côté, du mort.

## II

Lorsqu'on parle de castration, il faut insister : castration de la mère. Le règne du fétiche, instauré et consolidé par la croyance au phallus maternel, est menacé par ce constat de vide, et Freud le dit : comme si le trône et l'autel étaient en danger. Autour de cette question, il y a panique. C'est la raison pour laquelle le lien social est absolument, intrinsèquement, de nature homosexuelle. Renforcer le lien social, c'est s'appuyer sur la sublimation des pulsions homosexuelles. C'est vrai des hommes comme des femmes, en ce point d'immaturation répété. L'équation de la survie de l'espèce y est inscrite en tant que malentendu permanent, point de fuite et par conséquent de retour. L'espèce n'arrête pas de revenir sur elle-même en visant ce point. « Comme si le vagin n'était jamais découvert... ». Voyez ce raccourci étonnant de Freud à propos de *l'homme aux loups :* « il avait pris partie pour l'intestin et le père, contre le vagin et dieu »[1]. Toute une histoire...

La jouissance de la mère vient signer, ou non, celle du père qui, elle, est beaucoup plus mystérieuse, entourée d'un silence originaire. Les murs ont des oreilles pour la jouissance féminine, mais celle de l'homme, qui en est témoin? Je parle de la jouissance de l'homme en tant qu'avouée par une femme. Insupportable.

Les femmes commencent à râbacher que Freud aurait buté contre l'énigme de la féminité, de la jouissance féminine. Ne pas s'étonner si beaucoup d'hommes sont prêts à répéter ce poncif. En réalité, ce qu'elles font, c'est rendre de plus en plus large et profonde l'influence indirecte de Freud. Quand Freud dit qu'il n'y a qu'une seule libido, et qu'elle est masculine, cela ne signifie pas pour lui, c'est évident, une valorisation de la libido. Il ne dit pas que c'est « bien », il laisse même plutôt entendre que cela peut être encombrant. Quand il parle de l'envie du pénis, côté femme, il ne manque jamais de préciser son autre versant, côté homme, qui est : position féminine par rapport au père.

La jouissance du père est plus refoulée que celle de la mère. Puisque la mère ne jouit qu'à contre-coup du fait que l'homme serait de plus en plus à la place de dieu. Or la jouissance de dieu, n'est-ce pas, est impénétrable, insondable. Vous aurez donc à la place, si on peut dire, la jouissance féminine comme leurre et rétro-vibration. L'itinéraire de l'homme vers dieu consiste à démêler ce concert. Mais comme dieu n'existe pas (sauf pour toute femme), on ne peut pas dire que le chemin soit enviable. Pauvre homme : c'est pourquoi il se doit de mourir.

On va s'apercevoir, de plus en plus (c'est à mon avis la signification du remue-ménage féminin actuel), que les femmes, finalement, n'ont rigoureusement rien à voir avec la sexualité, que ça ne les intéresse pas, que leur problème est complètement ailleurs. Il y en a que ça stupéfie, c'est drôle. Autrement dit les illusions millénaires à ce sujet sont en train de tomber. Ce qui fait qu'il n'y a pas grand chose d'autre à faire, côté homme, que de conseiller l'analyse. Côté femme aussi, bien sûr, mais c'est problématique. Si elles pouvaient se décharger un peu de leur obsession de l'homosexuel masculin, ce serait presque suffisant.

Lacan, c'est clair, a réussi à œdipianiser son temps. Jusqu'à produire un livre qui s'appelle « l'anti-œdipe » et dont le sous-titre lisible entre les lignes est : le pro-lacan. Œdipe était vieux, pas assez muselé pour Lacan : tout cela se modernise. Pourquoi? Parce que Lacan, non content de prendre le fil profond de la découverte de Freud, en a restitué les dimensions d'énonciation. Pas seulement théoriques : on touche au style. Un style fait travailler pour lui les dénégations dont il est l'objet. Et l'analyse, essentiellement, n'avance, n'a lieu, que par des dérapages de ce genre. On est loin de toute thèse ou dissertation, ou discussion théorique sur Freud : l'effet-freud est avant tout d'écriture. Encore cette question de « littérature » à l'horizon.

Et nous revoilà sur l'enjeu de l'écrit. C'est là que ça se passe. Étrange, n'est-ce pas, que philosophie et psychanalyse se retrouvent quelque part par là. Jusqu'au point qu'on pourrait désormais dire que *la philosophie est devenue ce qui parle de la psychanalyse au nom de la littérature.* La littérature, elle n'en dit rien, ou presque, elle s'écrit.

## III

L'analyste a à faire avec des discours qui cherchent, même s'ils ne le savent pas, à s'interpréter. Partout où il y a demande d'interprétation, il y a, de fait, analyse.

Explicite, implicite, avouée ou refusée. Les prétentions à suspendre l'interprétation sont 999 fois sur mille injustifiées. Et pourtant, cela peut arriver : une fois, rarement. L'interprétation s'intègre à l'écrit, et c'est à ce moment l'écrit qui peut interpréter l'interprète. L'analyste, en ce point, n'atteint pas l'interprétation. Le critère : l'écrit ne refuse aucune interprétation, il n'est pas en compétition avec l'analyse. Au contraire.

Commence alors une nouvelle, toute nouvelle, dialectique entre analyse et fiction. Une fiction peut produire des effets analytiques qui restent en dehors de la portée analytique. Mais elle ne pourra jamais être à la place de celle-ci. N'importe quel écrit est interprétable en termes d'analyse. Commencer *avec* l'interprétation, voilà le point.

Il n'y a rien à « sauver » par rapport à l'analyse. Pas de recoin métaphysique pour la folie, l'art ou la littérarure. Une écriture peut accepter pleinement l'interprétation analytique. Je dirai même que, désormais, elle le doit.

C'est pourquoi, aujourd'hui, le discours philosophique est en perte. Il lui faut digérer d'un coup deux gros cailloux : l'inconscient freudien et cette forme nouvelle d'écrit (depuis Mallarmé, Artaud, Joyce). Le philosophe va contester la validité analytique au nom de ces expériences d'écrit. Pour cela, il lui faut la garantie que le porteur d'écrit la boucle au sujet de l'analyse. Mais si l'écrit prend partie pour l'interprétation analytique? Le philosophe se sent doublé. Mais l'analyste est inquiet. Regardez ce fonctionnement tri-polaire. L'analyste doit distinguer sa pratique de toute récupération philosophique. Le philosophe doit empêcher l'évanouissement de son discours par l'interprétation analytique. Le sujet de la fiction n'a pas à se faire parler par la philosophie, lui aussi défend une pratique, une rupture. Vous aurez tantôt l'analyste et le sujet de la fiction contre le discours philosophique, tantôt l'analyste et le philosophe contre le sujet de fiction. Et puis aussi le discours philosophique et le sujet de fiction contre l'analyste lorsque ce dernier (et c'est fréquent) perd toute conscience du contexte historique dans lequel se passent ces opérations.

Analyse, philosophie, fiction : les extrêmes se touchent en étant complètement séparés (analyse et fiction). Au milieu, le philosophe est assis entre deux chaises. Il envie les deux places à la fois. L'analyste, lui, s'aveugle à se croire à la place des places. Le sujet de la fiction se sait hors-place. D'où son rapport au champ psychotique dont les retombées peuvent être philosophiquement étroites (et le philosophe en profite), mais aussi cruciales pour la pratique analytique (qui s'y voit interrogée).

Si un analyste vaut ce que vaut son rapport à la psychose, sa question est l'écrit qui y *passe*. Quant au philosophe, comme d'habitude. il est là pour tenter de boucher les trous.

Je laisse de côté le discours scientifique, auquel la fiction en prise analytique n'a rien à redire (elle y puise autant qu'elle veut). La philosophie en est définitivement ébranlée. L'analyse n'a pas fini d'en explorer les boucles.

L'écrit qui passe par le champ psychotique peut tout simplement y rester. Mais il déclenche surtout au passage une masse de contre-investissements névrotiques et pervers (hystériques, obsessionnels, phobiques, fétichistes) qui signent sa fonction d'*incuration*. L'écrit doit amener des investissements d'écrit en cure. La cure fonctionne toujours quelque part comme demande d'être « relevé » de l'écrit.

Mais on peut penser aussi que l'analyste rentre dans *sa* cure par le biais de l'écrit. Qui ne le met pas moins en incuration que l'analysant qui s'ignore. Seulement, tout est là : ce n'est pas la même mise-en-procès. L'analysant s'imagine que renoncer à l'écrit est impossible. L'analyste peut y consentir (malaisément).

L'écrit « de passage » fonctionne à partir des résistances qu'il rencontre et suscite.

De même que la cure, à un autre niveau. Analyse et fiction sont donc en « contrôle » réciproque. Mais la fiction, seule, peut en convenir. C'est *logique*.

## IV

Imaginez la main de Freud écrivant ses cinq analyses. Hans, le petit doigt; Schreber le majeur, entre les deux larrons à l'index, l'homme aux loups, l'homme aux rats. Et enfin Dora, le pouce, opposable à tous les autres. Imaginez maintenant cette main en miroir : vous avez la fiction de notre temps. C'est-à-dire son réel *en plus*, son poids, son relief, sa conséquence.

L'hystérique touche à tout. La phobie vous dit quelque chose de secret à l'oreille. Les deux colonnes de la névrose obsessionnelle soutiennent l'édifice sexo-social. Au milieu, l'obélisque mémorable de la paranoïa indépassable dont tous les autres discours sont *tissés* si vous savez les entrécouter.

Joignez le pouce au majeur : Dora et Schreber se ferment en cercle. C'est là qu'il faut essayer de penser *quand même*.

L'analyse, et la fiction en miroir, et réciproquement, conduisent fatalement à l'un-seul. Du côté du réel saisissable en symptôme, cet un-seul se produit sous la forme de l'une-femme.

L'un-seul et l'une-femme, radicalement autres l'un à l'autre, sont aussi hors-hommes qu'hors-femmes. Autour de ces deux bords, indéfiniment repoussés, c'est le tourbillon du transfert.

L'une-femme ne fait pas seulement problème pour la communauté mâle, mais, on le verra de plus en plus, pour une communauté éventuelle de femmes aussi, dernier rempart du leurre de la commune mesure. D'où le bavardage ambiant.

Les femmes ne veulent pas davantage de l'une-femme que les hommes de l'un-seul. Les unes femmes et les uns-seuls ne font rien de commun, cet un-unes est multiple sans unification possible; pour ce multiple, il n'est pas de *compte*.

Regardez Schreber dans son avortement vers l'un-seul : souhaitant humblement, avec le temps peut-être, au terme de toutes ces « ébauches de féminité », devenir l'une-femme absolue, la nouvelle vierge, impossible.

Voyez des femmes dans leur vertige à soupçonner que l'une-femme est quelque part possible. Mais ce n'est jamais assez elles. Et à cause de quoi? De cet un-seul qui barre l'horizon et peut toujours se frotter à une autre (angoisse). Dora devient Aimée, mais c'est bien elle. La paranoïa féminine est à l'ordre du jour. C'est notamment de ce côté qu'il faudra creuser si l'on veut en apprendre davantage sur la microbiologie fasciste. Des hommes fantoches, des femmes épouvantées, par rapport à l'une-femme virtuelle tendue vers l'un-seul comme dieu qui n'existe pas.

Un refuge régressif est la vue : de type schizophrénique, avec l'avantage d'y effacer au maximum la division sexuelle et d'y perpétuer une atmosphère de sacré. Mais la paranoïa, elle, fait la différence. Il y a du schizo, mais pas *du* paranoïaque.

Paranoïa, c'est masculin ou féminin (ou exclusif).

Et nous revenons sur l'écrit. Pas étonnant qu'il y ait eu toutes ces confusions sur l'écriture automatique, les tablettes, l'entrée ou la sortie des médiums. L'hystérique, à la limite, se contenterait qu'on l'écoute toujours plus. *Le* paranoïaque est en pleine rationalisation de cette écriture divine qui le tenaille. Mais *la* paranoïaque, elle, ne s'y trompe pas. Toute l'érotomanie va charger l'écrit, l'écrit incessant, dicté, fabulant ou en miettes [2]. Elle n'a pas, si l'on peut dire, la PF (paranoïa féminine), la possibilité de la perversion comme limite d'équilibre (jeu avec l'éviration). L'enjeu radical, ici, c'est que ça se trace sous voix, inscription sans bords, farouche.

*La* paranoïaque surveille-t-elle *tout* écrit? Et qu'en est-il alors de l'écrit de l'analyste? N'est-ce pas ce qui fait la valeur de celui de Lacan : secouer *cette* surveillance? L'université se charge de l'endormir.

Qui écrit touche ces ténèbres.

NOTES

1. S. Freud, *L'homme aux loups*, in *Cinq psychanalyses*, P.U.F., Paris 1975, p. 384.

2. Précision de Freud : l'écriture inventée par des femmes à travers le tissage et le tressage des poils du pubis. Et, par conséquent : investissement maximum à la place du pénis manquant, masturbation déléguée traçant la pensée, seuil « magique ». L'homme s'écrirait d'autant plus qu'en pouvant ce manque.

# D'OÙ VIENNENT LES ENFANTS?

*par*

Philippe SOLLERS

« Le rire est un moment de passage du grain au champ. »

Georges BATAILLE

Je commence par la question des questions.

La question des questions n'a pas, en soi, de réponse, elle est prise dans l'horizon du savoir soi-disant naturel. Elle déclenche immédiatement pour nous la conception du temps dans l'espace.

D'où viennent les enfants? D'où continuez-vous de venir?

Là où c'était, dit Freud, je dois advenir. « Wo es war, soll ich werden ». Là où c'était, pris dans la question du *où*, dans ce qu'on pourrait appeler l'*homme au l'où*, je, pas seulement moi, je, c'est-à-dire aussi bien vous que moi, je, sujet en proie au temps mais surmontant le temps en tant qu'il le *doit*, « vient ». La venue du sujet est due, elle doit être. Le devoir-être, le *sollen* de « soll ich werden », indique le rapport de ce surgissement avec l'éthique comme impératif.

*Je dois advenir de dire la vérité sur ce qui vient en sortant de là où c'était.*

Là où c'était quoi? Mon corps, ma pensée croyant se penser et ne pensant à rien d'autre qu'à la question : d'où viennent les enfants? Sans réponse.

Non pas que les réponses ne fourmillent pas. Au niveau du comment ça se fait, s'analyse, se substantialise, se physique et se chimise, se physiologise et se cellulise. Non pas qu'on ne puisse y regarder de plus en plus près. Contraception, avortement, insémination, desémination, libération, si l'on veut, des femmes, qui revient à la possibilité de prendre son temps.

Le « d'où viennent » de la question fondamentale, présente derrière *chaque* question, dans chaque désir de savoir, dans chaque fantasme sous la forme du, « on bat un enfant » —, ce « d'où viennent » qui étaye l'apprentissage infini de l'être parlant, il marque de son sceau la sacralisation angoissée de l'*où*, son tabou. Autrement dit, le corps de la mère. Mais la mère, ce n'est jamais que l'égypte du là où ça se fait et d'où ça sort. Quoi? Des enfants. Des enfants en langue maternelle. Mais d'où viennent-ils dans ce *où?* Question du père. Question audible, comme l'écrit Joyce dans *Ulysse* à travers « les tables de la loi gravées dans la langue des hors-la-loi ». Changement de lieu, de langue et de loi. Passage de la mer rouge. Et transformation d'un assujettissement à l'espace encyclé de temps au tracé du temps surplombé de temps se parlant.

Écoutez la petite Eugénie dans *La philosophie dans le boudoir*, là où Sade, du bout du doigt, lui en fait dire un bout sur le devoir de savoir : « Allons, allons, des aiguilles, du fil! ... Écartez vos cuisses, maman, que je vous couse, afin que vous ne me donniez plus ni frères ni sœurs. » La matrice boudée et boudeuse est conjurée de se refermer, non sans que Sade fasse immédiatement intervenir la même opération sur le cul, scellant ainsi, par une double couture sur fond de vérole injectée, le fantasme du réceptacle-tombeau cloacal où se joue la terreur, spasmée de jouissance, de la décomposition des corps. La mère occidentale est alors cet écran refermé, momifié, repucelé, ravagé, revirginisé à l'envers, où se clôt, dans l'ombre du christianisme revanche du polymorphisme égyptien, la philosophie en acte. Écoutez les dernières ponctuations de Sade : « Le groupe se rompt... tout est dit... Putain! ... il lui montre la lettre... Tout s'exécute... tout est sorti... ». Nous savons, à partir de là, d'*où* prend effet la jouissance sexuelle, la vraie, l'inconsciente, la refoulée, l'interdite, la censurée-déniée, celle où Sade, enfermé, vous enferme.

Freud insiste : c'est de toute façon la féminité qui est refusée par les deux sexes. Ce refus, dit-il, ne peut être que paléo-biologique. Or s'il est vrai qu'avant toute répression morale la sexualité *en tant que telle* éveille dans l'être vivant de l'angoisse et qu'elle est repoussée comme un danger, tout ce que nous vivons et pensons comme sexualité s'édifie en un sens sur le refus de la sexualité.

La voilà, en tout cas, la négation de la négation qui fait que vous êtes là, bien décidés à vous accrocher à ce là sans en rien savoir.

Ce refus de la féminité qui conduit à faire l'homme ou la femme pourrait être défini comme panique matérielle à être femme du sujet de l'énonciation. C'est là où dieu est appelé à donner de la voix, sans cesse.

D'où viennent les enfants? La question est sans réponse parce que l'être qui la formule, non content d'être lui-même éternellement cet enfant, est déjà bouclé dans un espace où il ne peut se concevoir que comme « où » en écho. Et ce qu'il entend, là, c'est l'impossibilité du temps cristallisé en lambeaux dans l'espace. Soit son propre corps morcelé qui passe. Il répondra donc par la maîtrise pour gagner du temps.

L'inconscient ignore le temps.

Il ignore aussi la négation. En quoi il est du même coup imperméable à la mort. En conséquence, ce qui se présente à la conscience comme spéculation sur le temps, la négation ou la mort a toutes chances d'être teinté de superstition. C'est sans doute ce que Freud pour finir, désigne comme « faute de pensée » des psychanalystes. Les appelant en vain, à travers Empédocle, à se mettre à l'écoute de la division en contradiction. En vain, car les voilà très vite repartis en Egypte pour y psycher du *où* dans leurs choux. Pas plus de succès avec l'occultisme jungien qu'avec l'orgasme reichien. Freud, quant à lui, coupe. En quoi il déçoit par avance tous les féminismes de la planète qui se définiront toujours, hommes ou femmes, par leur refus redoublé de la féminité. Rien de plus féministe que le virilisme.

L'obsessionnel en sait quelque chose. C'est même

dans ces parages que son maître, à savoir l'hystérique, l'attend. Nécrophobie, nécrophilie : les têtes, vues en coupe, sont pleines de cercueils et de berceaux en suspens.

Où vont les morts? D'où viennent les enfants?

La question peut rester sous névrose et, donc, relever périodiquement du transfert. La déchirure de cet horizon est psychose. La maternité apparaît alors comme une psychose *instituée* qui permet d'inscrire quelque part, même si en principe personne n'y a accès, une connaissance de la psychose. Là où se pose la question du père. Et précisément de son nom.

Comprendre réellement ce qu'il en est de la maternité pour une femme reviendrait à connaître, pour un homme, les limites de la perversion. Celles où il est appelé à se maintenir à son insu sous névrose ou rituellement pour ne pas sombrer dans le champ psychotique. La perversion est aussi inexplicable, pour une femme, de la part d'un homme, que la maternité, pour un homme, de la part d'une femme. Points d'aveuglements radicaux, et, pour ainsi dire, rocs tirés l'un sur l'autre à travers la double scission de la castration. Car, de plus, il n'y a pas de symétrie entre les deux places dont aucune, si elle en reste au *où*, ne peut savoir définitivement ce qu'il en est de l'autre et, par conséquent, d'elle-même.

A partir de là, le dialogue de sourds entre les sexes peut prendre son ampleur. Chacun d'eux supposant l'autre savoir sa limite. L'obsession de l'homosexuel masculin, qui tenaille une femme, n'a d'égale, en comique, que l'ecclésialité du dévot de *la* femme.

C'est dans cette direction, sans doute, qu'il faut

aborder la transformation actuelle, dans les sociétés dites développées, du statut de la perversion. Qu'elle commence à s'étaler comme représentation pornographique, et c'est tout le tissu du refoulement (non pas le refoulement lui-même) qui entre en mutation. Que le phénomène ait lieu au moment même où s'explicitent de plus en plus les conditions de la procréation n'est pas remarqué, et pour cause.

Les deux courants sont pourtant parallèles. L'espèce y touche ses nouveaux bords. Immémoriaux, certes, mais désormais *projetables*. Et la résistance à cette projection signe un archaïsme que l'analyse est venue dater. Les têtes sont sans cesse remplies de pornographie, seulement voilà : elles ne veulent pas se voir en train de le voir. L'enfant revient sans fin en nous pour jouer au temps par-dessus le temps (c'est la vision d'Héraclite) mais nous ne savons pas le parler dans le noir.

« Le temps de notre vie est un enfant qui joue et qui pousse des pions. » A quoi il faut ajouter : « La loi qui régit le devenir du monde, ils s'en écartent, tout en se confondant sans cesse avec elle. » Et encore : « La main qui écrit va droit et en spirale. Son chemin est un et le même. »

Ce qui s'accentue ainsi, parmi nous, c'est une révolution dans l'approche de la raison en folie, à la fois langue et chimie. Burroughs l'aperçoit dans le *Festin Nu*, au bout d'une autre aiguille, celle de la drogue pénétrant sa veine : « le temps tressaute — machine à écrire disloquée. » Les personnages ont changé depuis Sade. Ils sont désormais, corps épars, en métamorphose, réunis dans un « congrès international de psychiatrie technologique », où ils se rangeront, le temps d'une vision radiographiée, en « émissionistes », « liquéfactionistes », « divisionistes » ou « factualistes ».

Après Artaud, supplicié de la société et de ses asiles électro-choqués pré-pululaires, Burroughs écrit, dans un tourbillon d'humour picaresque paranoïde et obscène, cet « instant pétrifié et glacé où chacun peut voir ce qui est piqué au bout de chaque fourchette ». A travers perfusions, greffes, ponctions, la valeur d'usage du corps entre en déflagration. En même temps que l'ordinateur de sa diction. Tenir le coup de la langue jusqu'à cette limite, voilà le problème.

Tout ça pour dire que le *ça*, le ça du *là où c'était*, le ça qui met tout à l'imparfait avant que le *je* y vienne, est désormais branché sur une fréquence difficile à fréquenter. L'hallucination, sous forme de tir de barrage de la langue fondamentale (celle où s'est gelée la question : d'où viennent les enfants?) y fait chute pour le sol des rêves. Le tissu protoplasmique s'y marque d'être incessamment transféré. L'angoisse de la dissémination de base augmente. Bref, vous n'avez plus la même vie dans la même mort, votre mort passe même, éventuellement, par une survie comatique. L'illumitation de l'espèce se joue en vous et à travers vous. Là où c'était, je dois advenir pour devenir à mon tour (mais pour quelle part?) du « là où c'était ». Arracher sa langue à ce *là*, telle est la question, transformation d'être en son ne plus être. Passer de l'espace au temps, du *là* au *quand*, revient à savoir déchiffrer son *là-quand*. Mais pour « transhumaner », comme dit Dante, hors de *l'ubi* et du *quando*, il faut sauter sans s'y perdre dans sa langue en temps. Ce qui suppose que l'on sache d'où l'on est venu comme enfant.

Comment la langue peut-elle *toucher* le refoulement originaire? La littérature nous aide, écrit Bataille, car elle est du langage détruit. Elle est immanence de ce qui, dans les langues, fuie en elles (« l'immanence est hors du temps en tant que le temps est fonction du langage »), nouvelle expérience du sacré comme *interruption.* Mais elle ne peut plus désormais nous interpeller que si elle se situe aux limites de l'analysable. C'est-à-dire dans ce champ où perversion et psychose se coupent pour nous dire d'où ça nomme et où ça se dit. Ce qui s'écrit aujourd'hui le fait forcément en fonction de l'analyse. Mais toutes les névroses ne se valent pas pour autant, toutes les psychoses non plus, et pas davantage toutes les perversions. Pas plus que toutes les inhibitions, toutes les angoisses ou tous les symptômes.

Maintenant : comment la sexualité se prend-elle dans la politique? Les névrosés, les pervers, les psychotiques sont venus le crier : par un père mort, une mère cousue. La politique pourrait être définie comme l'ensemble des efforts pour gérer, gouverner, encadrer, détourner, différer la question d'où viennent les enfants. La politique est cette prise de parti sur le temps de manière à ce que n'arrive pas la question de l'inconscient ignorant le temps. C'est pourquoi elle sera tramée d'une névrose militante, d'une perversion incessante et non-dite, d'une exclusion acharnée, voire concentrationnaire, de la psychose. Les deux grands exemples du xxᵉ siècle — qui restent d'ailleurs pleinement programmatiques — sont ici le fascisme et le stalinisme. Là s'est joué pour la première fois en direct l'anti-orgasme de masse qui résume deux mille ans de canalisations du refoulement. Effondrement de l'illusion religieuse caviardant l'histoire.

Si l'inconscient ignore le temps, cela veut dire, bien sûr, qu'il en sait trop sur lui, quelque part entre pulsion de mort et concept — le temps-même. Un enfant, c'est ce qui vient pulser le sexuel entre mort et sujet. Le scandale provoqué par Freud, et qu'il continue à provoquer automatiquement, même sous des déluges de « freudisme », est bien celui de la découverte de la perversion infantile polymorphe. Ce qui donne toute sa saveur d'aveuglement à la réflexion de Marx sur les grecs antiques qui auraient été des « enfants normaux ».

Ignorer le temps pour le compte de l'inconscient ne peut plus être assuré de nos jours par la fonction sacrale : cycles, au-delà transcendental, modulation des renaissances, livres des morts. C'est la raison pour laquelle l'omni-mythe de notre époque est l'Histoire. L'Histoire comme rempart métaphysique afin d'aplatir la question du temps dans l'évolution. Lacan a osé le dire : « La métaphysique n'a jamais rien été et ne saurait se prolonger qu'à s'occuper de boucher le trou de la politique. »

Les impasses structurant ce bouche-trou ne manquent pas. Depuis le « sujet de classe » jusqu'à celui de la revendication des particularités sexuelles, en passant par l'artiste ou la pure et simple gestion de la place dans la production. La subversion analytique, si elle ne sombre pas dans la rationalisation capitaliste, a ici à dénouer ces nœuds en réaffirmant la position inconsciente du sujet parlant. Insubordonnable, divisé, sauvage, il donne à concevoir, peu à peu, l'incommensurable pornographie de la politique, son *abjection* liée à sa négation. A ce prix, un effet politique *réel* est possible. Sade, lorsqu'il écrit *Français encore un effort*, joue ce rôle d'analyste manquant dans les plis de la révolution bourgeoise. Freud, lui, vient diagnostiquer notre histoire, celle des millions de morts dont nous descendons. Le procès suit son cours à travers le feu qui vous broie vivants : *je* est la réponse impossible qu'il vous faut, malgré tout, faire « venir ».

# SEXE ET PSYCHOSE

*par*

Jean Oury

Ce texte, simple reflet d'une pratique institutionnelle et analytique de la psychose, s'appuie essentiellement sur ce qui nous a toujours semblé l'élaboration théorique la plus rigoureuse : celle de J. Lacan. Nous considérons cette élaboration comme le « préliminaire » indispensable à tout abord concret de la psychose : problème central de la psychiatrie. Nous espérons ne pas avoir trop déformé ses concepts fondamentaux : points de départ, alphabet, chiffres, qui nous assurent d'un cheminement mieux orienté dans ce domaine complexe et quasi-inexploré. Nous ne pouvons donner de références détaillées, page à page, en ce qui concerne les travaux de Lacan. Qu'il nous soit permis de conseiller au lecteur, pour faciliter la compréhension de notre travail, de lire, ou de relire, entre autres, les textes suivants de Lacan :

- *D'une question préliminaire à tout traitement possible de la psychose*
- *La signification du phallus*
- *Introduction et Réponse au commentaire de Jean Hyppolite sur la « Verneinung » de Freud*

- *Propos directifs pour un Congrès sur la sexualité féminine*

tous textes parus dans les *Écrits*, ainsi que :

- *Le Séminaire* (1964 sur « les quatre concepts fondamentaux de la psychanalyse »
- et, si possible (espérant leur prochaine parution), le Séminaire de 1962-63 sur l'*Angoisse*, et celui de 1966-67 sur la *Logique du Fantasme.*

Cet exercice aurait l'avantage de mieux situer les questions soulevées par ce titre impossible : *Le Sexe et la Psychose*, en évitant d'être aveuglé par les nuages de poussière venus de tous les horizons.

*
* *

Le sexe et la psychose? Sexe ou Psychose? Psychose et sexe? Que la psychose soit une reconstruction stabilisée ou toujours recommencée; temple écroulé ou « Folie » perdue dans un parc : il s'agit d'équilibre. Profil d'existence, recherche lovée sur elle-même, elle est ce par quoi l'Ailleurs se manifeste. Simulacre forcé, menace d'écroulement d'échaffaudages fragiles : tenir malgré tout, malgré la marée imaginaire, le réel à la dérive. Maintenir l'arrimage du réel. Symbolique, Réel, Imaginaire. Compacités, entrelacs, nœud de l'Inconscient, des trois registres. L'homme est un être qui parle : c'est ça qui crée l'inconscient. L'Ailleurs au cœur de lui-même; du fait qu'*il* parle, du fait que la parole ne coule pas de lui comme du lait. Elle est l'Autre de lui-même, le lointain et le plus proche, l'étrangeté de son intime familiarité. Nœud du Νοῦς, et du Λογὸς, entrelac de la vie et de la mort, pulsation rythme : le Sexe, réalité de l'Inconscient, l'inatteignable, la pure différence, l'ab-sens. C'est par cet « ab-sens » que le sens est possible, et la Vérité.

La Psychose — quelle que soit sa variété — est un remaniement de la structure de l'inconscient : c'est-à-dire du sexe, pure différence, et du langage, tissés l'un avec l'autre. Étoffe mythique dont nous n'apercevons que le phénotype, la réalisation morphophonématique. Comment parler de la psychose sans y inclure le sexe? Problème absurde. La psychose est le remaniement structural de la réalité sexuelle. Mais cette réalité est pulsion *(Trieb)*, pulsion sexuelle, laquelle par principe, est hétérodoxe, ne pouvant se réaliser que par le détour du Verbe; processus d'incarnation du *Real-Ich*, du *Lust-Ich*, du corps et du désirable, à travers l'illusion narcissique de l'Amour. C'est là une ligne de nécessité, forme intrusive de l'Autre dans les assises réelles, économiques et biologiques de l'existant. Activité, émergence pulsionnelle; passivité, prise dans l'Autre; aimant, aimé, la différence, l'alternative. L'aimable. La différence, éminemment le sexe, règle le système des alliances, des échanges, créant une tablature, des cycles, une combinatoire. L'Autre est déjà là, lieu de la parole, prenant le sujet dans les rêts des signifiants, prenant le sujet dès avant sa naissance dans les sillons des désirs ancestraux.

L'existant ne peut subsister que par la satisfaction de ses « besoins » — l'air, la lumière, la nourriture : Pasteur — mais aussi d'une façon aussi impérieuse par la façon dont ces « besoins » sont satisfaits (« l'hospitalisme ») : le sourire, la chaleur, la voix : Freud.

Ce qui ne peut se réaliser que dans l'aire de l'Autre, là où dès les premiers jours l'enfant se repère d'une unarité signifiante : le regard, son prénom, la voix de la mère. Tous éléments symboliques précédant de loin l'unicité de son image et de son corps. Il est absurde d'imaginer le besoin pur : tautologie, renvoi projectif d'un statut préadamique de « l'assujet ». Le tissu social de Marx, contre l' « athéisme » de Feuerbach; la peccabilité de Kierkegaard, contre la niaiserie préadamique; le « potentïel » de Peirce contre une logique linéaire. L'entêtement herméneutique dans la recherche à marche forcée d'un kérygme sacré mène à la confusion : mythe des origines, mélange des espaces, méconnaissance systématique de la déchirure, de la *Spaltung* entre sujet et moi, entre l'ineffable et la parole. Ombres confuses, marges, fossés, lisières. Quelque chose est entré dans le labyrinthe du signifiant. L'Assujet est devenu chevalier de la demande. Poussée, aspiration, appel : ligne vocative qui depuis toujours chemine dans l'Autre. Une partie de lui-même est restée dans les entours. Objet en souffrance, gage du chevalier à la rose; morceau pris sur le corps et voué à l'oubli : sacrifice avant l'exploit, « délivre » de la naissance au signifiant, dépeçage dionysiaque dans le voyage en Hadès... Point d'ombilic, substitution d'un registre à un autre, métaphore de l'*Urverdrängung*, du refoulement primordial : place marquée après-coup par le phallus qui sort de terre, Dionysos immortel, symptôme d'un refoulement du signifiant du manque : le Phallus. Corollaire de la significantisation : retour d'un « message aliéné », marquant la place de la coupure, du manque. Le manque de la

Demande d'Amour, la différence entre demande d'amour et satisfaction des « besoins », entre en résonnance avec le pur désir, configuration du vide par le cercle répétitif des demandes. Cette différence, le désir, inutile passion qui se démarque par son absoluïté, son absurdité, son excentricité, sa vacuité, mais qui garantit la place vide du signifiant, capturant dans un simulacre son propre signe : le phallus, signifiant du manque. Planter une croix à cet endroit inconnaissable de l'enfouissement-oubli de la délivre? Substituts sériels d'objets transitionnels : lambeaux où s'accrochent déjà étroitement le sujet en détresse. Lambeaux liés sans médiation à l'Autre, produits manufacturés ou culturels mais véritablement tissés d'oubli. Futur « pré-carré », assise, ce à quoi le sujet se confortera dans un futur fantasme. Zone de passage, transition, qui élève à la scène, à l'Autre, ce sur quoi butera toute symbolisation : l'objet *a*. L'objet *a*, en tant que trace de l'oubli du « laissé » définitivement : délimitation à jamais d'une finitude, coupure, détachement d'un espace; en deça d'un innommable, point d'horreur, ombilic, point *z* asymptotique d'une spirale logarithmique... L'objet *a*, cache de l'inconnaissable : pulsation du désir. L'objet *a*, cause du désir, absoluïté qui perdure. C'est l'en-deça d'un deuil. Il n'y a pas possibilité de deuil de l'Urwerdrängt. La mélancolie nous l'atteste : par la précipitation suicidaire à travers la « fenêtre du fantasme » dans cet oubli primordial. Rejoindre la terre sans fond... Le travail du deuil est un travail de tisserand : il défile et refile la toile imaginaire : l'autre, mon semblable, i(a). L'objet *a* reste intact, spécifique, unaire, protégé, enveloppé, camouflé par cette toile qui prend le désir comme un oiseau aveuglé. Pénélope du désir qui diagrammatise la marche du héros lointain, les boucles du signifiant, l'infinitude des demandes successives. Mais le désir est intact, insensible aux variations, au temps qui passe. Tant que l'objet *a*, navette de la machine, rythme, scansion, pourvoyeur de fils et de couleurs, « enforme » de A; tant qu'il y a de l'objet *a*, ça tient, et c'est solide, même dans les plus extrêmes « satori »[1]. Ça compose un poème, ça déclare un espace, un site, l' « haïku » le plus intime. Même quand il se révèle n'être jamais que le premier objet vraiment sessible : « l'objet anal ». Merde, ça rassure quand même! Même dans les affres, même dans l'angoisse. Mais ce n'est possible que si l'agencement de cette existence se fait harmonieusement : suivant une loi, une proportion, une raison. Toute architectonie suppose une épure. Il faut d'abord que ça puisse s'écrire; traces, hiéroglyphes du désir : l'objet *a*? Première inscription? N'est-il pas plutôt ce qui reste, hors écriture, éclaboussure du style, du stylet, preuve d'un évidement, évidence d'une marque affirmative, d'un *Bejahung :* ce qui tombe des *Wahrnehmungs-zeichen?* N'est-il pas le témoin de l'avènement d'un évidement qui « commémore » ce qui à jamais devient « inconnu » : simulacre d'un détachement primordial, bout de corps, innommable « paquet » resté aux alentours de l'Autre. Le phallus, Φ, signifiant du manque, signifiant manquant, opérateur de l'Autre, nomade, évide la demande en stylet négatif : il opère au niveau de cette écriture comme signe de l'évidement, lui-même négativé en — φ. Son inversion l'imaginarise en « plein » appendu à l'Autre : mère phallique ou diable. Ce message met en place la médiation, le relai, la jointure entre le sujet et l'Autre par ce qui résulte de son opération de traçage : l'objet *a*. C'est la loi de cette opération qui s'articule sous le signifiant Phallus ($\Phi$) la juste mesure entre *a* et A : le rapport harmonique, le nombre d'or, manifestation du désir de l'Autre. L'Angoisse touche cette opération de vérité. « Je ne sais pas quel objet a je suis pour le désir de l'Autre ». Cœur de non-savoir de la vérité d'angoisse. C'est ici que l'image — moi : mon semblable — vient tempérer l'épreuve d'une apparence trompeuse et nécessaire, introduisant sous couvert le principe d'un clivage, l'aliénation. Principe mortel, gouffre de discorde qui réapparaîtra dans le questionnement, le questionnement répétitif et vide sur le vide du désir, Phallus à nouveau, dans sa fonction vocative et d'avènement d'un espace, « séparation » coupure, émergence au désir par castration ($-\varphi$).

C'est comme ça que ça tient, le réel. L'objet *a*, mise en scène, point d'amarres, délimitation du réel : « pré-carré », hamac, lieu d'un sujet transparent, balancement entre deux espaces, le symbolique et l'imaginaire, suspendu à deux points en symétrie : le signifiant majeur, l'axe de la loi, le signifiant du Nom du Père, et le Phallus, son répondant métaphorique et fonctionnel, signifiant du manque, le Nom du Père dans le siècle $\left(NP\left[\frac{A}{\Phi}\right]\right)$. C'est de ce chiasme que toute possibilité de fantasme est produite : production transfinie de phrases [2], de syntagmes : structure phrastique du fantasme, conjoignant le sujet de l'inconscient ($\$$) et l'objet *a*. Sans ce chiasme Saint-Jean Baptiste clame dans le désert des universaux, et le Phallus se recroqueville en sorcière insipide et errante. Ce chiasme, cette croix, incarnation du Verbe, prise en phrase, bouclier du fantasme où peut enfin se poser le talon de l'existence, fabrique des figures symboliques et imaginaires, Idéal du Moi et Moi-idéal, où le corps se conforte dans ses multiples identifications, estime de soi et reconnaissance d'Autrui, fonctions hystérique et paranoïaque. C'est alors que l'histoire s'historialise. Le sujet se compte et se raconte à condition qu'il puisse se tenir *(sich halten)* [3], s'ériger dans le dire d'une identification primordiale, présubjective, au phallus ($\Phi$), métaphore du père dans le désir de la mère, primordiale incarnation, incorporation, transsubstantatiation, dévoration identifiante, fellation-liation $\left[\frac{\mathrm{NP}}{\mathrm{dM}} - \frac{\mathrm{dM}}{\text{signifié au sujet}} \rightarrow \mathrm{NP}\left(\frac{\mathrm{A}}{\Phi}\right)\right]$.

Voici donc esquissée la construction harmonique du corps et la possibilité de ses entours. Le maître-architecte, opérateur des raisons harmoniques, qui règle la relation du A au petit a, est le Phallus ($\Phi$). Il tient sa qualité de l'axation du Symbolique par ce signifiant premier : le Nom du Père. C'est cette harmonie $\left(\Phi \rightarrow a = \frac{1}{1 + a}\right)$ qui permet au sujet d'accéder à la rencontre *(tugkanon)*, hasard purifié de son destin amarré au réel.

***

La position subjective ne s'assure que de ses effets (dans le transfert) liés à l'angoisse qui, traversée, attribue la place d'orthofonctionnement de la réalité : place de Φ qui ne s'acquiert qu'au-delà du rembardement de la phobie. Il ne s'agit pas simplement de s'acquérir les grâces de Bon Accueil, dans les écueils de Danger et de Jalousie afin de cueillir la Rose pour éviter le glissement de la psychose. Le chemin est plus complexe sans pour autant tourner dans les fossés de Jalousie. Le rabattement dans la réalité pratiqué par Jean de Meune du traçage symbolique de Guillaume de Loris, peut rendre compte d'une attitude collective de mise en place d'une certaine « bourgeoisie[4] ». Sans nier les surdéterminations socio-politiques de toute la psychopathologie, il est évident, pour quelqu'un qui a un minimum de pratique psychiatrique concrète, que les éléments endogènes, auto-constitutionnels, quasi-organiques (sans tomber dans les niaiseries du dualisme traditionnel ou contemporain), jouent un rôle prépondérant dans la genèse de n'importe quelle variété de psychose. Mettre en question le Sexe n'est pas se contenter de dépeindre les exploits sexuels, ou des pratiques plus ou moins teintées de sentimentalisme à l'eau-de-rose ou de rationalisations idéologiques d'un simplisme déroutant. Il ne semble pas que l'exhibition soit une pratique révolutionnaire valable; brandir le sexe comme drapeau n'est qu'un symptôme dû à l'effervescence qui accompagne tout essai de remaniement structurel socio-politique. La chose devient infiniment plus grave quand elle alimente une pseudo-théorie de la psychose et qu'elle prétend ordonner des recettes de mieux-être. N'a-t-on pas vu badigeonnées sur les murs d'une Clinique psychiatrique, des inscriptions telles que : « A bas les médicaments; branlez-vous; etc... ». Les soi-disants « intellectuels à grosse tête » qui s'étaient libérés ainsi n'étaient plus là pour recueillir les fruits de leur réflexion : trois pendaisons en deux mois.

Ce n'était qu'un début! Les effets mortifères d'une idéologie débile sont devenus anonymes. Tout disparaît dans la masse compacte des « régénérés [5] ». Supprimons le transfert, la culpabilité, la castration, la demande, l'inconscient, l'interprétation... Voici venir le temps béni de « l'expérimentation ». Managers d'âmes et de sexes au service du capital. Air glacé du camp pour tous. Serrez-vous les uns les autres. Terrain miné, labouré; ça sera bientôt près pour le char de l'État.

Le schizophrène en reste mais, attendant dans l'ombre la nouvelle grande Renfermerie que lui préparent ces zélés sectateurs. Car même en politique la moindre confusion entre les « champs » a des conséquences catastrophiques. Nous ne pouvons guère qu'évoquer tous ces aspects. Il en est dans cette mise en place d'un Collectif psychiatrique comme de la relation analytique avec le psychotique : la passion est interrogée, questionnée, triturée. Toute question est une remise en question et aucune armature purement intellectuelle ne pourra dépasser, dans l'effet transférentiel, le degré d'égarement où nous nous trouvons nous-mêmes vis-à-vis d'une axation de la Loi. C'est l'articulation de notre place avec le point du signifiant majeur (le Nom du Père) qui conditionne la possibilité de décoller, même partiellement, le Symbolique du Réel. Il est évident que pour le psychotique la réalité tient lieu de symbolique. Mais également pour d'autres personnes, parapsychotiques. Il existe toute une zone d'effondrement symbolique, maëlstrom limité d'une forclusion larvée. Terrain glissant qui se jalonne à l'entour de « postes » phobiques. Ça correspond dans la « réalité » à des distorsions de la fonction phallique (Φ), aménageant de profils d'existence pseudo-pervers. Ceci est très sensible dans la configuration d'un groupe : une personnalité phobo-hystérique peut tenir le rôle de leader tout en développant dans le groupe un fétiche assumé par une autre personne ou supporté par un système idéologique particulier. La relation « objet phobique-fétiche » tient lieu d'opérateur pseudo-phallique, déterminant une sérialité d'identifications à fort coeffidient hystérique (à tendance plus ou moins « hermaphrodite ») et des idéaux du moi déréistiques.

Ce profil structural se rapproche du profil psychotique dans lequel la métaphore délirante et son corrélat existentiel viennent en réponse d'une forclusion *(Verwerfung)* dans le Symbolique, forclusion du Nom du Père, non inscription *(Unbejahung)*, renvoyant le sujet à cette primordiale symbolisation maternelle, déréglant fondamentalement le métabolisme du narcissisme originaire. Il est certain que chez beaucoup de psychotiques nous ne pouvons nous borner qu'à un réaménagement des dimensions purement existentielles (cadre matériel, relations, etc...); de même qu'un système de *nursing* est parfois nécessaire pour retisser la toile précaire d'une quotidienneté qui se disperse dans une sorte d'existence pélagique [6]. La question du psychodrame pourrait être également discutée à ce niveau. Mais il est toujours d'un danger extrême de manier l'affirmation, la décision, la prise de position, le « bon sens », etc... Car c'est au moment où le psychotique est poussé, par cette réalité, à occuper la place forclose du lieu légiférant, du Nom du Père, que l'univers s'obscurcit et s'effondre dans un tableau morbide parfois gravissime. Le cas du Président Schreber n'est qu'un paradigme que l'on voit se répéter mille et mille fois dans les formes les plus diverses et les plus banales. C'est dans ce sens que toute idéologie de « libération sexuelle » appliquée à la « thérapeutique » des psychoses comporte de redoutables dangers. Je veux dire par là qu'elle ne doit pas être brandie comme une ordonnance au nom de je ne sais quel sectarisme monolithique. Sinon cela risque de mettre le sujet dans l'impossibilité d'une réponse qui se change en impossibilité de vivre : non pas réponse « sexuelle » au sens banal du terme, mais réponse en tant que subjectivation radicale de l'Être. Le « Sexe » est en effet ce qui est le plus menacé, le plus « dissocié » dans le système psychotique. Tout « questionnement » de l'Inconscient, qu'il vienne d'une pratique actuelle du sujet ou du spectacle intrusif d'autrui, met en question de façon abrupte une autre scène, un Ailleurs, qui du fait de la psychose, est détruit. Le Sens et la Vérité ne peuvent être saisis que par un saut, une réversion, une division du sujet : la castration. Or c'est justement cette opération symbolique ($\Phi \rightarrow - \varphi$) qui est structuralement impossible chez le psychotique. La seule chance (?) qu'il puisse avoir devant de telles incitations c'est de se rabattre dans un équilibre pseudo-pervers où, à défaut l'objet *a*, il puisse compulsionnellement user d'un

« objeu [7] », ce qui le livre à la suggestion des incitateurs, vécus eux-mêmes comme pseudo-phallus ou, au mieux, comme « mère-phallique » (M $\varphi$). Cette orthopédie idéologique écrase le désir, réduisant le sujet à n'être que l'*analogon* dérisoire d'une fantasmagorie collective, captation imaginaire qui barre tout accès à la vérité de son existence. La richesse du simulacre s'écrase en faux-semblant (la présence du Phallus, simulacre : « désigne dans leur ensemble les effets de signifiés ». La sexualité, de façon paradoxale, devient le corset du sexe, emprisonnant à jamais tout éveil à son propre désir. Ce n'est là qu'un aspect des conséquences du refus de la castration ($- \varphi$) qui valorise de façon compulsionnelle l'aspect imaginaire $+ \varphi$. Nous ne pouvons pas développer davantage ces notions ici. Qu'il nous suffise de souligner que dans cette opération de forclusion de la « différence » (le Sexe, « l'ab-sens »), toute dialectique entre l'Être et l'Avoir est bloquée. Le sujet se réfugie dans des stases par défaut de l'opérateur $\Phi$ (le jeu de l'Être et de l'Avoir ne pouvant être qu'un corollaire de la castration). La psychothérapie ne devrait pourtant s'orienter que vers des systèmes de mobilité des différents états d'existence ($\overrightarrow{p - k + k - p +}$ suivant Szdoni et Schotte) [8]. Mais la survalorisation des facteurs « sexuel » et « socio-sexuel », entretient une méconnaissance de ce qui est basalement bouleversé dans la structure psychotique : les facteurs de contact, de « tenue », d'identification primordiale et de mise en forme de l'Autre par l'émergence d'un objet *a* (objet anal en premier lieu). Autrement dit toute relation harmonique entre les trois registres du Réel, du Symbolique et de l'Imaginaire est ce qui semble le plus compromis. Chez ces sujets toujours défaillants dont la problématique essentielle est de l'ordre du contact, du corps éclaté, de la Spaltung figée, confondre contact et copulation est de l'ordre du crime : homicide par ignorance ou par fantasmagorie perverse. Nous voulons affirmer, une fois de plus, la prévalance absolue du transfert dans tout abord thérapeutique du psychotique. La libido, « présence effective du désir », ne peut pas se traiter de façon mécanistique. Tout « dépassement » de Freud s'est révélé jusqu'ici comme verbiage, imposture, enflure du savoir au service d'une orthopédie aliénante. Ce qui est en jeu, dans la démarche analytique avec le psychotique, c'est le tissage patient de fantasmes, la vectorisation d'énergies folles, la dialectique de l'avec [9], la présence des autres, le recentrage dans l'Autre... Le fantasme nécessite une subtile combinatoire où, par une dialectique transférentielle, l'objet a peut venir au jour, reléguant hors-scène les bribes éparses du corps dissocié, laissant dans le dérisoire Saint-Georges et son Dragon [10]. Autrement dit, une combinatoire où le sujet ($) et l'objet *a* s'établissent dans un jeu de coupure, sur fond de A : armoirie du désir, rempart contre l'angoisse, fenêtre fermée et transparente sur ce qu'il en est du Symbolique. Là encore la phrase idéologique « sexuo-oppressive » vient tenir lieu de fantasme et ravale l'opération logique de la fantasmatisation à un placage d'images en série s'accrochant à des sujets à la dérive.

*
* *

La psychose : trouble de la limite, fissuration des digues du plaisir, dysfonctionnement de l'angoisse, éparpillement de la douleur. Signaux éteints, le sujet erre dans un *no man's land.* Le corps devient présent-absent. L'espace, « corps absent [11] ». Étirement sans fin des nuages de mon corps, muraille de mon regard, voix d'un ailleurs qui n'en finira jamais de disparaître. Dieux androgynes errants; Attis se châtrant, violettes de son sang; Cybèle sacramentelle [12]. La cuisine de nos douleurs. « Mon cerveau est pourri, il coule, c'est de la morve! Pourquoi ne m'achevez-vous pas? ». Misère d'une existence usée jusqu'à la corde? Quelle corde? Quelle misère? Quelle existence? Apprendre à déchiffrer quoi? La discordance, les gammes atonales, les accompagnements gestuels, les mimiques, la vêture, le rapport aux choses? « Le cerveau coule mais votre casquette est bien printannière! Qu'est-ce qu'elle devient, celle qui vient vous voir, des fois? »... Rien. Qu'est-ce qui se passe? Ça fuit de toute part. Le gradient osmotique a été truqué. Terrain glissant, miné; tourbières, brouillard. Il fait « froid ». Il y a trop de parasites ici; ça modifie la pression oncotique, ça ne tient pas compte de l'insupportabilité de la limite, de la chaleur, de la légèreté, des tourbillons d'espace, du bruit de fond, d'eux-mêmes. Eux-mêmes, blindés de certitudes, d'intuitions sublimes, de gentillesse, de condescendance, de connerie, d'historico-mondial, de théories à la six-quatre-deux. Nouveaux soldats... Avez-vous déjà visité Bicêtre en 1750 [13]? Allez-y. Restez-y quelques mois. Gentils blindés de nos rêves, faiseurs d'histoires, crustacés d'eau bouillie [14]! C'est la misère. « *Not des Lebens* ». C'est déjà pas facile de s'y repérer dans la psychose quand elle est là, en face. Mais quand elle est entourée, noyée, « camée », ignorée, perdue! Aporie des temps présents : lutter contre la ségrégation, contre le carcéral, contre l'absurdité tragique des systèmes militaro-psychiatriques, contre les bonnes ou les mauvaises habitudes, contre le « bon sens », etc... Mais avec quoi, avec quelles troupes? Gentils croquants prétentieux de nos Facultés ou de nos écuries, est-il encore possible de vous rendre moins opaques afin de discerner le fil rouge, la tresse de chanvre des lépreux des Bordes et de tous ceux qui battent la campagne?

Le psychotique, il a des problèmes avec les limites. Limites de son corps, limites du temps, de la chronogénie et des chronothèmes [15], limites des sentiments, des « idées », des perceptions. *Apeiron* incarné : « si j'étais un oiseau... je saute! oh! ». Horreur vous fait des politesses quand par hasard vous la croisez sur votre chemin. Petite passerelle de mon désir!... Ferme les yeux et ne pense à rien. *Tugkanon*. Dans quel pays sommes-nous? Jouissance vous pincera au cœur, juste au cœur, et vous saurez alors que le « principe du plaisir » (ou du déplaisir) ça ne fonctionne pas bien chez le psychotique. L'homéostase est plutôt défaillante, le narcissisme gicle dans tous les sens. Vous n'avez pas peur? Tant mieux. Tant pis. Ça n'a plus d'importance. Il faut revenir aux « faits », là où ça parle limite, où ça parle. C'est simple : « Donnez moi un *a* et je bâtirai...! ». Ça ne se trouve pas comme ça, même dans les terrains vagues. Ça ne se trouve pas.

Il s'agit de limites, de seuils, de coupure, de saut. L'extrême du plaisir se transforme en douleur. La douleur : polysynaptique, ascendante; débordement cataclysmique des arborisations, inondation des relais d'inhibition-facilitation, de leurs opérateurs et des rapports harmoniques; seuils variables, proportionnels à la dose d'angoisse [16]. Qui passe, intouché, cette barrière de feu? Le Saint? Le pervers? le psychotique? l'invulnérable? Galaad à la poursuite du Graal? Fuite éperdue vers un *lekton* asymptotique? La mort. Terme de la Jouissance. Alors? Peut-on « domestiquer » l'angoisse? L'angoisse : pas simple coupure mais signe du désir de l'Autre : « quel objet a je suis pour le désir de l'Autre? Coupure complexe, castration au second degré. Le phallus (Φ) : signifiant, « raison » du désir de l'Autre : d(A). Le désir du désir de l'Autre, le désir de la « signification » du sujet, le désir du désirant. L'objet *a*, la cause du désir, l'enforme de A. La fonction phallique : — φ. Le rapport harmonique de A à *a* : $\frac{a}{A} = \frac{A}{A + a}$. La limite du plaisir est réglée par Φ : maître de l'homéostase. La détumescence, la Jouissance au loin, cheval qui fuit : le regard à la fenêtre, la grisaille, l'apaisement, la « satisfaction » (Befriedigung). Tout ça recommencera. Flux et reflux. Répétition. L'objet *a* reste là, borne entre jouissance phallique et jouissance de l'Autre. Treilli subtil, point-coupure du fantasme, l'intraversable, l'éminemment contournable : nœud compact de réversion.

C'est toute cette mécanique qui est faussée, désarticulée, parfois détruite chez le psychotique. C'est plutôt délicat à manier; ça demande de la « science », du transfert et de l'interprétation ad hoc. En fin de compte du désir; du désir travaillé à même l'angoisse; désir de l'analyste, désir des moniteurs, des infirmiers, des médecins. Désir travaillé sans répit, exigeant une mise en question permanente. La « Formation continue » : mise en question continuelle. C'est dans cette perspective que nous pouvons concevoir une possible efficacité d'un Collectif Psychiatrique au niveau de la psychose. Ce qui est le plus menacé : le sexe, la différence, le trait unaire; la singularité. Comment préserver ces balises devant la marée montante des citoyens d'une consommation sérielle, technologique, aseptique : la « sexualité » à la portée de tous, l'échange de services généralisé, l'ennui toxicomaniaque. « T'es livre ce soir? ». Il n'y a jamais tant eu de puceaux et de pucelles qui s'ignorent. Le « pouvoir » érotique, le « savoir » érotique. Mais le sexe est forclos. Tout est à recommencer, au b-a ba du désir et à la découverte scandaleuse de Freud : l'inconscient, la réalité sexuelle.

***

Le sexe, l'inconscient, ne peut se manifester que dans le registre de la négation, de la déchirure, du retournement. Tel Dionysos dans les mystères éleusiniens, il est le vide (Bacchos), s'opposant à la plénitude du Dionysos-Iakkos des Orphiques. Il ne peut marquer la différence que par l'indifférence : « figure du non-désir », il est l'objet du désir. Il départit l'Être de l'Avoir par sa fonction de « dédoublement ». Double, marquant le clivage, la refente, la fonction de *Spaltung* : il est la barre qui institue « l'unarité ». Épiphanie masquée, tel le masque du Dionysos-Pilier du culte des Lénéennes ou des Anthestéries, il est ce qui n'a pas d'envers : masque troué d'yeux vides, frontalité absolue de la fascination et de l'extase. Roi des dieux, Zagreub, il est mystérieux protecteur des rites phalliques. Dépeçage, rassemblement des morceaux épars, renaissance : il est le « sauvage-sauveur ». Pure surface, regard vide, maître impassible des silencieuses et mélancoliques bacchantes, l'Autre mis « en abîme entre deux lointains inconciliables [17] », il est, dans son épiphanie, le pur simulacre [18]. Sa présence est pathos : mise en question radicale, irruption du désir, abolition de l'identité, « possession », « l'un » ambigü d'Héraclite, surgissement de l'Aïon : la vie, la mort, le jaillissement, Dionysos-Phallus n'apparaît que voilé, en lumière aveuglante. Le daïmon de la Pudeur des cultes phalliques nous fait signe de baisser les paupières. Cette fonction du simulacre demande grands soins : car le psychotique ne supporte pas la vue de ce nouveau Phanès. Il n'est pas simple dispersion de morceaux du corps qu'il suffirait de rassembler pour renaître à l'unité. Il est dissociation, stase, dialectique gelée, chronothème égaré, sans limite; ou bien pur aoriste, cherchant dans l'autre, infiniment, un mythique *kairos* : le moment opportun la décision d'affirmation ou de négation, la prise de position (facteur *k* de Szondi). Cette prise de position (de sexe, de vie, de mort) précipite le psychotique à cette place forclose : lieu légiférant, centre du Symbolique, le Nom-du-Père. Il ne supporte pas cette mise en question de l'Être et de l'Avoir : la castration. Toute « bacchanale » le ruine, le tue ou le supprime. Jeté aux chiens il se réfugie dans les anfractuosités de l'Être. Que résulte-t-il de cette confusion entre Simulacre et Faux-Semblant? Des traces, des noms répétés indéfiniment, un verbiage vide de sens, des stéréotypies lourdes comme du plomb, des « oiseaux miraculés » (Schreber), des oiseaux parlants, « vestibules du ciel » *(Vorhöfe des Himmels)*, miracle de hurlement *(Brüllenwunder)*, appel au secours *(« Hülfe » rufen)* [19]. « Comment faites-vous, m'a-t-on demandé, pour que même l'âne Tintin prononce mon propre nom? »... « Je ne sais pas ». Créature phallophore traditionnelle qui vient occuper la place vide, carence de l'effet métaphorique du Nom du Père : créature parlante, voix qui se conjoint au nom propre, message autonyme [20]. A ne pas le reconnaître, lui, Dionysos, l'Étranger, il progresse du merveilleux à l'extraordinaire et à la fureur déchaînée des ménades [21]. Le ravalement de la fonction phallique déclenche des instances destructrices. Sorte de processus qui vient réactiver le processus « autoconstitutif » du schizophrène : « Il peut arriver, dit E. Bleuler, qu'à un certain moment, le malade devienne définitivement autre. » Équilibre psychotique complexe dont nous nous devons, non pas simplement d'en retarder l'échéance, mais d'éviter une dissociation processuelle plus profonde, prélude à un état chronique de désorganisation « d'abrutissement » *(Verblödung)*. L'abord du psychotique exige un particulier aménagement du transfert. N'en pas tenir compte serait aussi dangereux et stupide que de confondre le trouble de l'humeur fondamental, spécifique à la schizophrénie évolutive qu'est « l'engourdissement »

*(Benommenheit)*, sorte d'état « d'être-engagé » hypervigile[23]; avec une banale timidité. Une juste mesure d'appréciation ne peut se réaliser que dans un processus de reconnaissance transférentielle : rencontre *(tugkanon)*, diagnostic multiréférentiel qui oriente inconsciemment vers un style d'approche plus spécifique; respect d'Autrui par le dégagement progressif de ses failles, de ses nuances existentielles, des degrés de dissociation dont il est le support. Équations plus ou moins intuitives qui articulent les relations entre le corps, corps dissocié, et un possible objet *a;* rapport avec l'Autre; relations entre A et *a*. Pour retisser une toile, pour reconstituer un fantasme par lequel le sujet pourra se rebrancher sur le monde sans retomber dans une niaiserie adaptative, pour qu'une certaine liberté de jeu puisse spontanément réémerger, il est indispensable que le thérapeute ait pu expérimenter sur lui-même cette relation A (——) *a*, relation harmonique fonction de Φ dont la mise en place dépend de la « distance » de l'Idéal du Moi (I) avec le moi idéal *(i (a))*, et au signifiant primordial du Nom du Père. Sinon tout abord de la psychose se situera dans une position perverse, source de stagnation ou de destruction des équilibres existentiels précaires du psychotique.

Nous voulions évoquer ces quelques aspects d'une pratique quotidienne pour mieux situer les styles d'intervention dits « psychothérapiques » dans l'existence du psychotique. Le sexe, réalité de l'inconscient, ne peut être interrogé que d'un « point » transférentiel extrêmement précis; l'opération phallique (Φ), en tant que polynome, évite les bavures identificatoires, indiquant les limites d'une praxis toujours menacée, protégeant autant qu'il en est possible de l'imposture des interventions directes et « réadaptatives ».

## NOTES

1. Roland Barthes (*L'empire des Signes*, Skira Genève 1970, pp. 11 sq) définit ainsi le *satori* : « Le *satori* (l'événement zen) est un séisme plus ou moins fort (nullement solennel) qui fait vaciller la connaissance, le sujet; il opère un vide *de parole.* »...
Et Roger Laporte, commentant le livre de Barthes (*Critique*, nº 302, juillet 1972), rapporte ce propos : « ...poser la question ultime : « Qu'est-ce que le Zen? », c'est-à-dire : « Qu'est-ce que la bouddhéité? ». A cette question d'un moine, le maître Chao-Chou se contente de répondre : « Le cyprès dans la cour. »

2. Cette idée rejoint l'étude de Michel Serres sur *La sacra Conversazione* de Carpaccio, étude parue sous le titre : *Pont-Jérôme* (*Esthétiques sur Carpaccio*, Collection Savor, Hermann, 1974) : « [...] Plus de leçons que de stances chroniques. Mon discours virtuellement interminable bourdonnant comme essaim autour de ce mètre carré où s'entasse le transfini. L'île au trésor. Spirale implicative de l'œuvre [...] »
« [...] Ainsi les lignes transversales, croix qui ferment au premier plan ces buissonnements de l'espace : elles passent et repassent au point central des quadrangles, sans jamais l'épuiser, en le produisant sans arrêt comme pôle, et comme être du verbe. Nombre de points sont en un point, une puissance équivalente à celle des lignes qui le traversent, comme des ponts [...] »

3. Cf. Jacques Schotte, *Notice pour introduire le problème structural de la Schickselsanalyse*, in « Festschrift Léopold Szondi » n. 47, Szondiand V, 1963.
Parlant d'un « pythagorisme vraiment existentiel », il souligne la « question de savoir ce qu'il faut comme éléments de structure pour que, comme on le dit, l'histoire puisse continuer, pour qu'elle ait vraiment lieu [...] ». « Or, comme dit E. Rosenstock-Huessy, ' le nombre dans le conter ne joue pas le même rôle que dans le compter ' : il n'est pas dans l'*Erzählen* au sens plein

du mot le même que dans le Zählen, [...] » (p. 196). Quant à l'expression « se tenir » *(sich halten)* nous nous référons au commentaire de J. Schotte sur le vecteur C (de contact) de Szondi, vecteur « basal », dont la fonction est trop souvent négligée ou méconnue dans la mise en place de toute analyse des psychoses (cf. J. Schotte, *Cours de questions approfondies de psychologie différentielle*, 1971-1972, Université catholique de Louvain).

4. Cf. René Louis, *Le Roman de la Rose - Essai d'interprétation de l'allégorisme érotique*, Ed. Honoré Champion, Paris 1974 (en particulier le chapitre intitulé : « Jean de Meune dénigre l'allégorisme de Guillaume et lui substitue de nouveaux symboles). »

5. Terme ironique utilisé par Soeren Kierkegaard, en particulier dans *Post-Scriptum aux miettes philosophiques*, Gallimard, Paris 1949, pour ridiculiser les post-hégéliens attachés à la lettre du « système » logique de Hegel.

« ... soit qu'avec la griserie et l'ivresse spirituelle d'un régénéré il regarde derrière le rideau, devine les runes obscures, voie l'explication, et prêche celle-ci d'une voix chantante... » (p. 380).

6. Terme utilisé par Ludwig Klages pour désigner les états terminaux des processus schizophréniques gravissimes.

7. Mot extrait d'un contexte poético-philosophique : celui de Francis Ponge. Nous ne l'employons pas ici dans le sens que lui donne son auteur, sens remarquablement présenté par Henri Maldiney (dans *Le Legs des choses dans l'œuvre de Francis Ponge*). Celui-ci écrit (p. 39 et 40) : « Son objet est un thème qui émerge perpétuellement autre des configurations écrites et qui maintient à l'intérieur de l'œuvre en formation un espace de jeu. ... L'objet, dit Ponge, est *ob-jeu*. Mais cet *ob* signifie qu'on ne se joue pas de lui. »

... « Écrire est plus que connaître » dit Ponge, parce que « c'est refaire », « à tous les sens du mot *refaire* ».

Le mot « objeu », nous l'employons dans un sens plus restreint et plus polémique : par opposition à « l'objet a » qui, pour « apparaître », nécessite, selon Lacan, la suffisante mise en place des « positions subjectives de l'Être » : le Sujet, le Savoir et le Sexe. C'est par une méconnaissance du pôle subjectif, inconscient (point « d'*ab-sens* »), du Sexe, que toute élaboration de la « sexualité » se trouve rabattue sur l'axe symptomatique compulsif *(Zwang)*, du doute, du dérisoire, qui s'établit entre le Sujet et le Savoir. Le « sexe », devenu fantôme de sexe s'obsessionalise dans une catégorie plus ou moins consciente : celle créée de toute pièce par des efforts rationalistes de type « Éducation sexuelle ». Que cette dimension fasse apparaître des aspects compétitifs de consommation d'un « sexe-savoir-sujet » dévidé en séries plus ou moins mercantiles n'est pas pour nous étonner dans un monde dominé par une technologie simpliste où sens *(Sinn)* et vérité *(Wahrheit)* n'ont aucune valeur d'échange. L'objet *a*, point d'articulation du transfert et nœud intraversable du fantasme, est masqué à jamais, écrasé sous des objets fantasmagoriques planifiés par des productions étatiques ou groupusculaires. C'est à cette sorte d'objet imaginaire, à prétention normative, que nous donnons ici, péjorativement, le nom « d'objeu ». Ce n'était donc ici qu'un « jeu » de mot qui, à partir du terme de F. Ponge, nous a conduit à un glissement de sens : celui qui a régné dans la tradition philosophique depuis plus de deux mille ans et que nous pourrions stigmatiser comme « forclusion du Sexe ». C'est à ce retour aux traditions les plus obscures que les « idéologies » modernes d'apparence « libératrice » se précipitent d'une façon tragique, accusant Freud d'avoir des conceptions retardataires et réactionnaires. Qui a jeté au feu les livres de Freud?

8. Cf. Jacques Schotte, par exemple *Notes pour rouvrir un dialogue sur la psychanalyse, pratique et science humaine clinique*, in *Dialogues en sciences humaines*, Bruxelles 1975.

P. 122 : « [...] Le quadrille de tendances de chacun des vecteurs n'est pas sans rapport structural avec celui des vecteurs mêmes, et chacun d'eux se compose en un certain " circuit ", dont l'ordre de parcours a un sens génétique, parallèle à celui que nous indiquions plus haut pour les niveaux de problèmes et de complexité des différents vecteurs (soit notamment p — k + k — p + //C S P Sch) [...] »

A noter que ce « circuit » en forme de 8 proposé par Schotte dans le vecteur Sch se différencie, de façon d'ailleurs non absolue, de celui, en cercle, proposé par Szondi (p — p + k + k —). (Cf. L. Szondi « Réorientation dans la question des clivages du moi », traduit dans la *Revue de psychologie et des sciences de l'éducation*, 1971, Vol. 6, n. 4).

9. Gisela Pankow, *L'homme et sa psychose*, Éd. Aubier-Montaigne, Paris 1969. Nous nous référons implicitement à ce texte extrêmement précis centré sur le problème de l'analyse des psychoses.

Par ex., p. 270 : « [...] notre méthode saisit la psychose au niveau même de l' " être-ensemble " (Miteinander-Sein) du médecin et du patient. Peut-on se rapprocher du dedans de la psychose, sans que le phénomène même de la maladie s'en trouve modifié? [...] »

Et pp. 280-281 : « [...] Il n'y a pas d'autre personnage à côté d'elle. Donc il s'agit d'une situation où Suzanne est confrontée à deux bassins rectangulaires, bien séparés l'un de l'autre. Nous proposons d'appeler cette situation clé, cette manière — d'être — ensemble, à cause de l'absence d'autres personnages, une situation à trois dans l'espace [...] ».

10. Cf. Michel Serres l'article sur le tableau de Carpaccio : « Saint Georges lutte contre le Dragon », dans le livre déjà cité.

11. Nous voudrions évoquer ici, afin de mieux faire sortir cette a-limite du sujet et du corps dans la psychose le poème de Fédérico Garcia Lorca, *Chant funèbre pour Ignacio Sánchez Mejîas :* .

... « Il ne ferme point les yeux
quand il vit tout près les cornes,
mais les mères terribles
relevèrent la tête.
Et à travers les élevages
monta un air de voix secrètes
criant vers des taureaux célestes,
gardiens d'une brume pâle. » ...
... « Et son sang vient en chantant :
chante par les maremmes et les prairies,
glisse le long des cornes transies,
vacille sans âme dans le brouillard,
se heurte à mille pieds de taureaux
comme une longue, sombre, triste langue,
pour former une flaque d'agonie
près du Guadalquivir aux étoiles. » ...

... « No se cerraron sus ojos
cuando vió los cuernos cerca,
pero las madres terribles
levantaron la cabeza.
Y a través de las ganaderías
hubo un aire de voces secretas
que gritaban a toros celestes,
majorales de pálida niebla. » ...
... « Y au sangra ya viene cantando
cantando pour marismas y praderas,
resbalando por cuernos ateridos
vacilando sin alma por la niebla,
tropezando con miles de pezuñas
como una larga, oscura triste langua

para formar un charco de agonia
junto al Guadalquivir de las estrellas. » ...

Cette « Présence du corps » *(Cuerpo presente)* et cette « Absence de l'âme » *(Alma absente)*, sont des thèmes qui entrent en résonance avec le pathos de l'existence psychotique.

12. Cf. C. G. Jung, *Métamorphose de l'âme et ses symboles :* Georg et Cie S. A., Genève 1953.

P. 344 : « Logiquement, l'inceste mène à la castration sacrée dans le culte d'Attis-Cybèle, puisque selon la légende, le héros, rendu furieux par sa mère, se serait mutilé lui-même. »

P. 692 : « Les prêtres du culte d'Attis-Cybèle étaient des castrats appelés Galloi. L'archigallos s'appelait Atys (Attis). »...

13. On peut se référer à la description de Bicêtre au chapitre XLVI du *Tableau de Paris* en 1790 par Louis-Sébastien Mercier (cf. Mercier, *Tableau de Paris,* Librairie de la Bibliothèque Nationale, Paris, 1884).

14. Par analogie avec une expression de Jean Dubuffet, stigmatisant les « intellectuels » comme « poissons d'eau bouillie » (cf. *L'Art brut préféré aux arts culturels,* catalogue de l'exposition organisée à la Galerie René Drouin, Paris 1949).

15. Nous empruntons le terme de « chronothème » à G. Guillaume (*Langage et Science du Langage*, Paris 1964). Les deux « chronothèmes » α et ω, du futur et du passé, s'articulent différemment selon les « aspects » et les « temps » du verbe (aoriste, parfait etc...). Le temporalisation comporte la théorisation d'une chronogénèse. Comme le souligne H. Maldinay (cf. *Aîtres de la langue et demeures de la pensée*, l'âge d'homme, Lausanne 1975), création et décision sont deux moments cosmogénétiques marqués par les deux représentations d'Aiôn et Kairos. C'est dans cette pespective des différentes phases chronogénétiques que nous pensons intéressant de situer la psychose. Qu'il nous suffise ici d'indiquer la conjonction possible entre une sorte « d'existence aoristique » et « l'existence psychotique ».

16. Henri K. Beecher, « Contribution de la pathologie et de l'expérimentation à l'étude des réponses subjectives particulièrement en ce qui concerne la douleur », in « Actualités Neurophysiologiques », 3e série, Masson et Cie 1961. Nous citons cet article pour la clarté avec laquelle Henri K. Beecher pose le problème fondamental de l'abord scientifique des réponses subjectives, la douleur n'en étant qu'un cas privilégié. Il énonce l'hypothèse de la mouvance de « la composante réactionnelle », point d'impact de l'action de beaucoup de drogues, bien plus que ne le sont les « sensations originales ». Cette composante

réactionnelle, dans son équation subjective, comprend des paramètres tels que la signification, l'humeur et l'anxiété, ces paramètres réglant le seuil de perception des différentes « sensations ».

Hubert Mamo, *La douleur. Aspects physiologiques, physiopathologiques et incidences thérapeutiques*, Les Cahiers Baillière, Paris : « [...] *que la douleur n'existe pas en tant que sensation physiologique* et qu'elle fait toute entière partie de la pathologie. *Son irruption dans le système nerveux constitue un événement franchement anormal qui utilise dès circuits qui ne lui sont pas physiologiquement destinés.* » « [...] On peut donc concevoir que, dans certaines circonstances, ce barrage protecteur puisse céder, submergé par les coups de boutoir répétés des influx nociceptifs, et que ces décharges s'engouffrent dans la brèche ainsi pratiquée [...] »

« [...] l'équilibre de la *balance inhibition-facilitation*, qui régit l'activité de toutes les formations nerveuses : un équilibre précaire, dominé par l'influence facilitatrice rendrait le système neuronal plus vulnérable à l'action d'un processus de désorganisation [...] »

17. Nous nous référons ici au chapitre *Dionysos. L'existence a-logique* de l'ouvrage de Henri Maldney, *Aîtres de la langue et demeures de la pensée* cit.

18. Lacan, dans le texte *La signification du phallus*, distingue celui-ci du fantasme, d'un objet, d'un organe, mais indique que « ce n'est pas sans raison que Freud en a pris la référence au simulacre qu'il était pour les Anciens ».

Le Phallus, dans sa phallophanie, présence du signifiant « destiné à désigner dans leur ensemble les effets de signifié », évoque le masque du « Dionysos-Pilier » : « *simulacre* » qu'il faudrait articuler avec l'histoire des « masques », aussi bien la série des « enfarinés », que les masques de l'Antiquité, du théâtre japonais ou des civilisations africaines. Dans cet espace mimétique ou mimique de la langue peut se concevoir une articulation entre la fonction phallique et la « féminité comme mascarade ».

Quant au concept de « simulacre », nous pouvons nous référer à l'article « Platon et le simulacre » in G. Deleuze, *Logique du Sens*, Minuit, Paris 1969, pp. 292-307.

19. Cf. Daniel-Paul Schreber, *Mémoires d'un névropathe*, Seuil, Paris 1975.

20. Cf. Roman Jakobson, *Essais de Linguistique Générale*, Minuit, Paris 1963, au chapitre : « Les embrayeurs, les catégories verbales et le verbe russe » : « Embrayeurs et autres structures

doubles », p. 178 (l. 4) : « M/C, Un message renvoyant au code correspond à ce qu'on appelle en logique le mode autonyme du « discours... Ce genre d'hypostase — comme le pointe Bloom- « field — " est étroitement lié à la citation, à la répétition du « discours " et joue un rôle vital dans l'acquisition et l'usage « du langage. »

21. Cf. Clémence Ramnoux, *Mythologie ou la Famille Olympienne*, Armand Collin, Paris 1962, pp. 199 sq.

22. Cf. Jakob Wyrsch, *La personne du schizophrène*, P.U.F., Paris 1956, en particulier pp. 152-155 et surtout, à propos de *Benommenheit*, pp. 112 sq.

# A PROPOS DE LA DIALECTIQUE ENTRE SEXUALITÉ ET POLITIQUE

par

Aldo TAGLIAFERRI

> De même que le commerçant avisé évitera de placer tout son capital dans une seule affaire, de même la sagesse conseillerait peut-être de ne pas attendre toute satisfaction d'un penchant unique.
>
> Freud, *Malaise dans la civilisation.*

1. Le thème du rapport entre sexualité et politique admet dans sa formulation même deux possibilités à tel point chargées de conséquences qu'elles exigent une distinction préliminaire. En effet, on ne peut pas non plus admettre de façon acritique qu'un tel rapport soit fondant pour les deux termes ou pour l'un des deux, sans de ce fait choisir de résoudre une telle rencontre encore en-deçà de celle-ci, toujours dans le champ de chacun de ses termes. Le risque que l'on veut indiquer n'est pas tellement celui de l'exclusion a priori de la possibilité d'un dépassement unifiant, par exemple celui du freudo-marxisme de Marcuse, mais c'est plutôt celui de faire découler, de la nécessité du rapport organique, la nécessité d'englober le sexe dans la politique (comme a l'habitude de le faire la

gauche héritière de l'ascétisme militant léniniste) ou la politique dans le sexe (comme le fait par exemple Wilhelm Reich). Si, comme nous le disions, une de ces possibilités semble conduire à une phagocytation réciproque ou bien unilatérale, l'autre doit commencer par envisager, nous semble-t-il plus sagement, un examen des occasions ou, disons-le, des *nécessités* de rencontre entre sexualité et politique à partir de leur spécificité et tout en respectant les différences que l'homme réalise en elles à partir de soi-même et celles qu'il réalise en lui à partir d'elles.

En somme, il s'agit d'éviter ces totalités prématurées et avortées qui entraînent des « solutions finales », à la fois aveugles et clairvoyantes, parce qu'elles voient bien une chose dans la mesure où elles ne voient pas l'autre, quand bien même on leur concède la bonne foi parfaite et l'amour désintéressé de l'*un*. Il s'agit de pouvoir admettre que sexe et politique peuvent aussi faire loucher les observateurs, pour un temps de travail plus ou moins long, et que la pratique politique et sexuelle ne doivent pas nécessairement en subir, entre temps, un coup mortel.

Plus précisément, nous proposons que la *reductio ad unum* se projette dans le futur selon ce caractère fondamental de la totalisation, que Sartre distingue de la totalité, qui consiste à être « totalisation en cours ». Tandis que la *totalisation* recherche heuristiquement « le tout à travers les parties », la *totalité*, affirme Sartre, réalise la pratique terroriste (parce que prématurée) consistant à liquider les particularités. Dans ce dernier cas « il ne s'agit pas de réaliser l'intégration du divers en tant que tel, en lui gardant son autonomie relative, mais de le supprimer [1] ». Ce que Sartre reproche à la scolastique marxiste peut évidemment servir, en ce lieu, d'admonition contre l'autre tentative, tout autant scolastique et autoritaire, celle d'imposer une totalité à partir de l'autre terme, celui de la sexualité et de ses théories.

Par ces prémisses, on ne prétend donc pas limiter l'immense richesse des interprétations sexuelles du politique, et des interprétations politiques du sexe, ni d'en limiter l'importance. (Et la modeste contribution que j'espère donner en ce sens veut précisément être celle de contenus, de problèmes, de points de vue : elle veut être un « point » provisoire et rapide sur une situation en mouvement.) On se propose au contraire d'indiquer la nécessité de sauvegarder cette richesse de rapports en sauvegardant la richesse des différences spécifiques, qui est le présupposé de la première.

La psychanalyse ne rentre pas dans cette perspective, si ce n'est de façon problématique, médiée par des totalisations dans le domaine duquel ses notions centrales sont soumises à des interprétations et à des usages divergents, ou soumises à des révisions radicales. En particulier les prises de position de Franco Fornari et de Gilles Deleuze, fût-ce même en directions opposées comme on le verra, offrent de nombreuses occasions de réflexion précisément parce qu'elles se proposent comme dépassements et développements originaux par rapport, et à l'orthodoxie freudienne, et au freudo-marxisme reichien et marcusien. En effet, aujourd'hui, outre la tentative de dégager la « nature » de la « culture » tout court, nous assistons d'une part au projet de révolutionner la culture, tout en la modelant non pas sur l'utilité et sur le devoir, mais (en reniant toute distinction entre économie politique et économie libidinale) sur le désir, ou sur la prégénitalité polymorphe, et d'autre part, aux différents projets qui, au contraire, réaffirment la primauté de la valeur économico-contractuelle sur la valeur libidinale-désirante, tout en recyclant de façon plus ou moins manifeste les vertus bourgeoises traditionnelles.

2. De façon polémique par rapport à l'orthodoxie freudienne, et surtout par rapport à la conception « orphico-narcissiste » de Marcuse qui s'y relie, Fornari, dans la louable intention de résoudre l'antagonisme entre naturel et culturel, coupe le nœud gordien (et freudien) du rapport entre génitalité et prégénitalité, tout en distinguant nettement les deux principes et en illustrant la signification de la primauté génitale, « sommet du développement sexuel humain ». Il juge la prégénitalité substantiellement étrangère à l'accouplement et il en délimite la structure, antagoniste par rapport à celui de la génitalité, selon un schéma symétrique que nous pouvons ainsi résumer : la *relation génitale* est fondée sur l'échange; elle fait naître un orgasme contrôlé par le Moi : elle implique consentement et contractualité; elle atteint la valorisation maximum de l'objet; elle répond à un examen correct de réalité; tandis que la *relation prégénitale* est fondée sur l'appropriation déprédatrice infantile : elle fait naître un orgasme prégénital non contrôlé par le Moi; elle préside au schéma ami-ennemi : elle célèbre la toute-puissance du sujet à travers une pulsion d'appropriation; elle est de nature illusoire. En stigmatisant les

fantaisies du sujet prégénital et narcissiste, visant à réaliser un impossible retour à l'appropriation totale, Fornari réfute la théorie marcusienne : « Le sujet prégénital se constitue comme continue réaction circulaire d'une appropriation absolue qui se renverse en une aliénation absolue, en une continuelle poursuite circulaire de paradis et d'enfer imaginaires. [...] A travers la génitalité, le sujet sait accepter le manque de quelque chose sans se sentir dans l'aliénation de l'enfer et, en même temps, il sait qu'il a quelque chose sans se sentir dans l'appropriation du paradis [2]. »

Il est clair que Fornari tire la génitalité par exclusion du non-génital ou prégénital, mais c'est là ce qui assure et démontre la dépendance de la génitalité par rapport à la prégénitalité. Ce qui reste de qualifiant pour la génitalité adulte, c'est la dite « pulsion d'échange ». Mais la pulsion est tout d'abord élémentaire, et son élémentarité comporte l'unidirectionnalité de l'intensité originaire. Qu'une pulsion puisse être considérée comme composante d'un projet d'échange, c'est très raisonnable, mais qu'elle puisse, au stade originaire, au stade de sa naissance, être présentée comme composite et médiée comme l'opération d'échange la comporterait, c'est tout à fait contradictoire par rapport au concept même de pulsion. La pulsion en soi ramène donc en arrière (aussi bien historiquement que logiquement), au monde intensif et prélogique de la sexualité infantile, que Fornari tente en vain d'exorciser. La tentative de construire une pulsion d'échange est dictée par la nécessité de trouver un fondement pour la fusion de la sexualité et de la culture dans le sens de la culture déterminée que

Fornari accepte comme Culture, et en outre, par la nécessité de distinguer sexualité prégénitale et sexualité génitale, non seulement en fonction d'une réduction pulsionnelle exogène (culture comme répression ou sublimation), ce qui ramènerait le discours dans le berceau de Freud, mais surtout en fonction d'une qualité pulsionnelle différente. Ce dont Fornari a le plus besoin pour tenir sur pied l'échafaudage de son système d'oppositions n'existe pas. Cet hybride entre pulsion et répression ne peut enfoncer ses racines que dans le champ de l'idéologie bien-pensante dont il provient.

Pour Fornari, il y a, à l'origine de la prégénitalité comme perversion, une confusion cognitive. Il semble négliger que bien avant cette représentation symbolique confusive qui donne la toute-puissance illusoire, il y a un choix, une invention comme expression primaire et directe du désir du plaisir. Et il semble oublier que ce désir du plaisir (comme répétition et différence à la fois) subsiste dans son évolution-involution dans la sexualité génitale. Sans le peu de ce désir qui subsiste, la « pulsion d'échange », qui du point de vue libidinal intensif est en elle-même inexistante, n'induirait personne à l'accouplement. Si, par exemple, un pédophile est conscient du fait que le plaisir qu'il obtient dans ses rapports anormaux est supérieur, quant à l'intensité, au plaisir que d'autres tirent normalement de leurs rapports avec des personnes adultes de l'autre sexe, il faut tout d'abord lui démontrer les raisons de ce plus-de-plaisir. Et une fois repérée la source de ce plus-de-plaisir, il faut trouver quelque raison non pas morale ni économique, mais purement scientifique, pour laquelle il doit cesser de jouir de ce plaisir. Ce serait, à la fin, un discours scientifique.

Un principe de réalité incombe encore une fois sur nous, comme monopole de celui qui veut nous protéger de plaisirs démesurés, à savoir du plaisir entendu comme fin dernière, plutôt que comme « récompense de séduction ». Fornari soutient la thèse d'une génitalité qui est sublimation et abandon du principe du plaisir pour celui de réalité. Il s'agit d'ailleurs d'une sublimation « freinée », mais on ne comprend pas bien pourquoi elle devrait s'arrêter à la génitalité. Mais, en parlant de la décharge de la sexualité infantile, il soutient que la satisfaction n'existe pratiquement pas, en tant qu'elle n'est pas *réelle* [3]. A la place d'une antinomie entre réalité et plaisir, on postule alors, de façon contradictoire, un plaisir qui ne peut être tel que s'il est *réel*, c'est-à-dire génital, et on postule l'existence (qui nous semble comiquement improbable) d'un plaisir qui, tout en étant tel, est *irréel*. La réalité est bien différente. L'enfant connaît parfaitement le plaisir sexuel, et c'est précisément la trace mnésique de ce plaisir qui se représente comme désir à l'âge adulte. En plus de l'absurdité qu'il y a à distinguer un plaisir réel d'un plaisir irréel, Fornari commet l'erreur encore plus grave de ne pas distinguer un plaisir majeur d'un plaisir mineur, à savoir de ne pas reconnaître l'intensité comme paramètre du plaisir. Tout en concentrant l'attention sur l'intensité, ou degré de totalisation, du plaisir, on peut constater que le plaisir génital perd en intensité ce qu'il gagne en qualification. Le contraire serait fort curieux, étant donné que la prégénitalité poursuit précisément le principe du plaisir, et que le désir qu'elle fabrique est logiquement le présupposé essentiel de la satisfaction hédoniste.

Fornari agence un beau mécanisme sans moteur. Quelle énergie le déplace? Sa théorie vit de façon déprédatrice sur une énergie sexuelle qui ne l'intéresse pas, qui, dans le meilleur des cas, est donnée pour sure. Le principe du plaisir et le principe de réalité sont deux polarités abstraites qui, en tant que telles, à savoir en tant que concepts absolus, ne peuvent subsister séparément que dans une réalisation folle. Fornari ne se sert de leur séparation radicale qu'en vue de discréditer l'un des deux. Mais, au-delà de leur sorte de complémentarité disjonctive et adialectique qui est juxtaposition de folie individuelle et folie sociale, qui se produit dans la société de la domination *, il existe une perspective précise de synthèse dialectique des deux principes dans laquelle ils se confondent tout en conservant chacun le côté positif de leur nature. Nous voulons dire, en conservant au principe du plaisir sa qualification de *fin*, et au principe de réalité sa propre qualification de *moyen*, étant donné que leurs côtés négatifs sont constitués essentiellement par leurs absolutisations en raison desquelles le principe de plaisir s'arroge (de façon illusoire) la fonction même de moyen en soi, et le principe de réalité (de façon tout autant illusoire) celui de fin en soi. Le cas du sujet pervers est suffisamment explicatif : sujet, qui en poursuivant objet et but de ses convoitises (ou mieux, un objectif représenté par le principe du plaisir), fait usage, évidemment, du principe de réalité pour réaliser son projet, par exemple pour mettre en acte un habile plan criminel.

Il ne semble pas possible non plus de soutenir que Marcuse, dans sa tendance à revendiquer la positivité du désir prégénital, ne sorte pas de la confusivité, de la toute-puissance illusoire, de l'échangeabilité totale des symboles. Aussi bien au niveau existentiel qu'au niveau théorétique (comme on peut facilement le documenter) les projets de récupération de la prégénitalité, excepté ceux de type artistique, peuvent amplement être accompagnés de consciencieux examens de réalité. Quand le principe de réalité qui soutient le marxisme essaie de s'étendre au sexuel, par analogie, son examen de réalité devrait consister à prendre en considération le sexe, tout au moins dans sa spécificité, à procéder à un examen scientifique de réalité du principe du plaisir. Il faut donc renoncer à séparer nettement, dans la réalité tout au moins, les comportements qui sont régis par les deux principes, et renoncer à décréter que celui qui poursuit le principe du plaisir doive par conséquent renoncer à la logique et au réel.

C'est d'une façon particulièrement redoutable que se présente le recours à une « norme » sexuelle qui, même avec le consentement de la psychanalyse, réussisse à assainir, par sa réconfortante positivité, le contraste entre la plasticité documentée du comportement sexuel et le choix d'une politique sexuelle considérée comme optimale. L'adhésion à une norme sexuelle implique l'acceptation de toute une mise en ordre culturelle de normes par rapport à laquelle d'autres normes, et tout le système de valeurs socio-politiques qu'elles comportent, peuvent s'avérer déviantes et non-naturelles. Dans le cas de Fornari, l'exaltation de la génitalité et de la dite « pulsion d'échange », qui garantirait l'accès à la réalité, indique explicitement la coïncidence de signifiés entre code de la génitalité et code de la normalité : c'est à ce prix que l'on fait coïncider la mission naturelle de la sexualité ( « la sexualité, dans la nature, exprime l'instinct de conservation de l'espèce ») et sa mission culturelle (« la génitalité a la difficile tâche de souder la condition de besoin avec le principe de prestation [4] »).

3. Il existe une attitude qui, en projetant le but du plaisir, « paré des illusions de l'éternité », comme le dit Camus, et dont l'appropriation est paradis et la perte enfer, comme écrit Fornari, manœuvre toutefois à travers les contingences en se servant des principes aristotéliciens et sans trop d'illusions. Naturellement, il est aussi possible que la rencontre manquée entre le monde des fins et celui des moyens (entre le monde intérieur et extérieur, entre sujet et objet), se transforme en un fossé infranchissable, mais, avec une excessive sollicitude, le moralisme cherche l'origine de la dialectique manquée dans les illusions du sujet. Quand Cesare Pavese note dans son journal que « pour obtenir l'amour tragique il faut de l'*astuce*, mais que précisément, ce sont ceux qui sont *incapables d'astuce* qui ont soif d'amour tragique [5] », il indique les termes d'une problématique qui est en partie celle de Fornari (l'opposition entre l'amour absolu de dérivation prégénitale et le principe de réalité), et

qui en partie va au-delà (en tant qu'elle pose le *principe du désir* comme fin à laquelle il subordonne le moyen constitué par l'astuce). Mais il indique aussi que la « soif d'amour tragique » est incompatible avec l' « astuce ».

Pour comprendre ce que l'on entend ici par « amour tragique », il ne suffit pas de reconnaître la trace de l'intensité du désir/plaisir prégénital, parce que dans le contexte le concept d'amour tragique est indissolublement lié à celui d'astuce. Un objectif « amour tragique » n'existe pas indépendamment de la soif de celui-ci (ce qui détermine, comme le dirait Fornari, le caractère illusoire du désir), et ce sont « les incapables d'astuce » qui en ont soif. Dans l' « amour tragique », l' « astuce » est déjà incluse comme absence ou impossibilité. C'est cette impossibilité qui se projette sur l' « amour » comme tragique. Mais l'impossibilité ne concerne que les « incapables », c'est une possibilité *autre*, pour d'*autres*. C'est ce qui attribue une sorte d'objectivité (fausse) à l' « amour tragique », qui est présupposé comme étant le but extérieur, que d'*autres* peuvent rejoindre. En termes cliniques et réducteurs, et en avançant que, comme nous le verrons, l' « astuce » est une instrumentalisation déterminée du principe de réalité, et donc du *renvoi* du plaisir, on peut traduire et réduire ainsi la phrase : « Pour obtenir un coït qui soit bonheur, il faut un renvoi, mais ce sont précisément ceux qui sont incapables de renvoi qui ont soif d'un coït qui soit bonheur. » Que « tragique », chez Pavese, soit mis pour « heureux », dans le sens d'*intense* et *totalisant* (précisément dans le sens prégénital), c'est évident, mais ce « bonheur » est « tragique », non pas simplement parce qu'il est physiquement impossible (nous savons que Pavese souffrait d'éjaculation précoce, ce qui atteste la justesse d'une thèse de Fornari [6]), à savoir, parce que le renvoi du plaisir est réduit sous la limite qui rend pratiquement impossible le plaisir lui-même; elle est « tragique », parce que morcelée irrémédiablement en deux : les « capables d'astuce » en possèdent le tronçon *objectif*, les « incapables », le tronçon *subjectif*. Les premiers possèdent le moyen (principe de réalité), les seconds la fin (principe du plaisir), et, selon Pavese, celui qui a l'un ne peut avoir l'autre. Mais alors l' « astuce » n'est-elle pas tout simplement le principe de réalité? C'est le projet d'adhérer avec réserve à la « réalité », tout en conservant intacte la faculté de jouir. Le « renvoi » prend une importance plus vaste. Cette réserve est ambivalente : elle vaut à l'égard du désir (on ne peut s'y abandonner, car « aimer sans réserves mentales est un luxe qui se paie, se paie, se paie [7] »), et elle vaut à l'égard du réel qui doit être remis à sa place d'instrument pour la satisfaction du désir. L'« astuce » n'est pas non plus le principe du plaisir : c'est une contrebande de principe du plaisir à l'intérieur du territoire du principe de réalité. En dehors de l' « astuce » il n'existe pas d' « amour tragique », mais il n'existe pas non plus de « soif d'amour tragique », parce que l'amour est vu comme « tragique » à travers le projet d' « astuce ».

En effet, le concept d' « amour tragique » est entremêlé, hybride : il désigne le trop réel, trop mondain et extérieur, pour pouvoir être atteint par des instances intérieures, et à la fois le trop idéal, trop individuel et intérieur pour être réalisé dans l'extériorité. Autrement dit, c'est à la fois le trop réalisé (par d'*autres*, pour d'*autres*) et le trop irréalisable, ce qui dépasse l'astuce d'un côté et ce qui la dépasse de l'autre. L' « astuce » est la discrimination aiguë sur laquelle se réalise l'hybride de réalité et désir, ce que Cocteau aurait appelé l'aigle à deux têtes, la collaboration de principe de réalité et de principe du plaisir.

Le projet de cette collaboration est promu, comme tous les projets, par l'énergie du désir, sublimé toutefois en idéalité religieuse-sociale-politique. L'apport du principe de réalité augmente, paradoxalement, la puissance de la visée utopique, il rend d'autant plus tragique le projet qu'il le désublime en le réalisant : l' « amour tragique », donc, est « tragique » précisément parce qu'il jumelle le désir de bonheur à sa réalisation concrète. « Non pas le bonheur », comme le disait Oscar Wilde, « mais le plaisir : il faut toujours vouloir le plus tragique ». Le jumelage, entre les deux mondes, est en équilibre entre collusion et collision : mais la perspective tragique, pour Pavese, tient au fait que pour lui le résultat est prévu, le mécanisme kafkaien le donne perdant dans sa programmation qui se substitue au projet. Le coït avec le réel est pour lui destiné à rester en l'air, loin de l'impact.

Mais dans cette vision il y a la contradiction qui complète le paradoxe : la programmation est la réification d'un projet, et il n'existe même pas un objectif programme tragique de la machine existentielle sans l' « astuce » qui essaie de l'éluder. Le destin est pour celui qui s'y oppose. Ou mieux, c'est l'opposition qui le crée. La défaite, prévue, est donc aussi une victoire, la seule possible, la plus grande possible. L' « astuce », qui n'est pas rejointe mais convoitée, est de toute façon une victoire, pour Pavese lui-même, parce qu'en lui il n'y a de reddition ni à la banalité du « réel », ni à l'autisme du « désir ». Dans la banalité du premier, il ne pouvait ou ne voulait entrer que par l'encombrante fidélité au second, ce qui équivaut à dire qu'il désirait la banalité avec une intensité telle (comme d'autre part on le trouve amplement documenté dans son journal) qu'il rendait impossible la banalité elle-même. Son « amour tragique » est le banal amour génital de Fornari, investi d'une charge subjective de désir, transfiguré et rendu impossible. Mais le banal amour génital, le tronçon objectif, est une répétition tout à fait absurde et ratée, c'est le kierkegaardien « se promener nu avec un chapeau sur la tête ».

L' « astuce », comme problématisation du banal déjà, constitue une garantie contre l'adhésion au banal. Même en ce sens, elle constitue un renvoi : elle renvoie le « réel » au moment même où elle renvoie le « plaisir ». Et le « renvoi du réel » est la condition de suspension du jugement consentant le jugement lui-même, c'est l'examen de réalité : le concept de « renvoi du réel » est tout aussi important que le concept de « renvoi du plaisir », et tout aussi constitutif que le concept d' « astuce ».

De même que le « renvoi du plaisir » renvoie, au nom de la Réalité, un plaisir absolu qui se court-circuite à un niveau illusoire, de même le « renvoi du réel » renvoie, au nom du Plaisir, une réalité absolue qui se court-circuite elle aussi à un niveau tout autant illusoire. D'où nous pouvons déduire que renvoi du plaisir et renvoi du réel ne sont respectivement pas identifiables au principe de réalité et principe du plaisir, et cela tout en étant leurs produits respectifs. En effet, ces principes s'excluent l'un l'autre dans la mesure où les premiers augmentent réciproquement leur puissance. L'effet de cette augmentation de puissance, le résultat de cette somme, à savoir l'« astuce », constitue un dépassement de chacune des critiques faites aux deux principes de réalité et de plaisir, et des principes mêmes comme symboles d'un antagonisme irréductible. Cette conciliation est diamétralement opposée à celle entre nature et culture, voulue par Fornari. Elle concilie au contraire, par la culture, désir et réalité. Mais il faut montrer la nécessité d'un renvoi du réel parallèle au renvoi du plaisir, et leur complémentarité.

La pervertibilité du principe de réalité est probablement inhérente à son lien originaire à un contenu déterminé qui, dans un lieu et en un temps déterminés, s'est constitué comme Réalité. En tant que principe il fait abstraction des contenus historico-politiques, mais il ne naît pas nu pour autant. De même que le principe du plaisir se forme sur les contenus intensifs prégénitaux, de même le principe de réalité se forme sur les contenus extensifs (et, si l'on veut, pro-génitaux) présents à l'extérieur au moment de son engendrement. Le principe de réalité contribue de façon déterminante à la constitution de la Réalité, dans la mesure où le rapport entre l'objectivité de l'extérieur et le moi l'articule comme principe d'identité et de non-contradiction. Le principe de réalité fonde la réalité même sur laquelle il se fonde, chose dans laquelle il est tout autant confusif que le principe de plaisir : les deux autismes peuvent dégager *intensité* et *extensité* incontrôlables. Le raidissement du principe de réalité porte probablement à la paranoïa, tout comme le raidissement du principe du plaisir porte à la schizophrénie. Mais, alors que dans notre société de la domination le principe du plaisir est harcelé dès son surgissement par des demandes de vérification, le principe de réalité est considéré comme se vérifiant de lui-même. Cependant, rien n'a autant besoin de fréquents et consciencieux examens de réalité que le principe de réalité, origine même de toute sinistre Realpolitik.

En menant ces examens, le principe de réalité doit côtoyer le principe du plaisir : la négation réciproque des deux abstractions, des deux absolutisations, produit une seule suspension. Comme nous le savons, le moyen tend à s'absolutiser en faisant abstraction de la fin, la fin à s'absolutiser en faisant abstraction du moyen. La souffrance et la renonciation passent facilement pour une expression objective d'une adhérence à la Réalité, mais il est opportun que ce soit aussi le désir de plaisir qui vérifie si celles-ci sont vraiment nécessaires, ou si une perversion autiste du principe de réalité ne produit pas une Réalité illusoire [8]. Un corollaire non-négligeable de cette conception du renvoi de réalité, c'est qu'elle considère la réalité comme une totalisation *in fieri* à la constitution progressive de laquelle concourt de façon déterminante la praxis humaine. Le renvoi du plaisir mis en œuvre par le principe de réalité ne reçoit et ne conserve son sens que dans un rapport entre réalité et plaisir. Le renvoi peut éluder de façon indéterminée la satisfaction du plaisir, ou renverser la douleur en plaisir, exactement comme dans le court-circuit du *Lustprinzip*.

L'astuce, somme des deux renvois, survit dans les temps moyens. Affirmer, comme le feraient probablement quelques psychanalystes, que le « renvoi de réalité », la mise à jour du principe relatif selon les conditions externes changées, est cependant toujours l'apanage du principe de réalité, autonome et capable d'auto-corrections, de par sa nature, c'est ne pas comprendre que les deux renvois, séparés, constituent un prétexte à l'élimination l'un de l'autre. Sans renvoi de réalité il n'existe pas de renvoi du plaisir, mais seulement anéantissement du plaisir. Et vice-versa. Renvoi du plaisir ne peut signifier reconnaissance de la nécessité de la réalité comme moyen, que dans la mesure où renvoi de réalité signifie reconnaissance de la nécessité du plaisir comme sa fin. Le renvoi de la réalité, passant par l'historicisation et la relativisation de la pénurie, est l'éclairage de la face en ombre de la même monnaie dont l'autre face est le renvoi du plaisir. L'astuce est une valeur d'échange qui se fonde, se proclame et se vérifie comme telle, c'est une totalisation de renvoi qui laisse ouvertes, aussi bien les possibilités de jugement que celles d'intervention sur le réel.

C'est précisément le fait que Pavese considérait comme fatal pour les assoiffés d'amour tragique l'incapacité non pas d'un examen de réalité, mais d'une « astuce » qui consentait à feindre le principe de réalité et à instrumentaliser la réalité pour les fins du plaisir, qui démontre que sa faillite consciente survient dans *ce* projet, et non dans celui d'acquérir (encore sans « astuce »), le principe de réalité, ni dans celui de réaliser, en dehors de la littérature, le principe du plaisir. Son projet était un projet de conciliation dialectique, raté dans la mesure où la simulation consiste à feindre de tendre au moyen, tout en conservant le désir pour la fin, exige un tribut qui est le prix de la dialectique même. Le prix qu'il faut payer à tous les mécanismes pour qu'ils se mettent en marche. Un prix qui ne se paie qu'avec l'énergie, et l'énergie n'est que le désir. Le désir se nie en partie pour pouvoir récupérer dans la réalité son autre partie. Ce n'est qu'à ce prix (l' « astuce ») qu'il est possible de sauver le plaisir, et l'opération ne réussit pas toujours, comme le démontre, entre autres, le cas de Pavese.

4. Tout en se rapportant à Reich, auquel est reconnu le mérite d'avoir montré « comment le refoulement dépendait de la répression [9] », la prise de position de Gilles Deleuze et de Félix Guattari, illustrée dans l'*Anti-Œdipe*, se pose comme alternative, et de la machine interprétative, œdipienne et œdipianisante, inventée par la psychanalyse, et du freudo-marxisme reichien. Selon les fins de cette intervention, il faut surtout relever que les deux auteurs français font coïncider économie désirante et économie politique, et connotent le désir comme production révolutionnaire (et non comme manque) de réalité. Reich, dans la perspective de l'*Anti-Œdipe*, a commis l'erreur de vouloir faire coïncider machine analytique et machine

révolutionnaire, et cependant il a parlé au nom du désir, comme les deux auteurs qui déclarent maintenant : « La répression ne porte sur le désir, et non pas seulement sur des besoins ou intérêts, que par le refoulement sexuel [10] ». Dans cette perspective *L'Anti-Œdipe* se présente comme la compensation du principe du plaisir, longuement piétiné par la psychanalyse, mise en position de défense d'une production sociale répressive.

Deleuze et Guattari éludent le problème sartrien de la pénurie, dont ils se débarrassent avec une petite note où ils délivrent à Maurice Clavel le permis de juge, mais ils sont amenés à cela par un programme refusant et l'objet (le désir ne manque pas à son objet), et le sujet (qui, éventuellement, manque au désir), et donc qui refuse la dialectique entre subjectal et objectal. D'une part, ils n'ont pas l'intention de désexualiser le désir, et de l'autre, ils attribuent à la sexualité la dimension cosmique et impersonnelle déjà reconnue à ce dernier (« Mais c'est toujours avec des mondes que nous faisons l'amour [11] »).

La logique des quatre causes d'Aristote par rapport à la production (cause formelle = capital; cause efficiente = travail; cause matérielle = nature; cause finale = désir), reprise par Goux, dans l'essai cité, pour critiquer le marginalisme, peut servir à encadrer dans l'économique les positions de Deleuze-Guattari, de Michel Clouscard, auteur d'un violent pamphlet contre l' « idéologie néocapitaliste » dont Deleuze serait le porteur [12], de Marcuse, de Sartre et de Fornari, pour ce qui est des rapports entre sexe et politique. Cette schématisation se prête, par exemple, à l'observation des accents posés sur une « cause » ou sur l'autre par les auteurs cités ci-dessus.

Chez Deleuze-Guattari, cause formelle et cause finale font court-circuit, en brûlant la médiation de la cause efficiente et de la cause matérielle; en particulier la cause finale absorbe les pouvoirs de la cause efficiente, tandis que la cause matérielle est ignorée et la cause formelle rendue absente. Clouscard dénonce à raison cet absentéisme en tant que mystificateur, et il a en partie raison lorsqu'il soutient que Deleuze annexe à la cause finale (à savoir au désir) une part de la force de la cause efficiente (une part : la plus-value). Chez Clouscard, cependant, reste dans l'ombre la cause matérielle (pénurie indépendante de la soustraction de la plus-value), et surtout la cause finale. Telle est l'incompatibilité qui porte Clouscard à exposer à la risée de la gauche le fantastique déploiement de mass-media, de jeux, de drogues et de fêtes auquel porterait l'œuvre corruptrice de Deleuze.

Marcuse met à la place d'honneur la cause finale et tente d'englober les autres causes dans une sorte de cause matérielle renversée dans le signe (de la pénurie à l'abondance). Sartre a au centre de sa problématique la médiation, le rapport entre cause efficiente et cause matérielle. Tandis que chez Clouscard, et de toute façon dans le marxisme orthodoxe, l'épicentre de la lutte est situé entre la cause formelle et la cause efficiente, et que la cause finale est considérée de façon souterraine comme unie à la cause formelle, chez Sartre, qui a le grand mérite de considérer les quatre causes, la cause finale est directement mise en rapport avec la cause efficiente, à savoir l'homme de la praxis et du choix est placé en avant pour décider de son propre destin, pour réaliser des désirs. Entre les deux causes, Sartre interpose, avec une valeur nettement négative et avec une emphase tout à fait inédite, la cause matérielle. La « nature » est ici l'obstacle principal pour la fin, et en connaissant l'investissement libidinal situé dans la cause finale, nous pouvons en déduire que Sartre, contrairement à Marcuse, n'apparente pas nature et désir.

Pour Marcuse, cause formelle et cause efficiente doivent et peuvent renverser le signe négatif (négatif en considérant l'accent mis sur la cause finale) de la cause naturelle, en transformant cette dernière en une nouvelle base naturelle, propice à la réalisation du désir. Aussi bien Marcuse que Deleuze ignorent les rapports entre cause efficiente, cause formelle, cause matérielle. C'est pourquoi Clouscard peut les accuser de favoriser la cause formelle par la valorisation de la cause finale. La cause formelle, en effet, dans son caractère abstrait, se prête à une représentation comme se finançant d'elle-même, avec valeur volée à la cause efficiente, même lorsqu'elle finance la cause finale. Dans cette vision, les désirs naissent du capital, et s'en inspirent; en outre, ils servent à le perpétuer et à l'accroître.

Fornari inclut en grande partie la cause finale dans la cause efficiente, avec pour résultat de ne pouvoir plus entrevoir aucun empêchement dans la cause matérielle, et même de pouvoir la considérer comme une espèce de garantie afin que cause finale et cause efficiente restent une seule chose. La nature pour

Fornari est positive, pour la même raison qu'elle est négative chez Sartre, à savoir parce qu'elle empêche la cause efficiente de se dépasser vers la cause finale qu'il considère comme régressive. Il est symptômatique que la phrase d'Artaud que Deleuze assume presque comme manifeste programmatique (« je suis mon fils, mon père, ma mère, et moi ») corresponde à la définition de l'immaturité prégénitale proposée par Fornari.

La non-différenciation de subjectif et d'objectif, d'usager et de producteur, d'économie libidinale et d'économie politique, de travail et de plaisir ne peut éviter le problème de la pénurie sartrienne si elle ne veut pas devenir totalitarisme opposé à celui scolastico-marxiste. Le premier totalitarisme, le désir, privilégie en fait, le capitalisme, comme l'affirme Clouscard, mais seulement dans la mesure où il considère le pratico inerte (pénurie → affrontement des projets → moment politique) comme un *autre*, non seulement négatif, mais inessentiel, inévitable. L'indifférence, démentie par la division en classes, entre désir et besoin n'est pas absurde toutefois, si ce n'est à partir d'une pénurie, naturelle ou induite, qui ne peut pas être métaphysiquement considérée comme éternelle et immuable, pas plus que, comme dans le cas de Fornari, comme fondement du principe de réalité. La pénurie, en effet, ne fonde pas chaque Histoire : « Ce rapport univoque de la matérialité environnante aux individus se manifeste *dans notre Histoire* sous une forme particulière et contingente [13] [...] ». Le principe de réalité sclérosé peut jouer de vilains tours, parce que si un usage sain du principe de réalité est celui de changer la réalité même, allotropiquement, l'intériorisation de la pénurie peut au contraire s'arrêter à des niveaux précédents, et actuellement « irréels » (il suffit de penser à Lyndon Johnson qui, pour éviter les gaspillages, allait personnellement contrôler que les lampes de la Maison Blanche fussent éteintes).

Le second totalitarisme, qui réunit le social démocrate Fornari et le marxiste Clouscard, confère à la *valeur* plutôt que l'investiture du plaisir, celle de la réalité. La valeur (économique tout autant que morale), c'est la souffrance [14]. Ainsi la justice égalisatrice est satisfaite, tout au moins en ce sens que, même celui qui jouit de la jouissance (plus-value) à travers la douleur d'autrui, se perçoit lui-même, selon la formulation marxienne opportunément rappelée par Goux, comme un « être sacrifié et nul ». Sans compter la prémonition de la vengeance qui incombe. Mais si l'on ne considère pas la souffrance comme fin en soi, ou si on ne la renverse pas de façon sadomasochiste en plaisir (en évitant ainsi, à nouveau, le principe de réalité), il reste à illustrer deux autres termes du problème : la conquête d'une valeur positive en soi, et étendue à tous, et l'éventuelle opposition d'un pratico-inerte, d'autant moins naturel. Restent en somme indûment exclus, non seulement le pratico-inerte, mais aussi le plaisir.

Un projet politique dans ses grandes lignes concerne de toutes façons l'obtention du plus grand plaisir possible (en rapport dialectique avec la sublimation comme renvoi dû à la collision avec le pratico-inerte et le social) pour le genre humain. Si celle-ci est la direction passant par le moment politique de l' « astuce », il faut encore que ce moment ne détruise pas la trace mnésique au moyen de laquelle l'humanité peut se rattacher à son but propre, précisément comme il faut que le désir ne court-circuite pas, sur cette trace, en foudroyant la médiation politique, l'appareillage du principe de réalité.

Le désir réapparaît, en une valeur déterminée, sur la base du travail, où cette valeur déterminée est qualifiée comme valeur d'usage. La valeur d'usage ne relève pas plus de la production que de la consommation d'ailleurs. Mais la production, elle-même, qui donne des valeurs, on la reconnaît comme valeur d'échange pour acquérir la satisfaction du désir, ou du besoin. La distinction entre besoin et désir relève d'un projet social d'ensemble, individuel ou politique, médiatisant en soi-même, au moins, les besoins, et se posant soi-même au niveau des désirs sublimés. Pour définir la valeur économique, le désir et le travail sont indispensables, tous les deux, parce que c'est le désir qui finalise le travail vers la valeur d'usage.

En fait, si la valeur d'usage est mesurée directement sur le travail, l'effet (valeur d'usage) et la cause (peine du travail) renversent leur rapport. Si celle-ci est adhérence au principe de réalité, nous dirons que, en soumettant le principe de réalité à un examen de réalité, il en résulte la perversion suivant laquelle la valeur d'usage (véhiculant besoins et désirs) s'accroît d'une valeur économique abstraitement construite. Bref, on sert une salade de perles, selon l'exemple marxien donné par Goux. Mais ce qui est discutable, c'est si cette perversion fin-d'empire est mise en menu par le principe de plaisir ou par le principe de réalité.

Le désir, bien sûr, fournit un sens plus sain à la

valeur économique, un sens qui redresse le rapport de cause, effet et moyen. La cause (qui est en même temps une fin, comme la cause finale aristotélicienne), est le désir de plaisir ou de satisfaction de besoins, l'effet la valeur d'usage, le moyen la peine du travail. Le travail doit être mesuré sur la valeur d'usage, à travers laquelle il reçoit de la valeur, et bien avant encore, du sens.

Le nœud unissant sexe et politique, en enserrant l'un à l'autre, tourne autour de la formule logique suivante : est-ce que la valeur sociale (valeur du produit social) est peine, ou bien est-elle plaisir? Est-elle travail ou désir? Est-elle stimulation au désir, ou bien est-elle remboursement de la peine? Est-il vrai que la stimulation au désir est constituée par une partie de remboursement de peine non-effectuée (plus-value) ou bien est-il vrai qu'il est ce qui se sauve, du désir de bonheur, après le lourd tribut payé au pratico-inerte? La première solution indifférencie peine et plaisir dans la mesure où celle-ci indifférencie exploiteur et exploité. Mais la faute la plus grave de la domination n'est-elle pas précisément celle d'induire à la première solution?

5. L'apologue freudien de la paysanne que son mari frappe à coups de bâton pour des manifestations d'intérêt érotique, et que Fornari reprend souvent dans son livre pour illustrer les illusions auxquelles conduit la confusivité inhérente au principe du plaisir, ne nous informe pas sur les intentions du mari, qui pourrait ne taper sur sa femme que pour obtenir d'elle, par l'obéissance, quelque avantage pratico-économique, ou bien il pourrait, lui aussi, ajouter

à l'usage du bâton, de façon tout autant prégénitale, le sens, fût-il positif de façon illusoire, que sa femme y voit et que, dans ce cas, elle partagerait avec lui. Dans la seconde hypothèse, tout en maintenant la perversion, l'examen de la réalité de la paysanne ne serait pas tout à fait illusoire : n'étant plus frappée par son mari, elle aurait raison de soupçonner de n'être plus pour lui un objet d'attention érotique. On pourrait peut-être en tirer, comme corollaire, que la perversion ne passe pas nécessairement par l'illusion. Mais ce n'est pas là ce qui nous intéresse. Ce qui nous intéresse, c'est d'envisager une confrontation avec un apologue complémentaire, et qu'on peut facilement déduire d'une très longue et très diffuse réalité historique, qui nous fait connaître la paysanne, esclave ou serve de la glèbe, régulièrement frappée à coups de bâton, en tant que telle, par le patron, en raison d'une habitude répressive, convaincue de la fatalité, universalité, éternité (et donc de la normalité) de la situation, dans l'acte de prendre la non-exceptionnalité contingente de l'abus pour une non-exceptionnalité absolue, intériorisée et acceptée comme norme, et d'éduquer ses enfants selon le principe de réalité codifiant l'expérience commune et générale. Il s'agit de l'état confusif de celui qui prend la contingence de la pénurie (et de la peine) inhérente à une situation géographique, historique, sociale, politique déterminée, pour une condition humaine universelle, éternelle, naturelle, religieuse. La pénurie est ainsi hypostasiée dans son effet : la douleur, les coups de bâton. La première paysanne confond bâton et pénis, la seconde bâton et pénurie. Si on ne comprend pas que, *en ligne générale*, l'insuffisance naturelle est contingente, et qu'elle concourt avec d'autres causes (le désir et la praxis) pour déterminer la réalité humaine, on risque de subir le même sort que celui de la seconde paysanne.

La dialectique de plaisir et réalité est sous cet aspect plus complexe que ce qui résulte des considérations de Fornari, et elle implique la division en classes : la perversion de « principe du plaisir » du despote-classe dominante conduit à une perversion de « principe de réalité » dans l'esclave-classe dominée.

Si la paysanne frappée à coups de bâton « politiquement » ne renvoie pas la « Réalité » dans un projet désirant, son principe de réalité devient encore plus aberrant que le principe du plaisir de la paysanne frappée « érotiquement ». Des deux masochismes, celui de qui présuppose de façon illusoire une intention bénévole dans son persécuteur (et en tire du plaisir), et celui de qui ne présuppose aucune intention bénévole, et qui construit sur l'abus le sens de la normalité, le premier apparaît pervers de façon plus évidente, et le second apparaît confusif de façon plus évidente. La première illusion est frauduleuse, parce qu'elle est impliquée dans l'intérêt pour la sauvegarde du plaisir, et donc elle est perverse, mais c'est précisément ce caractère frauduleux qui rend plutôt relative la confusivité cognitive. La seconde illusion, elle, n'est pas promue par des finalités irréelles, et elle a une origine cognitive constituant une perversion spécifique du principe de réalité. Accepter une douleur nécessaire comme inéluctable, c'est probablement une perversion plus grande que de transformer la douleur en une illusion de plaisir. Pour établir si la souffrance est nécessaire, il faut une fin en raison de laquelle on évalue la nécessité et on réduit la souffrance au rang de moyen. L'évaluation de la nécessité est une fonction de la praxis désirante. A défaut de cela, la souffrance ne peut, si ce n'est de façon illusoire, se proposer comme nécessaire, et le « s'en faire une raison » est du point de vue cognitif, plus confusif que le s'en faire un plaisir. Le principe de réalité absolutisé constitue en soi une perversion de cet examen finalisé de réalité qui est aussi une critique constructive de la réalité conduite sur initiative et avec la collaboration du principe du plaisir. Si le principe de réalité est satisfait par le fait d'élever la factualité au rang du rationnel, il est inévitable par exemple que, pour ce principe, on ne considère réel et rationnel que le principe du plaisir d'*autrui* par excellence, à savoir celui du despote-classe dominante. En ce sens, nous sommes d'accord avec l'observation de Deleuze, selon laquelle, c'est la Raison même qui engendre les pires monstres, et non le sommeil de la raison [15]. Notre paysanne échoue à l'examen de réalité (de la réalité socio-économique dans laquelle elle est plongée) précisément parce qu'elle n'envisage pas un dépassement qualitatif, finalisé de façon hédoniste, de son propre examen, et donc de la réalité même. Pour guérir de la perversion de son principe de réalité, elle doit aussi *en* guérir en ressuscitant son propre principe du plaisir refoulé.

Une preuve ultérieure de la complémentarité des renvois du plaisir et de la réalité est fournie par ce renvoi totalitaire de réalité qui absolutise le plaisir au point de le dépasser. Ce comble de bonheur, qui coïncide avec l'absence de tout désir (et avec la limitation rigoureuse des besoins), poursuivi par une certaine philosophie traditionnelle indienne et chinoise, consiste en une absolue indétermination du plaisir. Nous avons donc dans ce cas le « renvoi pour le renvoi », à savoir l'annulation du principe de réalité. Le plaisir, rendu absolu, s'avère cependant lui aussi renvoyé de façon indéterminée, et le dépassement des désirs devient le désir suprême. La négation de la réalité devient aussi la négation du plaisir. La « jouissance » de Deleuze risque ce genre d'absolutisation, d'auto-dépassement. La plus grande production des désirs ne risque pas que l'autisme, mais aussi le dépassement de tous les désirs, et donc la perte de tous les plaisirs. Le plaisir est déterminé, et le déterminé n'a pas de quintessence. Le renvoi du plaisir est perte de réalité, et le renvoi de réalité est perte de plaisir.

Autrement dit, principe du plaisir et principe de réalité sont les noms de la défaite, de la perte de la réalité, ainsi que du plaisir. Ils ne produisent pas de renvois de réalisation de désirs, mais élimination soit des désirs, soit de leur réalisation et donc, en tous cas, élimination *aussi bien* des désirs *que* de leur réalisation. L'unique renvoi possible doit consister en une mobilisation des moyens et en une immobilisation des fins. La fuite des fins et l'hypostase des moyens, le « dépassement » du désir et le « sens fort » de la réalité sont rigoureusement la même chose.

Le moyen doit être *produit*, mais la fin doit être *dévoilée :* la « production » du désir doit respecter la dichotomie s'opposant au totalitarisme au profit de la totalisation.

6. Sexualité et politique subissent donc toutes deux, du fait qu'elles ont été réabsorbées l'une dans l'autre, une grave infirmité. C'est en effet ce qui se passe aussi bien lorsqu'on réduit le problème politique à une problématique sexuelle originaire [16], en négligeant le fait que la modification du réel est une condition indispensable à la réalisation de l'éros, que lorsqu'on réduit la problématique sexuelle à de fondamentaux rapports de production, en négligeant le fait que l'éros n'absorbe pas simplement des énergies, mais, qu'éventuellement, il les réabsorbe, puisqu'il s'agit d'énergies qu'il produit. L'éros fournit un désir-énergie originairement individuel qui, en investissant la matérialité, tend à la transformer en vue du plaisir. Fils de la pénurie, il retrouve dans la pénurie sociale les conditions qui l'ont fait naître (qui ont rapport, évidemment, avec la pénurie originaire individuelle — cf. détachement de la mère), et dans cet impact, il augmente sa puissance en acquérant la conscience de l'universalité, de l'objectivité, de la collectivité de sa nature (c'est la seconde naissance du désir comme idéal politico-social) et en même temps de la nécessité de transformer la pénurie et le sartrien « affrontement des projets » en faisant de la première une contingence dépassable en ligne générale, et en renversant le second sur un front solidaire de lutte (c'est la renaissance du désir comme projet de praxis politique). Cependant, il ne s'agit pas que d'une sublimation de la sexualité, mais il s'agit aussi de la préparation des moyens pour la désublimer.

C'est dans ce contexte que pourrait prendre un sens l'interrogation : qu'est-ce qui vient en premier lieu, le sexe ou la politique? Cette interrogation concerne les rapports dialectiques entre l'individu et la collectivité. Du point de vue energitico-individuel (sujet), le sexe semble venir en premier lieu, mais le conditionnement est réciproque, ce qui apparaît clairement si, par exemple, on considère que le détachement même de la mère/de l'enfant a aussi une nature économico-sociale. Quand Deleuze se pose le problème (qui est pour nous équivalent) de savoir si c'est le père ou l'enfant qui vient en premier lieu, nous répondons que c'est le père qui a la priorité, en entendant par ce fait que c'est le conditionnement répressif (économique, politique, social, idéologique) qui produit la sexualité œdipienne et non le contraire. Tout ce qu'il y a de légitime dans cette prise de position est cependant effacé par l'autre assertion (qui non seulement nie la première, mais qui tire une déduction pernicieuse de la négation réciproque des deux vérités) selon laquelle économie libidinale et économie politique correspondent à deux modes d'investissements différents de la même réalité en tant que réalité sociale. La pensée adialectique devient totalitaire dès qu'elle affronte deux vérités contradictoires (et, ironie du sort, totalitaire à la manière de Hegel). Déduire l'indifférence de fond d'économie libidinale et d'économie politique, c'est nier l'augmentation de puissance réciproque et réelle de la volonté de transformation du réel (originairement autiste, velléitaire, illusoire) et de la maîtrise consciente des moyens pratiques aptes à réaliser le projet.

Nous ne voulons pas toutefois nous cacher que cette collaboration entre sexe et politique, qui est constituée par la somme des grands renvois, est côtoyée par la tolérance réciproque et relative selon laquelle, dans l'attente de la révolution, ou parallèlement à celle-ci, les deux pôles se réservent, bien que sur deux plans différents, une indépendance limitée. C'est le cas de l'éros qui « dérobe des énergies » à la révolution politique, des lois politiques réprimant dans certains cas la « sexualité libre ».

Pour comprendre la signification de ce double rapport de sexualité et politique, collaborant au grand projet révolutionnaire et anti-répressif, mais en pratique souvent méfiants de façon réciproque, il faut d'après nous se demander avant tout avec beaucoup d'honnêteté quel est, dans le grand projet, la place de la politique, et quelle est la place donnée à l'érotisme, surtout en supposant ce projet comme hypothétiquement réalisé.

L'éros, le désir qui parcourt la politicité des masses, tend sans doute à supplanter le règne de la nécessité et de la douleur, c'est-à-dire qu'il tend sans doute à la désublimation la plus rapide et la plus radicale qui soit. Ce n'est pas l'occasion de rappeler à quel point cette aventure est longue et problématique, et quel pourcentage de risque il y a à ce que la sublimation (renvoi) devienne au contraire indéterminée, aussi bien de fait que de droit. Les raisons de cet état consécutif au devenir, qui précisément deviennent souvent des raisons d'État, tendent à devenir des rationalisations, à se transformer dans une raison de la faillite même. Mais de toute façon, le prétendu désir des masses de renverser réellement et totalement dans le futur la fatigue en plaisir est une utopie dans laquelle les masses elles-mêmes ne croient pas. Toutefois, la place du désir dans le grand projet est résiduelle par rapport à la fatigue, et le projet est, en substance, de réserver au plaisir le plus grand espace résiduel possible. Ceci dit, le fait que le sexe soustraie à la révolution une part de l'énergie qu'il y introduit peut peut-être apparaître moins scandaleux et moins contradictoire. Les identifications absolues méritent cette méfiance à laquelle on attribue leur faillite, car leur réalisation serait une faillite encore plus grande. Toujours est-il qu'il n'existe pas de grandes désublimations, il n'existe que de petites désublimations, dont il ne faut pas perdre le goût. On peut hasarder l'hypothèse que lorsque la désublimation commence à apparaître comme une dégradation d'énergie, un gaspillage, une désertion, c'est vraiment à ce moment-là qu'elle est le plus nécessaire.

L'érotisme lutte donc sur deux fronts. Ils ne sont pas une émanation ou un investissement de celui-ci. Deux réalités matérielles différentes sont la pénurie naturelle, la sexualité biologique. Sur le premier front, qui correspond à son expansion et à sa sublimation maximum, l'éros se bat pour la transformation à long terme de la réalité; sur le second, qui correspond à la contraction autour de la sphère sexuelle au sens strict, il se bat pour la conservation de la trace mnésique du plaisir, en édifiant, pro-memoria, des exercices, des récompenses de séduction qui sont tout autant d'œuvres de guerre. La première rencontre implique tout le réel et présuppose donc un examen complet de réalité; la seconde implique une petite partie privilégiée de la réalité qui rappelle symboliquement le sens, l'intensité, la possibilité même d'une victoire, en conjurant surtout, ou du moins en exorcisant, le danger d'une auto-défaite, danger qui subsiste éminemment en tant que moment politique de la reconnaissance de la nécessité d'affronter la matérialité globale; cette seconde rencontre est, à l'état naissant, un moment auto-répressif. Le danger de s'engager sur la route du renvoi sans possibilité de retour a poussé certaines masses vers une autre utopie, celle de la révolution sexuelle qui dépasse la spécificité du moment politique, à savoir de cet examen finalisé de réalité investissant entièrement l'état naturel de pénurie et l'état culturel d'exploitation. Mais cette évasion même est illusoire parce que totalitaire. En fait, aussi la situation décidément critique dans le champ même de la sexualité sert à avantager le renvoi politique par rapport à la désublimation sexuelle, et ceci dans la mesure où la question du rapport entre les sexes pousse tendenciellement la sexualité même, résiduellement non sublimée, vers la confrontation avec une réalité politique oppressive prise comme externe, mais pour un analogisme autoritaire, comme déjà présente dans le rapport entre homme et femme.

Ainsi, au lieu de découvrir un raccourci excluant la politique vers la réalisation de la satisfaction du désir (opération totalitariste et illusoire sur le versant du plaisir), la « révolution sexuelle » finit par s'identifier, de façon tout autant totalitaire et illusoire, à une politicité traduite de façon schématique en termes sexuels. En somme, on vérifie une coïncidence des deux opposés, en raison de laquelle on voit réapparaître, dans le sexe absolutisé comme fin et moyen de libération du désir, un simulacre de lutte des classes qui obtient l'inévitable effet d'éliminer tout intérêt et toute fin spécifiquement érotique. C'est peut-être là le cas de l'absolutisation la plus radicale du renvoi, introduite en contrebande à l'intérieur même du plus grand refus du renvoi.

Il nous semble pouvoir reconnaître dans cette situation les effets nuisibles d'une pensée non-dialectique, non-disposée à accepter comme réels les rapports entre des différences irréductibles, tendue vers le rêve d'une rapide *reductio ad unum* fatalement destinée à se révéler être une illusion.

Les modes de cette pensée sont l'analogisme simpliste, l'extension d'une vérité, valable dans un contexte réel, pour tous les autres contextes réels. Cette imposition, acceptée d'en haut, confond la cohérence et la sujétion, la totalisation et le totalitarisme. Les rapports du marxisme officiel avec l'art et avec le sexe peuvent fournir beaucoup d'exemples à ce propos. En tous cas, cette pensée, tout en partant d'une synthèse préconstituée et soi-disant dialectique, procède par identifications réductrices, qui ne peuvent être que totalitaires et répressives, surtout parce qu'elles se réalisent par l'exclusion et le refoulement du différent, de l'irréductible. Et que l'exclusion du différent soit celle opérée par le principe absolutisé du plaisir, de la pénurie naturelle et de la réalité culturelle de la division en classes, ou que ce soit celle opérée par le principe absolutisé de réalité, de la satisfaction du désir, du plaisir (sublimé ou non-sublimé) comme finalité essentielle de l'existence, cette exclusion constitue la prémisse menaçante de tout retour énantiodromique violent et catastrophique.

## NOTES

1. Jean-Paul Sartre, *Critique de la raison dialectique*, Gallimard, Paris 1960, p. 40.

2. Cf. Franco Fornari, *Genitalità e cultura*, Feltrinelli, Milano 1975, p. 171.

3. *Ibid.*, pp. 137 et 161.

4. *Ibid.*, pp. 233 et 236.

5. Cesare Pavese, *Il mestiere di vivere*, Einaudi, Torino 1952, p. 101.

6. D'après Franco Fornari la pollution nocturne et l'éjaculation précoce sont de typiques satisfactions hallucinatoires d'un sujet dominé par la prégénitalité. Il finit par affirmer : « Le projet prégénital de Marcuse risque d'être un projet d'éjaculation nocturne ou d'éjaculation précoce : un projet qui tend à faire perdre précisément ce que l'on désire plus ardemment. » *Op. cit.*, p. 180.

7. Cesare Pavese, *op. cit.*, p. 90.

8. Les livres d'histoire sont riches d'exemples d'une telle perversion. Un exemple insigne est celui que rapporte Jean-Joseph Goux qui cite la *Propédeutique philosophique* de Hegel : « [...] le plaisir ne peut servir d'étalon ou de règle pour juger et ordonner quoi que ce soit. » Cf. Jean-Joseph Goux, *Calcolo dei godimenti*, in « Vel », 2, Marsilio, Padova 1975, p. 113 (en cours de parution chez 10/18, Paris).

9. Gilles Deleuze-Félix Guattari, *L'Anti-Œdipe. Capitalisme et schizophrénie*, Minuit, Paris 1972, p. 140.

10. *Ibid.*, p. 141.

11. *Ibid.*, p. 349.

12. Michel Clouscard, *Les tartufes de la révolution.*

13. Jean-Paul Sartre, *op. cit.*, p. 201.

14. Il est utile de relever les nombreuses analogies entre le texte de Clouscard et celui de Fornari, tous deux étant des thèses, dans les mots du second pour combattre la menace de la « culture solidaire par la prégénitalité » (*op. cit.*, p. 83). Clouscard soutient que le désir est forme culturelle productrice de la valeur d'échange de son objet et il accuse Deleuze d'être un confusionniste. Ce serait, aussi pour Clouscard, une superstition de penser que le mal n'est pas ce qu'il y a en moi, mais ce qui est au-dehors (cf. l'introjection du principe de réalité proposé par Fornari). Cette coïncidence de points de vue nous permet de justifier l'intervention de Deleuze-Guattari en faveur de la raison du désir.

15. Gilles Deleuze-Félix Guattari, *op. cit.*, p. 133.

16. Un exemple pertinent nous est offert par la citation de Germaine Greer précédant *Hello I love you*, sous la direction de Jim Haynes, Amsterdam 1974 : « Si nous étions sexuellement libérés, il n'y aurait pas de présidents, il n'y aurait pas de police, il n'y aurait pas de matraques, il n'y aurait pas de gouvernements. » Il est symptomatique que, dans le cours de l'interview contenue dans la même anhologie, Germaine Greer déclare : « Nous sommes pour le principe de plaisir. »

* En allemand *Herrschaftsgesellschaft*.

# LES COUPURES, LES INCOHÉRENCES ET LA POLYPHONIE DANS L'INSTITUTION POUR PSYCHOTIQUES

*par*

François TOSQUELLES

L'auteur ne connaissait pas, a priori, la cristallisation prévue de la thématique du congrès sur la problématique sexuelle. Il se place donc, dans son texte, dans la perspective plus vaste, celle des rapports entre le « corpus verbal » qui apparaît dans les « cures psychanalytiques » classiques et le corpus verbal qui, sous des conditions précises d'institutionnalisation des soi-disant établissements de soins pour psychotiques — ou encore pour des enfants — peut y être « formalisé » dans la discontinuité polycentrique et assynchronique.

Sans doute la problématique du soi-disant individu en rapport avec les groupes, y apparaît; mais l'auteur essaie de délimiter l'objectif d'une psychothérapie institutionnelle provocatrice d'une véritable production collective sur place d'un « corpus verbal » du discours des soignés dont les analogies et les différences avec celui qui apparaît en psychanalyse sont discutées. Ceci lui permet de différencier la structure requise et les objectifs différents que les quelques établissements qui s'essaient à créer des structures institutionnelles, visant à la production d'un tel « corpus verbal » doivent avoir avec les établissements qui cherchent à aménager des conditions « meilleures » de séjour et d'entraînement à une sociothérapie plus ou moins « adaptative ». De même, il en découle le caractère inévitable des impasses psychothérapeutiques, des pratiques de psychothérapie duelle analytique ou même de psychothérapie de groupe dans des établissements, — dont les processus d'institutionnalisation n'auraient pas été *structurés* ad-hoc — visant à la production « textuelle » « *subjectivement non intentionnelle* » d'un corpus verbal, fait comme tous les textes psychanalytiques de discontinuités polycentriques et assynchroniques. L'auteur explicite quelques-uns de ces lieux et de ces structures instituantes, mais il s'agit auparavant de préciser sur le plan théorique la portée de ce qu'il appelle la « *Transfiguration du corps par la langue de l'autre* ». Pour cela il fait appel, d'une part, à la différenciation établie par Abraham entre l'incorporation et l'introjection, et, d'autre part, à ce que probablement lui est en quelque sorte parallèle, les concepts d'objets β — voire des objets bizarres, et de la fonction et objets α de Bion.

L'introjection restant pour l'auteur, spécifique des parcours du verbe, lui même toujours structurés en discontinuités polycentriques et polyphoniques circulant par des collectifs. Les introjections comportent toujours des ancrages de triangulation, plus ou moins incidentes entre elles, plus ou moins enchaînées. L'incorporation, à l'opposée, conduit l'organisme par des dialectiques bipolaires; dont les appareils nerveux sensoriels, constituent la mécanique « informatique » et dont les avatars physiologiques de l'appareil digestif — avec sa porte d'entrée des aliments et la porte de sortie des excrètes — ne peuvent pas conduire, de par sa propre bipolarité, d'eux-mêmes, aux processus de « symbolisation » spécifique des structures langagières et sociales. Il reste que, par des aménagements institutionnels, qui doivent être étudiés par des « analyses institutionnelles » — concrets et permanents, dans chaque institution, on peut arriver à « voir-entendre » un discours polycentrique et évidemment, incohérent, celui du collectif, qui surgit des institutions à l'œuvre, des subgroupes flous qui s'y rencontrent et des trajets verbaux qui s'articulent et s'entrecoupent dans un véritable « corpus verbal du discours des soignés » en quelque sorte analogue à celui qui surgit d'un « seul individu » (?) sur le divan.

La problématique du transfert institutionnel, alors se pose, et il semble que dans ces conditions, il soit possible, comme dans l'institution « divan-fauteuil », que l'on puisse s'attendre à la réarticulation et aux reformulations de ce que dans le processus de singularisation de chaque client, aurait pu rester en panne de « symbolisation ». Seule, la constitution d'un corpus discursif, « constitué-se-constituant » de la sorte, permet un traitement psychanalytique. La cohésion logique et l'égocentrisme des discours dirigés par des « Moi » juxtaposés ou rassemblés dans la sérialité, même et surtout reliés par la simple complémentarité des fonctions, voire par des simulacres de consensus démocratiques, n'offrent aucune prise aux resurgesences et aux élisions de la question du sujet. Les effets sur la dynamique inconsciente du discours logique, pédagogique, moral, cohérent, bien intentionné ou manipulé, restent alors sous les emprises et les fascinations spéculaires, souvent à tonalité agressive. On remplace le corpus verbal de l'analysant par le montage en épingles d'anecdotes suggestives par des interprétations sauvages et par des contraplaqués livresques. Les fonctions du code et du référent, sont cherchés alors par les soignants, hors des textes mêmes produits par les soignés. Ici l'auteur se réfère aux travaux de Jacobson.

L'auteur n'oublie point de prendre en compte — le dit et surtout le non-dit — au sujet des agissements et des attitudes corporelles des soignés. C'est en tant qu'éléments du texte du corpus du discours des soignés, que ces actes et ces attitudes corporelles, doivent être saisis, et verbalisés, — non pas par l'addition de commentaires interprétatifs, — mais sur le plan des connotations associatives. Il y a lieu, sinon de les favoriser activement, tout au moins de ne pas les empêcher.

Sans doute, bien que l'auteur ne fait point de références explicites à la sexualité, et notamment la différenciation sexuelle, il lui semble que cette problématique sexuelle s'entretient, dans les établissements — comme par ailleurs — par des mouvences, des coupures et des incidences du même ordre que ceux qu'on vient de décrire, comme transfiguration *du corps par le langage*. Comme tels, les événements « sexuels » font partie de même corpus verbal collectif dont il convient de faciliter sa formulation dans les institutions thérapeutiques. La « sexualité » (?) rivée aux objets ß corporels, n'en subit pas moins sa transfiguration qui surgit des processus d'introjection de la langue, de l'entendu, du repris et du reformulé, dans les groupes interhumains d'appartenance, d'origine, et de « version » ou de « traduction » — c'est-à-dire de transfert. Il ne lui semble pas opératoire de mettre toujours en exergue, d'une façon spécifique et univoque la « répression sociale » de la sexualité — ce que, de toute évidence, l'auteur ne nie point. Toutefois ce qu'il ne faut surtout pas oublier est, que les objets ß de la sexualité ne rentrent dans l'appareil psychique, que transfigurés en objets $\alpha$.

Pour décentrer cette problématique du sexe de ce qui lui fournit un axe facile et fallacieux qui souvent tisse un épais voile sur la question du sujet, l'auteur aurait aimé se référer aux nombreuses difficultés, en quelque sorte parallèles, qui surgissent toujours dans la pratique de la psychothérapie institutionnelle du fait des « négligences » souvent volontaires, de nombreux soignants de toute catégorie, lorsqu'ils sont « objectivement » en état de faciliter ou de ramasser l'apparition d'un discours au sujet du corps « personnel » et du corps « institutionnel » — dont les malades parlent — même du façon silencieuse, lorsqu'ils se présentent comme des « malades » plus ou moins psychosomatiques; de même lorsqu'ils ont été victimes d'un accident plus ou moins traumatiques.

Il semble, à ce propos, qu'on ne retient facilement qu'avec malveillance ou avec complicité, que ce qu'alors les soignants veulent bien placer à cette occasion sur le plan de la « grande simulatrice ». « Il cherche — dit-on — à attirer l'attention sur lui ». On néglige d'entendre ou de faciliter la verbalisation du discours polycentrique, associé — plutôt qu'associatif — à l'avant et à l'après entretenu par le client avec les autres. Et ce qui est pire, toujours, dit-on, à cause de la gravité réelle, ou des urgences des interventions médicales, on prescrit des drogues ou tout autre chose — souvent indispensables, mais sans s'attarder au fait que cet acte médical, — de par sa forme et de par l'impact qu'il a sur le corps, constitue lui aussi un élément constitutif du corpus du discours collectif qu'on est en train de « per-laborer », et que le geste professionnel réduit au silence.

Il arrive fréquemment, en ce qui concerne la sexualité dans les institutions, qu'il en soit de même; la libération ou la répression sociale de la sexualité, la pose comme constituant un fait strictement privé et individuel dont seul le Moi — et quel Moi, nom de Dieu! — pouvait et devrait en rendre compte. Effets de miroirs, de glaces ou de « dégueulasses ». Silence : soit belle et tais-toi.

# LA POLITIQUE DE L'ORGASME

*par*

David COOPER

La première chose à dire au sujet de l'orgasme c'est que l'on ne peut pas en parler.

On peut cependant parler « à propos de celui-ci » et alors on découvre qu'un tel discours devient immédiatement un discours politique avec des implications évidentes pour l'action.

Je veux dire quelques mots au sujet de l'orgasme en termes d'expérience, plutôt qu'en termes mécaniques décrivant les réactions corporelles à la manière de Wilhelm Reich.

L'orgasme est l'anéantissement de l'esprit au comble d'une expérience sexuelle. « Dans » l'orgasme, il n'y a aucun désir, il n'y a aucun instinct, il n'y a pas de passion, ni amour. Dans l'orgasme, il n'y a pas deux personnes car il ne reste pas même une personne. Il n'y a pas d'expérience du moment orgasmique puisque ce moment est précisément l'évacuation de toute expérience.

Avant et après le moment de perte de conscience, il y a évidemment l'expérience la plus intense et le désir le plus intense, mais c'est l'expérience à la périphérie de l'orgasme, non pas « dans » l'orgasme.

Personne ne peut « avoir un orgasme », puisque on ne peut posséder rien. Rien est ce dont on manque. L'orgasme est rien, sans toutefois n'être nulle part. Tout comme cet autre rien que les gens appellent le moi, l'orgasme est dans l'histoire et il a un emplacement, mais il n'a pas de substance; il est indiqué par les directions de certains actes et de certaines expériences. Aussi il est impossible de parler à propos de l'orgasme. avec des conceptions psychanalytiques du moi compris comme d'une sorte de réceptacle dans lequel sont inclus et d'où sont exclus les objets (introjection, projection), ou bien à l'aide de la conception biologique selon laquelle l'entité humaine est réduite à un organisme substantiel où les « tensions instinctuelles » doivent être défoulées dans l'orgasme.

Nous devons plutôt utiliser le langage de façon à ce que celui de la conscience normale, qui est anti-orgasmique, soit miné à sa racine. Par exemple, nous pourrions utiliser le langage non seulement pour l'information, mais de telle manière que dans notre discours les mots existent pour former des silences parfaits. C'est là le langage orgasmique, et c'est à peu près de la même manière que les actes orgasmiques détruisent le temps bourgeois répressif, le temps normal, afin de ne pas être détruits par celui-ci.

Dans la société capitaliste, la normalité est définie par ceux qui possèdent les moyens de production et elle est définie uniquement dans l'intérêt de leur classe; et qui plus est, leurs définitions sont acceptées, bien que ce ne soit pas dans leur intérêt, par tous ceux qui sont désorientés et troublés par les fausses interprétations et la fausse information systématique et plus ou moins subtile du système capitaliste — presse contrôlée, radio, télévision et système éducatif — de telle façon que ces derniers ne se révoltent pas contre le mode de production et les rapports de production capitalistes et, qu'ils soient contraints à accepter la version répressive de normalité qui va de paire avec ce système.

Parallèlement à cette normalité répressive, il y a l'utilisation répressive du temps. Le temps capitaliste, totalement conditionné par le système de production qui vise au profit, emprisonne la vie sexuelle et détruit les conditions de possibilité de l'orgasme. La principale condition de l'orgasme c'est la destruction du temps régulier et mesurable. L'homme qui retourne chez lui toujours à la même heure, chaque soir, après sept heures de travail routinier, et qui passe la soirée d'une manière routinière avec sa famille routinière, va au lit avec sa femme qui, dans le meilleur des cas, est très irritée par les conditions oppressives de sa routine quotidienne visant à la destruction de sa personnalité et de son autonomie; et, au pire, elle accepte passivement sa condition. En tout cas, quand ils « font l'amour », une ou deux fois par semaine, tous les quinze jours, tous les mois, pendant environ dix minutes, ils agissent ainsi face à la destruction des conditions temporelles de l'orgasme détruit. L'homme qui a intériorisé la routine machinale de ses heures de travail, exprime la routine dans son corps et prend l'éjaculation agréable, comparable à une bonne défécation, pour l'orgasme. (Reich reconnaît sans doute que l'éjaculation n'est pas l'orgasme, mais que l'orgasme est plus que sa mécanique « décharge adéquate de tensions corporelles »; dans l'expérience, l'orgasme est le mouvement rénovateur quittant un vieil esprit et revenant dans un esprit nouveau en présence d'une autre personne avec laquelle se crée un rapport de confiance, sans le besoin de fausses promesses pour un « futur »). La femme de cet homme-ci, avec son clitoris plus ou moins vierge, a été conditionnée à accepter ceci comme « ça », cette routine et rien de plus.

C'est la *Sexualité Procréatrice* visant, avec le moins de plaisir possible, à produire du pouvoir masculin pour le marché du travail et du pouvoir féminin pour le maintien de la famille en tant que principe médiateur de la violence répressive, par laquelle on enseigne tout d'abord aux gens de se soumettre avec obéissance, d'abandonner leur autonomie et de renoncer à l'espérance. Leurs oppresseurs, les parasites non productifs, sont soustraits aux regards par les autres systèmes intermédiaires de répression : jardin d'enfants, école, l'usine enrégimentée avec ses travaux aliénants, l'université technologique, et tous les agents de répression — bureaucrates, police, psychiatres, psychologues, experts en relations humaines et en « sexologie », éducateurs, etc. — qui sont aussi des victimes de la répression dont ils sont fonctionnaires.

La sexualité procéatrice est une sexualité soumise et elle est en totale contradiction avec la *Sexualité Orgasmique*. La sexualité orgasmique est une sexualité révolutionnaire. Le moment de l'extase, du fait qu'il sort de l'esprit et de leur système de temps répressif, est un moment révolutionnaire Ce moment est basé sur la confiance et il est l'origine de l'autonomie et de la liberté dans les relations humaines et par conséquent de la solidarité révolutionnaire. Lutter contre l'oppression en termes d'autres besoins matériels : nourriture, chaleur et abri, ne suffit pas pour une révolution *totale.* Nous devons faire la révolution contre le système capitaliste, mais nous devons aussi nous demander avec persistance la « révolution pour quoi »? Des modes de vivre nos relations avec les autres, nouveaux et libérés, ne dérivent pas automatiquement d'un changement des possesseurs des moyens de production. C'est le temps capitaliste répressif qui doit lui aussi être détruit, et ce n'est pas par hasard que les communards à Paris, en 1871, ont instinctivement tiré sur les horloges qui représentaient le temps répressif.

Certains classifient les besoins humains en besoins primaires (nourriture, toit, et probablement sexualité procréatrice) et en besoins secondaires (tout le reste) et réussissent aussi à mettre en rapport cette classification avec la distinction entre infrastructure et superstructure. Chez Marx *il n'y a pas* de hiérarchisation des besoins de façon pseudo-naturelle-scientifique. Agnès Heller de l'École de Budapest se rapporte à l' « illusion métaphysique » selon laquelle nous devons *tout d'abord* abolir l'aliénation économique et politique, pour être *ensuite* dans une position permettant de rendre humaine la vie de tous les jours. La même « illusion métaphysique » existe dans les esprits de ceux qui soutiennent que nous devons faire la révolution politique pour satisfaire lesdits « besoins primaires » et qu'ensuite tous les autres besoins peuvent être satisfaits.

D'après Agnes Heller, la seule praxis révolutionnaire effective est celle qui s'exprime dans la révolution *sociale* totale, qui dépasse *(Aufhebung)* non seulement le type de réformisme social-démocrate fragmentaire, mais aussi le plan de la révolution *politique*. Selon Marx, il n'est pas question de révolution politique impliquant automatiquement une révolution sociale ultérieure, pas plus d'ailleurs que pour Agnes Heller, qui dépasse Marcuse en fournissant une ligne d'orientation théorique fondée sur la superbe éducation marxiste, en vue de la compréhension des besoins humains.

Du début à la fin de l'œuvre de Marx, mais notamment dans les *Grundrisse*, nous trouvons souligné « besoins radicaux ». Or, le plus radical des besoins radicaux, c'est le besoin de dénormaliser la société dans le sens de frapper non seulement une, mais *toutes* les structures répressives *dès maintenant;* et le besoin le plus radical des besoins radicaux intervient dans les termes de notre besoin d'expériences spécifiques de libération dans l'orgasme qui refuse la répression de la famille procréatrice, et dans la folie créatrice qui refuse la répression psychiatrique.

Ces modes de vider continuellement nos vieux esprits et d'en entreprendre de nouveaux sont subjectifs et sur un plan qualitatif, mais leur base est matérielle et leur mode est celui de la conscience individuelle et sociale; ils sont conditionnés et factuels, et non métaphysiques.

Leur impossibilité d'expression exprime le niveau de contradiction le plus avancé dans la société capitaliste, mais les mêmes difficultés existent dans les pays socialistes, où une conscience révolutionnaire inadéquate a conduit à une situation où la révolution sociale reste en arrière par rapport à la révolution politique.

Si les travailleurs produisent pour eux-mêmes et non pour créer de la plus-value, nous créerons un temps pour nous-mêmes, pour nous rencontrer, pour jouer et nous distraire ensemble sans l'oppression des heures régulières. En tout cas, beaucoup trop de marchandises sont produites pour tromper les gens, leur donner l'illusion de la joie et les éloigner de la réalité de la joie que l'on trouve dans des relations libérées. Et de même qu'il y a l'absurdité des biens de consommations inutiles, il y a l'absurdité des millions de travailleurs dans les ensembles de bureaux commerciaux, dans la publicité, et dans les couloirs bureaucratiques sans fin de l'état capitaliste, dans les banques qui ne produisent *rien* d'autre que des profits et des illusions afin que leurs patrons les emploient; on pourrait libérer beaucoup de temps dans tous ces ensembles de bureaux — temps libre qui non seulement est la condition pour une expérience orgasmique *mais qui doit être conditionné par celle-ci.* Le nouveau facteur révolutionnaire consiste en ce que les gens commencent à faire l'amour, au lieu de se borner à baiser pour procréer pour les patrons. L'orgasme est une bonne folie contagieuse.

La libération dans l'orgasme, c'est la fin du système familial, suffocant, servile, restrictif, qui sert seulement aux patrons et la création de la vraie famille de frères et sœurs. Il n'y a pas de problème de promiscuité quand il s'agit d'amour. Il n'y a pas de problème de perversions sexuelles qui n'existent pas, car rien de ce qui conduit à l'entente et à l'orgasme ne peut être pervers. Seuls le sadisme et le masochisme, étendus jusqu'aux limites des blessures physiques, sont des relations non-orgasmiques de soumission et d'oppression qui sont des produits typiques du système de production capitaliste : le système du maître et de l'esclave.

Foutez en l'air les horloges des patrons et faites l'amour avec votre voisin!

Le monde a beaucoup souffert du fait que le Christ soit mort pour le sauver. Il aurait mieux valu qu'il ait fait l'amour pour se sauver lui-même.

La condition personnelle de l'orgasme est la confiance entre deux personnes. L'un regarde l'autre dans les yeux pour trouver la confiance nécessaire pour abandonner son esprit, s'arrêter de penser, mais avec la certitude de revenir à lui-même et au monde. Avec la confiance nous formons des relations non-exclusives, non-possessives qui signifient une malédiction mortelle pour la répression capitaliste. Avec la confiance orgasmique nous renforçons enfin les liens de solidarité entre nous. Alors nous ne passerons pas seulement par le processus révolutionnaire — nous créerons la révolution permanente.

La condition personnelle de l'orgasme, c'est l'entente de deux personnes. On regarde l'autre personne dans les yeux pour trouver l'entente nécessaire à l'acte qui consiste à cesser de contrôler son esprit, à cesser de penser, mais avec la certitude de revenir à soi-même et au monde. Grâce à l'entente, nous formons des rapports non-exclusifs, non-possessifs, qui inscrivent, une lettre après l'autre, une malédiction mortelle pour la répression capitaliste. Grâce à l'entente orgasmique, nous renforçons finalement les liens de solidarité entre nous. Alors, nous ne nous limiterons pas à passer par un processus révolutionnaire; nous créerons la révolution permanente.

Au cours de ce Congrès, beaucoup d'entre nous parleront sans doute de la sexualité d'*autres* personnes, en se soustrayant désespérément à tout intérêt pour leur propre sexualité. Nous devrions peut-être nous mettre hors jeu si nous faisions ainsi, ou bien mettre les autres hors jeu.

Et rappelez-vous qu'il y a des façons orgasmiques et non-orgasmiques de se parler et de se regarder.

Certains d'entre nous, tout au moins selon les termes de notre *training*, sont des psychanalystes du Grand Phallus — dont la seule fonction semble être la coupure clitoridienne des femmes. Certains psychanalystes s'étonnent lorsque je dis que, physiologiquement parlant, les femmes ont des phallus plus grands que ceux des hommes, et que, bien que l'orgasme soit rare chez la femme, il l'est encore plus chez l'homme.

D'autres sont psychiatres, et leurs crimes envers l'humanité incluent non seulement la castration mythique dont parlent les psychanalystes, mais aussi la castration littérale des patients, au moyen de certains médicaments neuroleptiques spécifiques et par le processus anti-sexuel de l'institutionnalisation, aussi bien dans les hôpitaux que dans les centres et secteurs externes.

D'autres encore sont les victimes ou les futures

victimes de ces formes de violence répressive bourgeoise.

Enfin : la révolution sociale marche *dès maintenant*, et non dans deux ans. Elle marche dans toute institution qui sert à la répression capitaliste, elle marche dans toutes les écoles, usines, universités, prisons, dans toute famille et dans chaque lit.

Certains *ne* sont *pas* venus ici pour éviter d'affronter le débouché de la sexualité, d'autres, sans doute, sont venus ici pour éviter d'affronter la sexualité.

Ce n'est pas un bon argument que de dire que vous avez peu de temps pour une semblable évasion, ou que moi, je n'en ai pas le temps.

L'*Histoire* n'a pas de temps pour ça.

# SEXE ET IMAGE DU CORPS DANS LA PSYCHOSE

*par*

Gisela PANKOW

. — *Introduction.*

A chaque siècle sa drogue; sur son long parcours des illusions, l'humanité a enfin découvert « le paradis du sexe ». Je ne parle pas ici des revues commerciales qui « chauffent » cette vague de plaisir; je parle malheureusement des faits et des actes commis au sein même du milieu psychiatrique, qui, par sa définition et par sa formation, devrait montrer un peu plus de lucidité.

« Du sexe pour les malades mentaux internés; du sexe pour les jeunes débiles! » Une de mes élèves me relate, lors d'un contrôle de la psychothérapie analytique d'un malade hébéphrène, des rapports sexuels de ce malade. « Enfin », soupire-t-elle. « C'était donc *votre désir* », ai-je répliqué. Étonnée, elle répond ceci : « Mais on dit aux malades hommes que toutes les femmes hospitalisées prennent la pilule. En réunion de groupe, les patients nous parlent de leurs expériences sexuelles, et on leur explique comment il faut faire » *(sic)*. Rôle aberrant et pervers du psychiatre devenu spectateur des expériences sexuelles de ses malades mentaux! Est-ce qu'on n'arrache pas aux malades un vécu dans lequel on les précipite précocement? L'hôpital psychiatrique devient ainsi une « usine à sexe aux béquilles ».

Un autre exemple : les parents d'un enfant débile avaient assisté à une réunion où l'on discutait du problème du sexe pour des débiles. Certes, un sujet valable. Mais cette réunion semble être devenue aussi une leçon pour « le sexe aux béquilles ». Au lieu de dire à de tels parents que leurs angoisses représentent le plus grand obstacle dans le développement de leurs enfants, la doctoresse chargée de cette réunion pousse les parents « à se renseigner sur la fréquence masturbatoire de leurs enfants ». Elle aurait « un agenda où elle marquerait, avec dates, l'activité masturbatoire de ses deux fils âgés respectivement de douze ans et treize ans et demi!!! » *(sic)*. Voilà le plaisir, pour maman. C'est triste.

Ce qui compte, est de donner le droit aux malades d'avoir un corps à eux. Certes, Freud a montré que la sexualité commence le premier jour de la vie, peut-être même avant la naissance, à en croire la psychologie prénatale. Mais le rapport sexuel, c'est-à-dire la rencontre avec un partenaire, devrait présumer une identité liée à un corps vécu dans ses limites et dans ses fonctions.

Pour montrer l'accès au sexe chez les malades mentaux, j'ai choisi l'exemple d'une schizophrène et d'un malade atteint d'une psychose hystérique. Je voudrais décrire comment j'ai réussi à donner un corps à ces malades et comment leur psychose était liée aux structures familiales. D'abord quelques mots sur ma technique de la structuration dynamique de l'image du corps.

*II. — L'image du corps comme fonction symbolisante.*

En psychiatrie et en médecine psychosomatique, j'ai pu, depuis vingt-cinq ans, déceler dans les processus pathologiques mêmes, des lois spatio-temporelles permettant de retrouver le corps vécu. La dialectique du corps vécu, je l'ai décrite à partir de l'image du corps. Grâce à cette technique [1], j'ai pu mettre en évidence que des zones de destruction dans l'image du corps des psychotiques et dans certaines maladies psychosomatiques correspondent aux zones de destruction dans la structure familiale de tels malades. A mon sens, l'image du corps est définie par deux fonctions fondamentales qui sont symbolisantes [2], c'est-à-dire que ces fonctions permettent d'abord de reconnaître un lien dynamique entre la partie et la totalité du corps (1ère fonction fondamentale) et ensuite de saisir, au delà de la forme, le contenu et le sens même d'un tel lien dynamique (2e fonction fondamentale de l'image du corps). Je les appelle « symbolisantes » pour souligner qu'une telle fonction en tant qu' « ensemble de systèmes symboliques », vise « une règle d'échange », une loi immanente du corps qui est implicitement donnée par la fonction fondamentale de l'image du corps.

Je m'explique : c'est uniquement à titre d'une dynamique spatiale que je me sers de l'image du corps. Dans ce sens, j'introduis le corps comme le modèle exemplaire d'une structure spatiale, structure qui ne m'intéresse que dans son aspect dialectique. En effet, la corrélation entre les parties et la totalité du corps m'a permis d'engager le malade psychotique dans un mouvement dialectique. Cette dialectique peut se manifester de deux manières qui correspondent, l'une à la fonction formelle de l'image du corps, l'autre à sa fonction de contenu.

La première fonction de l'image du corps concerne uniquement sa structure spatiale en tant que forme ou Gestalt, c'est-à-dire en tant que cette structure exprime un lien dynamique entre les parties et la totalité. Un malade qui, par exemple, modèle pour son médecin un corps où manque un membre sera ou non capable de reconnaître ce manque. Dans le premier cas, il s'agirait d'un trouble d'ordre névrotique, saisissable dans l'histoire du sujet. Dans le deuxième cas, le trouble correspondrait à une destruction de la saisie du corps, non accessible par une analyse classique. La deuxième fonction de l'image du corps ne regarde plus sa structure en tant que forme, mais en tant que contenu et sens. C'est ici que l'image en tant que représentation ou reproduction d'un objet, ou encore en tant que renvoi à autre chose, joue un rôle considérable. Une malade atteinte d'un délire chronique [3], par exemple, parle d'un corps où la grossesse se passe dans le visage. Dans la névrose, la méthode analytique nous permet de déceler par quel mécanisme de défense la grossesse ne peut être reconnue à sa place. Chez la malade dont nous parlions ci-dessus, la forme du ventre peut être reconnue dans l'espace, mais reste méconnue dans sa fonction reproductrice. S'il s'agissait ici d'un trouble névrotique, on pourrait rechercher et trouver le lien qui relie la grossesse au ventre. Par contre, lorsque la partie inférieure du corps est exclue comme lieu de grossesse, et devient de ce fait inaccessible à l'analyse classique, il s'agit de troubles graves, voire psychotiques concernant la saisie du corps vécu.

Pour expliquer, au point de vue théorique et pratique, les phénomènes de dissociation du corps vécu chez les psychotiques, j'ai choisi comme base de départ l'image du corps.

Comme le processus de destruction dans la psychose — et dans certaines somatisations — s'attaque au processus de symbolisation, toute approche du registre symbolique demande une technique analytique qui puisse écarter un tel danger. Le registre symbolique qui, par excellence, donne accès aux structures familiales, est le rôle, la fonction, que chaque nombre joue dans la famille. Si ce rôle est troublé non pas à cause de conflits superficiels, mais à la suite de troubles dans l'image du corps, toute approche analytique doit viser le registre symbolique.

### *III. — Références cliniques.*

1. La technique utilisée pour la psychothérapie des psychoses est complètement différente de celle exigée par le traitement des névroses. Tout traitement d'une schizophrénie donne accès à une manière d'être, à une

pièce à l'intérieur de la « maison des schizophrénies ». La rencontre avec un schizophrène ne peut pas révéler tous les aspects de l'univers schizophrénique. Je voudrais brièvement indiquer quelles questions ont été posées et en partie résolues dans le cas particulier de Véronique, publié en 1969 dans mon livre *L'homme et sa psychose.*

Le négativisme de la malade ne faisait aucun doute; le manque de contact et la psychomotricité bizarre et maniérée révélaient la difficulté de l'accès psychothérapeutique de cette schizophrénie, dont le Dr Y. (psychiatre et psychanalyste) avait fait le diagnostic il y a plus de quinze ans, et dont il avait refusé d'entreprendre le traitement, malgré sa grande expérience. C'est que le mutisme de la malade nécessite l'emploi d'une technique particulière pour pénétrer dans son monde détruit. Chez cette malade, il n'existe pas de délire — dans le sens du processus de guérison de Freud —, c'est pourquoi la gravité du processus de dissociation passe bien souvent inaperçue. D'ailleurs, la question fut posée de savoir si le matériel psychotique, que des malades de ce genre fournissent et qui résulte de la rencontre thérapeutique, peut modifier le phénomène de la maladie même en tant que tel. En ce qui concerne ce point fondamental, nous avons pris position déjà dans l'introduction à la « structuration dynamique dans la schizophrénie » [4].

A l'aide de la méthode du modelage, je suis arrivée à découvrir des zones de destruction dans l'image du corps de Véronique. Ce n'est que lorsque ces zones de destruction sont réparées que l'on peut situer l'extérieur et l'intérieur dans un corps qui a retrouvé des limites. Il est alors possible de découvrir des failles dans la vie de la malade, qui correspondent aux zones de destruction de l'image du corps. Cette maladie qui n'avait pas de corps, mais qui vivait en tant que phallus de sa mère, a essayé de prendre la place de son père à sa mort. Elle se dissocia parce que son corps n'avait pas de limites et par ce fait une identification classique fut impossible. En effet, les mouvements bizarres et l'aliénation sont apparues à partir de ce moment-là; on ne doit cependant pas considérer la mort du père comme « origine » de cette schizophrénie. Mais cette mort nous a aidée à trouver un accès au monde de cette maladie.

Il me semble cependant très important de noter, que Véronique trouve de façon tout à fait inattendue son père mort étendu dans son lit après l'accident[5]. Il est vrai que la malade avait parlé de l'accident et avait fait un croquis pour montrer comment la chute s'était produite. Mais la malade n'avait jamais dit qu'elle trouva son père mort lorsqu'elle rentra à l'improviste dans la chambre de ses parents et le vit au lit. D'après la mère, Véronique avait touché son père et s'était alors seulement rendue compte qu'il était mort. La mère m'avait dit lors de sa première visite, au début du traitement, que peu de temps après la mort de son père, Véronique avait présenté des mouvements bizarres en disant : « Il faut que je bouge, il faut que je bouge ». En dehors du récit de l'accident, Véronique m'avait parlé *uniquement* de l'impossibilité qu'elle avait eue de pleurer à l'enterrement. Elle s'était même réjouie des beaux bijoux qu'elle avait dû porter. Mais par la suite, au cours de la 84e et de la 85e séance, il fut question des *changements qui se produisirent dans le monde de Véronique* après la mort de son père. Cependant, Véronique ne m'a jamais parlé de cette rencontre avec son père mort dans le lit. « Après la mort de mon père, mon père était vivant pour moi. Mais c'était tous les gens que je croisais dans la rue qui étaient morts ». A cette même 85e séance, Véronique apporta un dessin étrange et dit :

« Les personnes dessinées en haut de la page sont les mêmes que celles représentées en bas. En haut, elles sont mortes, en bas elles sont vivantes. Ce que j'ai dessiné en haut, c'est ce que je pense, en bas, c'est ce que je vois (silence). Les gens deviennent *rigides* et se *raidissent*. Pour empêcher ce raidissement, on les attache avec des bandelettes [6]. Mon père a *passé trop rapidement de la vie à la mort. Il n'y a pas eu de transition. Les choses se superposent* » (84e séance).

La révélation selon laquelle Véronique aurait trouvé son père mort dans un lit, donne accès au monde schizophrénique de la malade, *un monde sans transition*, c'est-à-dire sans le temps nécessaire pour mourir, un monde de superposition. Le traitement peut-il réparer ce monde de superpositions et le structurer, afin de permettre à la malade de mener à nouveau une vie normale? Par la suite, le travail devint très difficile, car la malade restait souvent muette pendant de longs moments durant les séances. « Je ne parle pas, je n'existe pas pour les autres » (88e séance).

Ainsi, l'*autre* qui aurait pu situer Véronique par rapport à sa famille, en tant que femme, avait disparu avec la mort brutale de son père. Mais un tel choc n'aurait pas eu comme conséquence une schizophrénie si l'image du corps n'avait été, à une époque aussi précoce, détruite, empêchant d'accepter le rôle du père auprès de la mère.

Depuis Freud [7], on a pu établir que dans la paranoïa un tel changement du rôle du corps amène des idées de *persécution*. Il n'y a rien d'étonnant à ce que l'on trouve des îlots de paranoïa dans une schizophrénie, tant que les malades sont accessibles aux *introjections*. Mais dans la schizophrénie, il y a des dissociations qui se distinguent profondément des mécanismes de défense dans une paranoïa. Dans la 103e séance, Véronique raconte ceci :

« Lorsque je suis étendue dans mon *lit*, dans le noir, et que je laisse pendre un membre hors du lit, je pense à un *animal à forme humaine qui veut manger tout cela*. Alors, je suis prise d'une angoisse terrible, insupportable ».

Je demandais à Véronique si elle ne pourrait pas me décrire avec plus de précision cet « animal à forme humaine » et j'appris la chose suivante :

« C'est une sorte d'animal couvert de poils, un animal humain, un être entre l'animal et l'homme. Peut-être n'est-ce même pas un homme, mais une sorte de diable » (silence). Peu de temps après, pour la première fois, il est question de l'organe sexuel de la malade, au bout de vingt et un mois de traitement. Et une fois encore, c'est un animal qui « perce le chemin ». Comment était-il donc possible que dans ce monde de destruction, où l'homme est toujours tué, un homme véritable puisse approcher la malade? On a l'impression que l'homme, en tant qu'homme, représente en son corps, deux êtres : un qui correspond à l'enveloppe humaine et avec laquelle Véronique ne peut manifestement rien faire, et l'autre qui est animal et qui demeure à l'intérieur de l'enveloppe humaine.

Il est bouleversant de voir quelle puissance illimitée Véronique attribue à la terre et à l'eau — représentant la toute-puissance des éléments féminins. Au moment où, dans ce rêve, les crabes s'approchent de son organe, Véronique est *debout dans l'eau.* Pendant la séance, je lui ai dit qu'il lui était impossible d'avoir un accès à son organe, si elle ne faisait pas le rapport entre la *mer* et la *mère.* Là-dessus, Véronique me répondit spontanément que les jeunes gens avaient disparu lorsqu'il avait été question de son organe. Donc, une multitude de crabes, aux pattes visqueuses et en forme de nageoire, s'approchent de la malade; des animaux qui vivent sur la terre ferme et dans la mer, mais qui se distinguent par la forme particulière de leurs *pattes.* Si l'on considère en plus l'image de la petite fille qui se fait manger le doigt presque entièrement par un gros crabe, nous voyons qu'il existe une convergence entre cette « perte d'un membre » et la sensation du crabe grimpant jusqu'à l'organe de Véronique.

Certes, il y aura des collègues pour se demander ce qui, au fond, en 177 heures de travail, a été fait pour la « génitalisation » de la malade. Dans une critique de mon ouvrage en allemand paru en 1957 [8], on m'a déjà reproché que l'on cherchait en vain dans ce travail des accomplissements sexuels réels. Or, il n'est pas si facile chez les schizophrènes d'obtenir de tels résultats, vu leur régression grave. On ne peut, pour le traitement de la schizophrénie, adopter l'échelle valable pour la névrose.

A la 193e séance, Véronique parla de nuées de sauterelles qui auraient dévasté l'Égypte. Elle se demandait parfois si l'on ne pourrait en faire des conserves. Elle se demandait aussi quelquefois si l'on pouvait manger de la nourriture pourrie.

*La malade :* « Les plats pourris sentent mauvais (silence). Je sens mauvais ».

*Moi :* « Qu'est-ce qui se passe lorsque des plats pourrissent? ».

*La malade :* « Ils se décomposent ».

*Moi :* « Où avez-vous déjà vu des choses décomposées? ».

*La malade :* « *Lorsque l'on a changé mon père de cercueil;* il en coula des matières décomposées. C'était dégoûtant, on l'a changé de cercueil au bout d'un an. Son odeur était dégoûtante. C'était effrayant (silence). Je sens mauvais ».

*Moi :* « On a l'impression que vous ne pouvez aimer votre père que dans une forme décomposée. Manifestement, vous n'osez pas aimer son corps vivant, mais vous vous permettez seulement d'avoir avec vous, *son corps mort, décomposé.* L'odeur que vous sentez émaner de vous, est manifestement l'odeur de votre père que vous avez avec vous ».

Pendant mon interprétation, Véronique se détendit manifestement. Après un silence, elle dit en riant, qu'autrefois, ses frères avaient jeté sur elle des œufs pourris. Le père n'est ressenti que comme « mauvaise odeur » que la malade sent maintenant émaner de son propre corps. Mais il y a comme point de liaison avec ses frères au moins les œufs qui ont touché le corps de Véronique.

Ainsi l'odeur, collée comme une enveloppe protectrice sur le corps de la malade, figure un état de symbiose paradoxale. Comment un objet désiré peut-il devenir une partie du corps? Mais ce paradoxe perd son aspect paradoxal si l'on considère que ce phénomène symbiotique fait partie du vécu d'une malade schizophrène qui était loin des relations objectales et qui, après deux ans de psychothérapie analytique, est en train de retrouver les limites de son corps vécu. La symbiose avec l'odeur de son père précédait d'ailleurs, comme je l'ai montré dans mon livre « L'homme et sa Psychose », une stabilisation de son identité aussi bien que des relations objectales.

Au cours de la 237e séance, Véronique se détacha encore un peu plus de cette manière d'être virile, qui lui avait permis de combler jusqu'à présent la lacune que la mort de son père avait provoquée. La malade me demanda si je connaissais la poésie de Vigny, dans laquelle il était question d'un cerf poursuivi par une meute. Je dis que je ne la connaissais pas et lui en demandai le texte. Elle savait seulement les derniers mots, qu'elle avait souvent récités : « Il souffre et meurt sans parler » [9]. Je dis à la malade que son père aussi avait souffert et était mort sans pouvoir lui parler. Véronique acquiesça et me dit que la veille, il lui avait semblé que cette *seconde moitié* d'elle-même, dont j'avais si souvent parlé et qu'elle avait compris être maintenant le *côté viril de son être*, que *cette partie de son être était en train de mourir*.

Un an après, j'ai revu deux fois la malade qui était partie pour l'étranger. Elle va toujours bien, s'est mariée, travaille et n'a pas eu de rechute depuis quinze ans.

2. Il est des domaines ingrats en psychiatrie qui n'attirent ni l'intérêt des praticiens, ni celui des théoriciens. La psychose hystérique fait partie de ces domaines négligés par la recherche; et, malgré le efforts de quelques psychiatres français et étrangers [10], on ne parle guère de cette forme du délire qui se différencie du délire schizophrénique et du délire paranoïaque non schizophrénique, L'étude la plus approfondie de l'école allemande a été faite par Conrad (1958) qui parle d'hystérie maligne. Dans un article paru en 1973, j'ai approfondi l'historique de la psychose hystérique [11].

L'exemple d'un étudiant de vingt-deux ans souffrant d'un délire hystérique, a été choisi pour mettre en valeur, à travers le traitement analytique, une corrélation entre structure familiale et image du corps dans la psychose hystérique. J'ai mis l'accent sur le rôle du père en tant que père faible et pervers. Pour le malade schizophrène, le père n'est pas accessible par une dialectique, car le processus a détruit le registre symbolique et ainsi la place du père. Le malade schizophrène n'a accès ni à l'image paternelle ni à sa fonction spécifique. Je rappelle dans ce contexte mes observations de malades schizophrènes qui ont été traités analytiquement (1956, 1957, 1961, 1968, 1969). Par contre, dans la psychose hystérique, le père prend sa place spécifique dans la famille; mais, père pervers et faible, il crée des zones de destruction dans la vie affective de ses enfants — fille et garçon — parce qu'il est incapable d'accepter son rôle sexuel et génital.

La maladie très grave de cet étudiant de vingt-deux ans m'a obligée dès le début du traitement à m'occuper des structures familiales et à recevoir les parents.

Fils aîné d'une famille de trois enfants, le patient avait déjà subi trois ans de psychanalyse et fait deux tentatives graves de suicide : la première pendant son analyse, la seconde après la rupture de l'analyse — suivie d'une nouvelle hospitalisation — au retour dans sa famille.

Prendre un malade comme deuxième analyste après des tentatives de suicide demande une technique appropriée. Je ne commence jamais un tel travail si l'autre analyste n'est pas d'accord pour recevoir son ancien malade en consultation le cas échéant. C'est au patient de lui poser la question. J'ai expliqué à mon malade qu'il avait trop aimé son analyste en essayant de se suicider avec les neuroleptiques que celui-ci lui avait prescrits. Réunis avec leur fils dans mon salon — quand j'ai posé mes conditions de travail —, les parents ont émis le reproche envers le premier analyste de ne pas être allé voir leur fils à l'hôpital. J'ai répondu que ce médecin avait très bien fait et que moi, je n'irais même pas à l'enterrement. Il n'a jamais plus été question de suicide.

Le cas était presque inanalysable. Déjà pendant la première analyse, le patient venait très irrégulièrement, des acting-out continuels, un matériel extrêmement pauvre. Sans la patience et la collaboration du premier analyste que je n'ai jamais rencontré personnellement, la bonne issue du travail n'aurait jamais été possible.

D'après ce psychiatre-psychanalyste, il s'agissait d'une psychose grave, non schizophrénique. Pour ma part, j'ai fait le diagnostic hypothétique d'une psychose hystérique, en me basant sur la psychomotricité efféminée et infantile, et aussi sur toutes sortes de difficultés identificatoires. Cet étudiant qui n'avait le goût à rien, une impuissance sexuelle quasi totale et qui passait son temps entre les pissotières et les cinémas, n'était pas un homosexuel ordinaire. J'ai compris assez vite qu'il était à la recherche de son identité et bâtissait un délire à partir des héros de cinéma. Après neuf mois d'un travail pénible et aux résultats apparemment maigres, j'ai pu constater que tout ce matériel était groupé autour d'une parole de la grand-mère paternelle, grand-mère qui avait profondément traumatisé ses deux fils. Cette parole, la voici :

« Celui qui ne se lève pas ne veut rien ».

Cette parole nous donne accès à un narcissisme familial extrêmement prononcé. Issus d'un milieu de fonctionnaires très simples, les deux fils de ladite grand-mère avaient réussi des études supérieures. Mais cette parole nous fait saisir aussi une aliénation profonde : j'ai montré à mon malade qu'il n'avait jamais rien fait *pour lui-même* et que même ses idées de grandeur représentaient une aliénation dans cette parole de la grand-mère, comme son père avait toujours été aliéné dans le désir de sa propre mère. De plus, cette parole m'a permis de saisir la fragilité de la constitution physique du patient. Il était d'une maladresse extrême, et, au début du traitement, sa psychomotricité ne dépassait pas celle d'un enfant au-dessous de sept ans.

En me servant de la dialectique entre la partie et la totalité de l'image du corps, le malade a pu — après un an de travail pénible et minutieux — trouver accès à son sexe. Au début du traitement, c'était toujours la main d'un autre — la main d'un homme anonyme dans une pissotière — qui excitait son sexe pour qu'il se lève conformément à la parole de la grand-mère. Tout mon travail consistait à combler ce fossé, ce hiatus, et à donner à ce malade un sexe à lui.

Il ne s'agissait pas « du retour du refoulé »; non, il s'agissait du phénomène du rejet, de la « Verwerfung ». D'après ma théorie de l'image du corps, ce clivage entre le corps du malade et son sexe représente une dissociation, mais il faut souligner qu'une dissociation hystérique a un aspect tout autre qu'une dissociation schizophrénique [12]. Malgré le fossé qui séparait le malade de son sexe, l'unité de son corps n'a jamais été mise en question, car le sexe en tant que forme et partie du corps était reconnu; mais sa fonction propre ne pouvait pas être intégrée.

C'est une grande tentation d'envisager l'approfondissement génétique de telles données. Sur un plan superficiel, on pourrait conclure ainsi : limites du corps intactes, traumatismes oraux moins graves que dans la schizophrénie. Il est vrai que je n'ai jamais trouvé la mère caractéristique du schizophrène [13] chez un malade atteint d'une psychose hystérique. Mais de telles constatations empiriques ne sont pas concluantes, car il y a la structure psychique de la mère, mais il y a aussi la constitution de l'enfant. Malgré les traumatismes précoces possibles, l'oralité est plus solide dans une psychose hystérique que dans une schizophrénie.

L'unité du corps étant sauve dans la psychose hystérique, les perturbations concernant la deuxième fonction de l'image du corps et tout spécialement la différenciation de la fonction du sexe. Bien que le facteur pathogène soit d'après mes recherches le père, on doit néanmoins se garder de situer de tels traumatismes dans une période trop tardive. Chez mon malade, il y a une carence de père remarquable depuis sa tendre enfance, car le père était souvent absent à cause de ses occupations professionnelles. Outre cette carence paternelle, le vrai facteur pathogène se manifesta autrement. Quand ce père était à la maison, il jouait à la mère, en étant aux petits soins pour son fils, conséquence de traumatismes qu'il avait subis de sa mère féroce.

L'intérêt du père pour le corps de son fils ne cessa pas après sa première enfance, et la plus grande difficulté du traitement consistait en ce que le père s'intéressait trop au bas-ventre de son fils, lui demandant des rapports sur ses « progrès sexuels » et contrôlant si le malade faisait sa toilette intime. Ce jeu pervers avait d'ailleurs commencé pendant la première analyse. J'ai mis fin à cette folie à deux, en demandant au père de marquer les sommes dépensées pour l'analyse et de les retirer du futur héritage du fils. Angoisses épouvantables du père, croyant que mes conditions de travail étaient une pure formalité. Mais j'ai insisté et ce père s'est réveillé difficilement. Il était incapable de parler de ses propres parents; je l'ai reçu en consultation de temps en temps quand il était de passage à Paris.

Voici quelques-uns de ses commentaires :

« Est-ce que vous croyez que ce traitement a un sens? — On ne peut pas empêcher la télépathie (sic). — Je pense tout le temps à mon fils ».

Quand ce père a appris les activités homosexuelles de son fils, il me disait : « Comment peut-il faire cela, je ne suis pas passé par là ». Le père ajoutait que pour lui l'homosexualité était la plus grande horreur, ce qui permet d'en conclure qu'il participait au plaisir de son fils.

Même quand le patient eut quitté Paris, pour faire, contre la volonté du père, son service militaire, ce père vint me voir un jour très angoissé et me dit; « Dans l'état où il est, il voudrait mieux qu'il reste asexué. Au lieu d'être un homosexuel il vaudrait mieux qu'il ne soit rien ». Je suis restée calme, ce qui n'était pas toujours très facile.

En ce qui concerne le patient, il a pu trouver, grâce à un travail analytique minutieux et difficile, accès à son sexe à lui. J'ai mis un an pour cela. A partir du jour où il s'est donné le droit de se masturber lui-même et d'intégrer ainsi son sexe, il a perdu ses difficultés de concentration et sa fuite dans le délire. Il a passé des examens et même un concours. La cure a duré deux ans et demi. Le malade n'a plus déliré depuis sept ans et a atteint une stabilité psychique et morale.

## IV. *Conclusion.*

Soigner la maladie mentale sans ce soucier des structures familiales, c'est se condamner à l'échec. Bien sûr, cette constatation ne concerne que l'aspect phénoménologique de la psychose dans le sens original de l'analyse structurale. Au stade actuel des recherches, nous ne pouvons pas encore élaborer une théorie de l'origine de la maladie mentale, dite endogène. Mais l'expérience psychothérapeutique semble indiquer que cette maladie ne peut apparaître qu'en fonction de l'expérience du corps et du langage.

C'est pour cette raison que j'ai essayé d'élaborer *une approche dynamique de la psychose*, c'est-à-dire une dialectique dans le monde de la fragmentation. Dans un premier livre sur la Structuration dynamique dans la schizophrénie, j'ai insisté, déjà en 1956 [14], sur la possibilité d'intervenir dans cet univers désagrégé en établissant des liens entre ces divers fragments. Pour que de telles approches structurantes deviennent durables, il faut choisir des fragments qui concernent le corps vécu.

Il est important de signaler qu'une telle approche est économique en ce sens que ma méthode de la structuration dynamique de l'image du corps tend d'abord — dans les cas graves de psychose — à réparer les limites du corps vécu. Ainsi mes recherches confirment les résultats importants élaborés, d'un côté, par Joffé et Sandler [15] concernant le principe de la sécurité et, de l'autre, par Kohut [16] au sujet du « Soi-narcissique ».

La psychothérapie analytique des psychoses, basée

sur la structuration dynamique de l'image du corps montre que l'homme a d'abord besoin d'un corps reconnu dans ses limites et dans ses fonctions avant qu'il puisse intégrer une sexualité humaine qui sera la sienne et qui dépassera la simple manipulation.

## NOTES

1. [Voir à ce sujet les publications de l'auteur dans les notes de cet essai. Pour une bibliographie plus complète, cf. *Nouvelle Revue de Psychanalyse*, t. XXXVII, n. 3, mai 1973, p. 437 (N. du R.).]

2. G. Fessard, en s'appuyant sur les analyses ethnologiques de C. Lévi-Strauss, distingue « les deux pôles de la fonction symbolique par l'opposition symbolisant-symbolisé (p. 291). Tous les symboles, issus du pouvoir symbolisant de la parole, s'imposent aux libertés comme une loi à la fois immanente et transcendante. Loin de s'imposer aux libertés, les symboles symbolisés sont au contraire le produit de conventions arbitraires entre esprits s'accordant pour choisir tel signifiant, lettre ou caractère... sous l'angle de la pure extension quantitative » (p. 292). Voir surtout G. Fessard, *Le Langage*, Société de Philosophie de Langue française, Actes du XIIIe Congrès, 291-295, Genève, 1966.

3. G. Pankow, *Dynamische Strukturierung in der Psychose, Beiträge zur analytischen Psychotherapie*, Huber, Bern 1957; *Pathologie et image du corps*, in *L'Ame et le Corps*, Paris 1961, pp. 76-98; *L'homme et sa psychose* (préface de Jean Laplanche), Aubier-Montaigne, Paris 1969, 1973 [2].

4. G. Pankow, *Structuration dynamique dans la schizophrénie. Contribution à une psychothérapie analytique de l'expérience psychotique du monde* (préface de J. Favez-Boutenier), Bern 1956.

5. Où on l'y avait déposé après sa mort à l'hôpital.

6. On voit en effet sur le dessin la manière dont sont attachées les jambes de deux hommes morts et celles d'une des femmes.

7. S. Freud, *Mitteilung eines der psychoanalytischen Theorie widersprechenden Falles von Paranoia*, in *Gesammelte Werke*, Frankfurt/Main, vol. X, pp. 234-246.

8. *Dynamische Strukturierung in der Psychose*, cit.

9. Il s'agit en fait de « La Mort du Loup », qui contient le vers suivant : « Puis après, comme moi, souffre et meurs sans parler. »

10. S. Follin (1958, 1961, 1963), F. Perrier (1968) et L. Besso (1969), K. Conrad (1958) (voir *Revue française de Psychanalyse*, cit.).

11. Cf. « L'image du corps dans la psychose historique », in *Revue française de Psychanalyse*, cit.

12. Je tiens à préciser qu'il existe aussi chez certains schizophrènes des îlots hystériques pouvant donner accès à des dissociations hystériques qui, en fait, sont vécues comme des morcellements. Mais la dissociation schizophrénique qui met en question l'unité du corps se distingue profondément de tout morcellement.

13. Pour le psychisme des mères de schizophrènes, voir surtout Alalen (1958), Lidz (1956, 1965) — La mère de mon patient était une femme collaborante à l'analyse et je ne l'ai reçue que quelques fois.

14. *Dynamische Strukturierung in der Psychose*, cit.

15. W. G. Joffe e J. Sandler, « Some conceptual problems involved in the consideration of narcissism », in *J. Child Psychother.*, 2, 56-66 (1967).

16. H. Kohut, « The psychoanalytic treatment of personality disorders », in *Psychoanal. Study Child*, 23 (1968); *Le soi*, P.U.F., Paris 1974.

# SCHREBER :
# LE DIEU, LE DROIT, LA PARANOIA

*par*

Jean-Louis SCHEFER

Il y a dans le texte de Schreber de multiples « bords »; ce sont des franges culturelles (idéologiques) qui selon une physique assez étrange coupent ce texte en son centre : il s'agit de textes qui regardent la fondation hypothétique de la religion (augustinianisme), assurent son idéologie ou touchent à des apories philosophiques et juridiques.

Chez Schreber, selon même sa déclaration d'ouverture, la paranoïa nous apprend la vérité (vérité d'interprétation) sur ce qu'est la religion, sur ce qui passe sous ce nom; et sans doute, à l'égard de cette manipulation qui divise Dieu et produit les objets d'une « relation » privilégiée dans cette division (Flechsig, les âmes, les nerfs), apprend-elle aussi la vérité sur le *contenu* de la religion. Comme les " sommes " de la première scolastique, comme les textes de Boèce (le cinquième traité de la *Consolation philosophique*), le texte de Schreber fait apparaître une énorme hybridation idéologique dont le texte psychotique serait précisément la retraversée; néanmoins ces « textes », ces blocs d'idéologie coagulent ici sur ce qui apparaît leur propre crise historique : on y mesure un *effet de déflation sur leur présupposition commune d'un sujet abstrait* (le fantôme de cette « contradiction d'existence » du sujet juridique qui passe à la fois dans la spéculation philosophique et dans la pensée théologique); ici, en retour, Schreber est *attaché* à l'arbre dichotomique par lequel il tente de diviser et de tenir les nouveaux objets improbables de la libido.

C'est sur ce fond, et dans le mouvement d'une division qui est toujours celle de la participation d'objet du sujet, que le texte des *Mémoires* lève, fait travailler les apories de définition de l'image dans l'Occident. L'idéologie (principalement religieuse) y a maintenu (geste de la *reprise* philosophique, théologique dans le thomisme) une position de principe du fantasme. Le fantasme y est ce qui n'a pas de discours; ce qui peut relever d'un discours analogique — d'un troisième discours — et enfin ce qui ne s'ouvre qu'au discours de l'aberration. Ces états de mobilité ou de fluence de l'image sur le discours naturel ou de simple rection, décrivent aussi des *types* théoriques où se range le statut de l'image. Très paradoxalement la fluence de l'image s'épuise comme effet d'une simple classification parce qu'à la limite l'imaginaire n'existe pas pour la topique du discours; ou plus exactement, le statut du discours occidental (contrairement aux grammaires du sanskrit ou de l'arabe qui ménagent la place de l'infini, du zéro, etc.) est un statut grammatical (cf. Nietzsche) sans imaginaire.

Le texte de Schreber n'introduit pas l'image comme reste de la production textuelle mais comme *fonctif;*

c'est un relief signifiant : chaînes, fils, amorces, adents qui reçoivent un nom dans la genèse, la cosmogonie d'un monde sexualisé et reçoivent une place, celle d'un morcellement infini, dans l'autonymie du texte « délirant » : ce morcellement, division de nerfs, fractions d'âmes, est ici la contre-pesée, l'effet de retour, de la très longue *déshérence* juridique du corps dans le droit et dans la religion. Le corps, précisément franchi par le « quiconque » qu'établit l'idéologie juridique, fait retour sur les apories du sujet juridique : en une constellation de divisions qui sont celles de l'effectivité symbolique du droit : le droit assure à peu près l'impossibilité d'une jouissance réelle, dans cette formule très « schrébérienne » selon quoi : *le mort saisit le vif.*

Le bord théologique suit à peu près le même schéma : la divisibilité de la « matière » divine est la connaissance même dans le sujet divisé (c'est aussi le début de la Gnose).

A cet égard, le processus d'abstraction (Schreber, p. IX) fait *lever* le monde impalpable d'une relation d'objet « universalisée » (impalpable aussi parce que ces objets sont épinglés dans la différentialité du réel, ne sont que des fonctifs d'un procès de division qui à la fois cherche et « atomise » l'objet idéal de la libido — Schreber y fait apparaître explicitement un « clinamen » : « la diagonale insaisissable humainement de (ces) deux directions de représentation ». Ce « clinamen » schrébérien pense la différentialité *de* la matière comme sexe, travail des contradictions s'étendant au cosmos sexué).

Ce processus d'abstraction et de distinction reintroduit *sur sa fiction* (celui d'un délai et d'une échéance indéfiniment suspendus du réel — il n'y a en retour que la déjection de matière, les fèces, qui tienne cette place contrastive à tout le système arborescent dans ces « pensées prodigieuses ») le même travail de l'abstraction sur la matière produisant la mécanique chez Hegel; processus qui produit aussi étrangement, miraculeusement le son, celui que Schreber étouffe au théâtre.

« Nul doute que pour moi le *primum movens* de ce qui... a pour moi la signification d'une relation avec des forces surnaturelles, consistât en une commande exercée par votre système nerveux sur mon système nerveux. Comment expliquer la chose?... en dépit de la *distance* qui nous séparait? » Or il y a une réponse dans l'idéologie. C'est que chez Hegel le sujet, *frappé* des stases qui représentent l'histoire de l'esprit, est laissé en déshérence par la genèse du concept dès que la matière est précisément *levée* pour sa connaissance. C'est la précieuse fiction du levier dans la *Philosophie de la nature*, au filigrane de laquelle il faudrait inscrire cet autre travail de l'abstraction que Cicéron *(De natura deorum)* nommait à peu près le « levier du ciel », touchant la génèse des dieux (quae molitio, quae ferramenta, qui vectes, quae machinae, qui ministri tanti operi fuerunt?).

Dans la genèse mécanique des contructions arborescentes de Schreber, l'effet de commande à distance engendre la relation à Dieu, et le matériau lui-même en est-il aussi le sujet pris à distance dans une relation de sujétion conformément à un but (celui d'un « rachat » et d'un salut) auquel les moyens d'une manipulation font écran. Cette « levée » est très proche (ce n'est pas une proximité « textuelle » mais idéologique en ce qu'elle porte prescription à la déréliction du sujet), dans sa représentation d'une génération mécanique, de la fonction du levier qui pense la matière (*Naturphilosophie;* Mechanik : der Hebbel). Le levier qui n'est qu'une contradiction levée dans la matière représente, dans la mécanique *qui n'articule pas de procès*, « néanmoins » — très exactement comme « concession » — la genèse idéale du mouvement : la mécanique est l'effet des opérations dans lequel le levier est : « deux extrêmes : une masse réelle conforme à son être de masse, et une masse idéale, relation au point... »

Dans une présupposition d'abstraction qui enlève toujours préalablement le corps sur le primat d'une relation (et c'est curieusement en ce point que Schreber peut dire « expliquer » sur lui-même le mystère de la trinité), se situe cet autre processus d'abstraction « figuratif » qui, de la soustraction des nerfs fait monter au ciel une partie à titre d'âme examinée (Ciceron, *De natura deorum*/Hegel, *Naturphilosophie :* même procès, celui du corps diaphane de Schreber : le *corps concept* à l'envers duquel, dans les *Mémoires*, le reste déféqué dément le système). Dans cet ourlet fictionnel du texte philosophique, Schreber apparaît en un corps de l'interprétation, *vivisectionné*, comme il l'écrit, par le savoir du droit : *effet d'une déflation du sujet supposé du droit sur le corps travaillé* (selon le schéma hegelien) *par sa médiation vers le point* (vers l'antinomie de la masse réelle, conforme à son être de masse); problème de la « voix » schrébérienne : le travail du levier sur l'aporie de la matière est engagé dans la genèse du son chez Hegel. Le travail d'abstraction que produit le levier sur la définition de la masse dans sa relation au point et l'éviration imminente de Schreber; et ce que « représenterait » cette première érection dans la matière hégélienne.

« Homme moi-même, après tout, je suis *lié aux bornes* de la connaissance humaine; *pourtant* ceci demeure pour moi : que j'ai approché la vérité d'infiniment plus près que ceux — quels qu'ils soient — qui n'ont pas reçu en partage des révélations divines ». Pour ce crucifié « lié aux bornes » et « cependant » touché d'une révélation se trouve ouvert, mais parlé, personnifié, théâtralisé ce qui apparaissait dans le texte de saint Augustin comme *césure « résiduelle » à toute représentation du sujet dans le symbolique*. Et peut-être faudrait-il voir qu'ici et là la position différentielle des images, leur multiplication, la probabilité d'un lien imprescriptible au réel auraient pour effet une subversion logique; elle est chez Schreber comptable dans le symptôme (il y a, à des degrés d'abstraction près, la même émergence de type spéculatif : que la « substance » du sujet est instamment dépendante de relations; la rétorsion logique chez Schreber en est infinie puis qu'il s'agit de relations suppléantes d'objets *accédés* dans leur signification; le sujet qui est le délai de cette relation introuvable est donc connaissance de cette partition-là; de la même façon que dans le texte de la première théologie la « substance » logique de la trinité est ce qui entoure, à la façon d'un graphe, une suite de relations « improuvables » : l'effet, dans les images trinitaires, en est le stress même de représentation du sujet : les images trinitaires (images dans l'homme et images dans lesquelles il marche; ou encore dans les dernières lignes de Boèce, l'appel d'un ultime paradigme : « sol oriens et homo gradiens ») sont la déflation de la déshérence du sujet unaire (un corps qui ne s'hérite plus et dont la supposition n'appartient plus qu'au corps muet) : selon la citation apportée par Schreber, « Deux afflavit et dispersae sunt »... imagines hominis; la dispersion quantitative et taxinomique des images dans le texte des *Mémoires* rencontre cette condition que fut pour la première théologie l'installation du monothéisme sur l'inversion du polythéisme : la nécessité et l'impossibilité de distinguer des relations dans l'unité divine procède de celle d'y retrouver l'organisation de la libido triplex (*fiction* que saint Augustin n'a pu produire, dans une organisation des objets de la libido, que par un geste d'épenthèse sur la présupposition d'une *substance logique* de la trinité).

Ce que le texte de Schreber retraverse ici c'est l'impossibilité *et* la nécessité d'attacher un contenu qui pourrait, miraculeusement, « transir » la libido, à un dieu qui est le nom donné dans la théologie à l'atopia du symbolique en tant que le réel n'y porterait pas prescription; c'est pourquoi il divise ce dieu ainsi que toutes les relations, médiations, écrans qui constituent autant de degrés, de cercles, de stases (cf. Denys l'Aéropagite, Origène, Dante...) dans la nomination, la production *hors procès* de ce lieu paradoxal, de pure espérance du sujet, dans le symbolique. Ce dieu n'est donc autre chose sous ses faces contrastives, dans le mixte d'adoration et d'exécration qui en fait le lieu de l'abjection même, qu'un stade narcissique ultime; dont la vision face à face est prise dans un retard qui est l'humanité même. C'est peut-être pourquoi avec « la catastrophe d'un détachement de la libido », comme écrit Freud, c'est aussi le soutènement hypothétique de la divinité (de cet *ancrage* du symbolique) qui représente comme question du narcissisme une sorte de concours cumulatif avec l'homosexualité de Schreber. La question du dieu de Schreber constitue une tangente de bords dans le champ symbolique, elle en saisit même toute la consistance : il n'y a pas de problème posé par sa référence (et Flechsig occupe très bien la position qu'un évhémérisme inachevé, lui aussi « bâclé », lui eût donné dans la mythologie); il y a plutôt une solution dictée par le fait que la « substance » divine occupe une place dans cette construction. En effet de quoi la paranoïa dit ici sa vérité à la religion. Et à la théologie : si dans ce « complexe paternel », comme dit Freud, Dieu prend la place du père, ce Père n'est pas ce que Dieu représente, c'est au contraire ce dont il occupe « provisoirement et inégalement la place ». Dieu le Père n'est pas père des hommes, mais père dans une relation infinie des personnes divines qui exclut le sujet; et dont ce dernier voudrait prendre la place puisqu'elle est supposition même de *la* place de la signification. Il n'y a précisément de connaissance et de délire, mystiques, qu'à ce prix : d'être l'exception élective et souffrante à cette exclusion (cf. *Le château intérieur*, *La montée du Carmel*, etc.) Pourquoi, après avoir désigné la place commutable dont ce dieu est l'effet, Freud semble-t-il tout de même croire en Dieu dans l'interprétation du cas Schreber? De ce qu'il occupe la place ultime et véritable du sujet supposé savoir?

Comme si le délire de Schreber traitait d'un reste de la religion, et le traitait sur le théâtre des marionnettes. *La religion est ici rapport à l'image* (ce rapport est de soumission à l'image — les fils, la corde rouge, les nerfs, les hommes bâclés, etc. — et en même temps de multiplication de l'image).

Il s'agit d'une fondation de l'image : cette fondation n'en regarde pas la définition, elle est très exactement un procès; le definiens et le definitum y sont également travaillés, outrés, défigurés, c'est-à-dire peut-être *interprétés*. Ce qui est sans doute en jeu, comme par ailleurs dans tout procès de rupture paradigmatique (idiolectal, épistémologique, idéologique), n'est ici comptable que de ce que la paranoïa fait franchir. Elle n'est pas, non plus que tout autre procès névrotique, libératrice d'une énergie autrement enchaînée dans la langue (elle n'est guère accrue que d'une somme de souffrances, de déréliction, d'hébétude où le sujet ne se reconnaît plus). L'espèce de perte catégorielle et de perte du réel est étrangement témoignage qu'il faut cette condition d'accès qui permet de franchir ce que l'idéologie cloisonne, sacralise (Dieu qui à la fois n'existe pas et dont il reste cependant interdit de parler puisque justement ce silence et cet interdit « résillent » en quelque sorte d'un terme contrastif, d'une sorte d'étai et de soutènement négatif tout le discours idéologique). Or l'urgence qui *saisit* le texte de Schreber, mais qui est une réponse dans le symptôme d'exclusion et où la paranoïa aurait donc une configuration *historique et idéologique*, est tout de même de restituer à ce dieu une place, place amovible dans la dialectique du langage; mais au point ici que le langage se substantialise théâtralement sur ses fonctifs. Dieu n'existe à la fois comme inconnue et comme ultime sujet supposé savoir pour le sujet, que parce que ce dernier est fondamentalement, c'est-à-dire en fondation, instable, en anamorphose, affecté de structures mouvantes : qu'il est normalement sujet à une fluence des symptômes névrotiques; qu'il n'est pas simplement affecté d'un dilemme du réel ou du leurre, comme dans la psychologie animale, mais *s'il est soumis aux effets de déflation de l'imaginaire*, c'est bien pour être dans la signification sans jamais y régner (cette espérance d'un tel règne était déjà l'écroulement infini des topiques augustiniennes). C'est cette mouvance qui s'écrit chez Schreber sur le dos de Dieu. D'une opération proprement mathématique, Dieu est un terme vide qui, en tant qu'inconnue, peut occuper toute place dans un réseau de distribution.

Saint Augustin : la rupture logique spéculative avec l'aristotélisme ne répond pas à une nécessité philosophique, mais la mise en place d'une configuration insoluble (pour son effet idéologique) comme « trinité » exige un niveau d'irrésolution de la logique classique; d'où suit la production d'une inconnue (la définition de la substance sur la relation) qui doit alors être le garant de la perte de réel qu'assume la représentation du sujet; celle-ci entame en retour l'incompréhensibilité du corps — qui devient une sorte de « lieu géométrique » de la négativité —, et les conséquences portées — symptomatiquement — comme sur un *axe* dans la question du statut de l'image. La Trinité augustinienne (par ses conséquences philosophiques, anthropologiques, etc.) sert donc aussi à assurer la déréliction du corps; par la mise en place d'une structure alliée de toute l'idéologie juridique.

La contre-stase, dans le début d'un long travail de déshérence du corps social, c'est la mémoire qui ne prouve pas l'instance trinitaire, ainsi que le problème infini de la représentation du corps au titre de signifiant (le thomisme ne sera sur cette question qu'en position de conversion épistémologique). Sur tout cela Schreber (ce corps est une certaine vérité des configurations idéologiques) *en rajoute*. Dès lors — ou dès cet instant de fondation théorique, idéologique, dans la première théologie —, la question n'est déjà plus de la part d'aliénation dans la religion mais de l'inexistence du sujet à son corps; le sujet (corps « juridiquement » en deshérence, limite de sa désirance) est en exil, il est alienus dans le corps social. Ce qui est exilé, c'est ce sujet qui a un corps. Raison de Nietzsche : le sujet ne se supposerait à son expérience conceptuelle que de ne pas tenir à son corps. La religion est donc retenue dans cette idée qui est juridique : il n'y a pas de jouissance paisible; le corps est toujours celui d'une faute immémoriale : son point de gravité est donc tout à la fois impossible et incompréhensible : pourquoi dans l'ancien droit pénal et jusque dans l'étrange théorie de l'*abandon noxal* il est coagulé sur la nécessité d'un coupable et dans son irresponsabilité la plus entière; il est donc abandonné au châtiment en tant qu'il dépend toujours d'une autre instance juridique que celle de sa conscience; jusque dans ses délits sexuels il n'est coupable que sur le début de la classification pénale : la distance infime qui sépare l'irresponsabilité des choses du crime des animaux; crime qui enjoint leur relégation dans la faute : le corps sujet à l'abandon noxal n'a d'autre définition limite que d'être lui aussi situé du même côté de ce paradigme.

Par quelle contradiction de désir passe donc le terriblc théâtre de ce corps? Varron (conferatur Schreber) entreprend la division et la classification des dieux : c'est-à-dire la division du pluriel même? Cicéron déclare qu'il s'agit de la division de l'*objet étymologique* de la libido : ce procès est un évhémerisme à l'envers. A quoi bon (quel ridicule et quelle menace!) diviser le polythéisme, se demandait Augustin; c'est que dès lors il ne correspond plus à l'organisation de la libido (à l'induction du nœud logique de la libido triplex). Mais dès précisément que l'on veut définir l'image de la Trinité (et justement parce qu'elle est indivisible quantitativement : c'est le dieu de la libido, l'entière présupposition de son organisation) la figure prospectée de l'anthropologie prend *en tant qu'image* la fiction de cette « division du pluriel » par quoi le polythéisme ne constituait pas le garant du symbolique. C'était même, selon Augustin, son « impuissance spirituelle ». L'objet anthropologique « frappé » dans la négativité est instable : les dieux y sont l'objet du catalogue, ils n'ont de relation qu'énumérative (effets secondaires d'une division d'un corps de substance), ils correspondent dans leur pluriel à une improbabilité synthétique qu'est le sujet romain dans le droit : *ce sujet est la somme impensable de ses moments d'effectivité contradictoires au procès juridique.* Le droit y fait peser sur son instance la division d'un sujet qui n'a pas de forme — dont il n'existe pas de formule ni de « cogito » : le cogito est l'invention du sujet moral issu du droit dans le christianisme.

Serait-il possible de créditer le texte de Schreber de la place inouïe d'un document par laquelle il semble aujourd'hui peser? Ce serait assez immédiatement mesurer que ce texte, et sans doute la détermination de cette forme de paranoïa représente un très fort entrecroisement historique et idéologique. Qu'il y aurait probablement, dans l'aspect protocolaire des incessantes divisions dont est affectée moins la religion que la *relation* religieuse, le retour « catastrophique » de l'institution religieuse et juridique sur un sujet qui ne connaît que l'improbabilité générale d'un retour qui doit le prescrire au signifiant, d'une mémoire de fondation de l'idéologie. Matière d'une double division de la relation religieuse si elle se poursuit au plus près du savoir de l'expérience mystique ou si elle recourt à la médiation que peut représenter le « vicaire » du dieu : c'est là que le corps de Flechsig est emporté exactement à la place d'une supposition : celle d'où une exécration affecte Dieu dans la possibilité de le diviser sur des effets de transfert. Le morcellement binaire des figures sacrées affecte en récurrence tous les suppôts de la division au terme de laquelle Schreber risque instamment d'être lui-même laissé en gisance, puisqu'il est partie dans ce procès infini où Dieu n'a de relation qu'avec les cadavres. Si donc le motif d'une constitution « cosmogonique » des objets de la libido « résille » un texte autonyme, comme le dit Lacan, c'est aussi que ce texte est un schéma de distribution des paradigmes d'objets de la libido. Paradigmes et objets dont Schreber est attaché à dire l'improbabilité dans le réel. Aspect double du mouvement qui, comme l'écrit Freud, vise à inverser le détachement de la libido mais qui cependant ne peut en inverser l'effet, puisque les objets qu'il attachc (par le moyen des fils, ficelles, des branchements dont il est affecté lui-même) sont des objets improbables *sous leurs configurations*. C'est peut-être en premier lieu que la libido est ici exposée comme principe récurrent de division et qu'elle travaille sourdement un réseau de fiction sous cet aspect primaire, celui qui pourrait être encore son étymologie dans la langue-de-fond : l'espèce de roman que développe le texte de Schreber est celui de l'avatar de cette relation impossible dont, en retour, le corps devient inhabitable.

Freud insiste sur la genèse de la psychose dans laquelle c'est le détachement de la libido qui rend le corps inhabitable; d'un corps dont Schreber écrit qu'il est « instamment » double et dont l'éviration assurerait la perspective d'une autre humanité : de faire cesser cette « instance » même. Le texte de ces *Mémoires* rencontre ici, en une sorte de précipité historique (pourquoi certaines « vérités » de la religion font-elles retour aussi brusquement sur ce corps-là et à cc moment-là)? ce qui apparaît comme un enfoncement, désespéré et démuni, du corps de l'expérience mystique dans l'impossibilité de penser. Ce dont témoigne assez constamment la littérature religieuse.

On pense, pour passer au plus clair, à ce savoir du paradoxe que rapporte Schreber sous le nom des impulsions, des contraintes à penser, à répéter ou à cet état forcené de jouissance qui fait tenir Dieu (« Dieu réclame un état constant de jouissance ») qui glose le texte d'Eckhardt : « l'homme ne doit pas se contenter d'un dieu qu'il pense, car lorsque sa pensée s'évanouit, Dieu s'évanouit aussi ». Ainsi du chapitre de ces « miracles » que la littérature mystique connaît sous le nom de « grâces d'oraison ». « Cette gêne dans la production de certains actes intérieurs, lit-on dans un traité de théologie mystique, s'appelle la *ligature des puissances*, et quand elle est très forte, la suspension des puissances. Ce mot ne signifie pas la suppression comme lorsqu'on dit qu'un mouvement est suspendu; mais que les puissances ne sont plus appliquées à leur objet ordinaire. Elles sont saisies, *fixées*, par un objet plus relevé. Le mot ligature indique que l'âme se trouve dans l'état d'un homme dont les membres seraient liés plus ou moins fort par des bandelettes, et qui dès lors ne pourrait se mouvoir qu'avec difficulté... », la ligature se manifeste ainsi « pour une récitation proprement dite, c'est-à-dire *faite de bouche* »... « je ne sais quelle force secrète vous arrête souvent, au bout de deux ou trois mots. On balbutie. Un nouvel effort permet de reprendre, et ainsi de suite. Mais on se fatiguerait vite, si on voulait continuer cette lutte... Même les impuissances partielles de l'aridité ont quelque chose de moins accusé ». Le profond parallélisme au texte de Schreber pourrait peut-être poser la question de savoir comment, à l'intérieur du procès psychotique, se fait jour comme symptôme privilégié cet effet de retour d'une expérience « dramatique » de la religion : ici et là cette « ligature » prescrirait cette « expérience » du sujet sur le fait que les « puissances » sont saisies, fixées par un objet inhabituel, relevé. Que cet objet serait la relation même en quoi consiste la pensée mystique dont l'effet constant est d'inassurer la place du sujet.

Le texte de Schreber, selon ce qu'écrit Freud, quant au procès lui-même, constiturait une tentative de sortie et peut-être de maîtrise des symptômes paranoïaques. N'entrant pas, sous son aspect fortement *dominé*, dans la schizographie. Cette retraversée des chaînes symptomales de la paranoïa est aussi, étrangement et d'un effet sans doute secondaire, résection du texte culturel, idéologique : ce texte très-peu délirant joue de la pression de bord dont il est l'effet : fait d'une présure du sujet autour d'une inconnue d'articulation qui se représentait pour la philosophie dans la connaissance juridique et l'expérience religieuse. Ce dont atteste *historiquement* le texte de Schreber serait peut-être moins de la pesée du « discours psychotique » qu'il ne s'inscrirait dans l'histoire du texte en une sorte de différentielle de pressions, où il résulte : que le droit n'a pas de sujet instant mais un délai à son effectuation, et que l'expérience mystique a un sujet qu'elle tient sur un texte qui est l'improbabilité même (effet de cette *ligature*).

La « scène » des images est donc dans les *Mémoires* travaillée d'une *ressemblance douteuse* : « toutes les âmes examinées trouvaient pour ainsi dire le ressort fondamental de leur existence dans la force d'attraction développée dans mon corps du fait de l'intense surexcitation de mes nerfs; je veux dire que j'étais pour elles le truchement par lequel elles pouvaient arriver à intercepter les rayons divins amenés à proximité sur la trajectoire de ma force d'attraction; elles s'en paraient alors comme fait le paon de plumes étranges, obtenant par là puissance miraculeuse, etc. Il leur importait donc de pouvoir s'assurer de disposer de mon corps. Pendant tout le temps où j'avais été à la clinique de Leipzig, ce pouvoir discrétionnaire semblait avoir été exercé par l'âme Flechsig, grâce à des collusions avec le professeur Flechsig qui était encore là en tant qu'homme (ou en tant qu'« image d'homme » — je ne puis me prononcer sur ce qu'il était réellement à l'époque)... Ce fut l'occasion pour l'âme Flechsig de faire accéder au ciel, et peut-être même de faire élever à la béatitude, certains nerfs pris au corps du gardien-chef, — nerfs de v. W., en réalité —, pour regagner, par le truchement de ces nerfs et du pouvoir qu'ils conservaient de déterminer les actes du gardien-chef, l'influence qu'elle avait perdu ».

Il y a dans le texte de Schreber une mise en évidence, une mise en appareil du réseau de fiction : il y a passage à l'abstraction (d'une abstraction qui ne *généralise pas*), ou bien un procès d'abstraction qui tout à la fois *volatilise* et tente malgré tout de maintenir le référent; les configurations du réel y sont précisément maintenues, tenues *instamment* par ces fils ténus où s'attachent les objets de la libido. Ces espèces de ficelles tiennent, comme écrit Schreber, la marionnette : elle est tenue par la main de Schreber qui s'assure ainsi de la persistance d'objets de la libido, mais d'objets sans ancrage, tenus à une *étrange ressemblance* suspecte d'être une image, c'est-à-dire de ramener au plein jour le corps le plus divisé, l'impossilité pour Flechsig de résider ailleurs qu'en une immense fiction dirimante et d'engendrer le principe des fractions d'images qui doivent régler *comme une loi* le fait que toute ressemblance douteuse (image d'homme, homme bâclé à la six, quatre, deux, le soi disant Un Tel), ici comme dans la spéculation trinitaire (l'« impuissance de l'analogie » à exprimer l'impossible, c'est-à-dire ce que recèle l'expérience), induit un syllogisme de contradiction. Contradiction de la langue de fond pour une loi de rupture logique de la différentiation *comme* image. D'où l'étrange rappel d'un « clinamen » qui fait tenir la « fiction » et constitue en même temps sa résection d'interprétation. Là encore l'image vient comme symptôme très particulier absorber ce à quoi se résout plus mal et moins simplement le langage, et qui est la dénégation.

L'image (tout l'arsenal des images schrébériennes) porte et joue une fonction d'*absorption de négativité*. Le procès psychotique ne traverse que très peu l'écriture protocolaire qui tente justement d'en fixer par images l'inversion logique (Schreber déclare s'exprimer par métaphores; il ajoute que la métaphore est *donc* article de foi). Il y a donc une expérience en rupture du savoir ou du crédit d'analogie sur lequel l'image est communément fondée. Ce dont les degrés d'image témoignent ici c'est qu'elles reposent entièrement sur « la langue fondamentale », qu'elles sont contradictoires à leur induction (elles permettent en quelque sorte de *dissembler* leur référent, v. W. n'est plus v. W., il est l'âme de sa différence) et à leur position (pour prendre la place de ce à quoi elles ne ressemblent plus). Cet immense fractionnement d'âmes de corps qui encombre le texte de Schreber cache le désassemblage d'un seul corps, celui — à tous les titres — du sujet *supposé* savoir. Comme tel ce sujet n'est qu'une place commutable : en ce qu'il ne peut être atteint là où il est; son corps est générateur du principe de démultiplication : il suffirait de s'en tenir à la lecture des pages qui *débouchent* sur la cosmogonie (Ozmund et Ariman...) : la démultiplication est un effet taxinomique qui trie atomiquement les parties, jusqu'aux nerfs blancs (les nerfs sont des fils qui renvoient à l'ensemble morcelé qu'ils tiennent, qu'ils cloisonnent comme sur un blason) et ne cache qu'un corps dont on sait seulement, sur cette déflation de sa déshérence dans l'histoire, qu'il est objet sur cette « fourche » d'un retour du refoulé.

Et peut-être cette logique qui déforme l'image expose-t-elle la position d'image à ce même syllogisme que Freud analyse dans ce « je l'aime lui un homme » (sorte de syllogisme de type augustinien qui prend relais du corps impossible du Juste pour acheminer les configurations d'images chues hors de la sphère inscindable de la Trinité).

Ce syllogisme qui « retient » la proposition inverse comme sa majeure, invente sous l'avatar du dieu l'ascension dans laquelle se marque la place d'où produire l'effet de retour de cette supposition de savoir. Si ceci prend étai sur la fiction d'un dieu au moins double (fiction assez proche de la fable des Dioscures dans l'*Au-delà*) c'est pour l'effet de précipité d'une division instante du sujet Schreber à la juridiction. Rien que d'explicable qu'il tente ultérieurement une offensive sur le terrain strict du droit, puisque c'est lui qui connaît le principe de division et d'annulation de jouissance au réel — « les biens » — à quoi *préside*, exactement, le corps du droit. Le droit tient de diviser tout le corps social sur la présupposition de jouissance constante des mêmes biens et du fait même que ce maintien amène par une série, un « ballet » de fictions, création de successeurs. Formellement d'un évhémérisme : héritiers à la prédécession. Le sujet juridique n'est qu'une fiction *hors synthèse*, refendu sur le déni d'accession à la jouissance.

(A quoi peuvent renvoyer les images infinies : « Deus afflavit et dissipati sunt », dès que je pense à rien, Dieu *reflue* sur moi, « aussitôt le vent se lève »... la raison en est justement que Dieu croit pouvoir refluer sur moi dès que je me laisse aller à penser à rien, comme il le ferait d'un présumé dément ». Sur cet effet de ligature, Dieu reflue sur ce « moi ». La pensée constante maintient cette « diagonale insaisissable » dont l'extinction fait *souffler le vent*. Ce corps sous le vent est l'effet d'une « déflation » littérale de sa deshérence historique. Les « hommes bâclés », flüchtig hingemachte Männer, négligemment, superficiellement et imprudemment jetés, images négatives de la partition divine : les images trinitaires sont approximatives et instables; c'est pourquoi elles font foule sur le corps anthropologique.)

Il y a un carcan du texte de Schreber, c'est que (dans le « combat entre le refoulement et une tentative de guérison qui cherche à ramener la libido vers ses objets ») la souffrance qui s'y *traduit*, qui s'y tourne en figures, fantasmagories, est en quelque sorte liegen gelassene, laissée gésir pour ne recourir qu'à une expression improportionnelle (proportionnelle d'un maintien de la lutte), instamment *tenue à une diagonale.* Le corps traversé d'une improportionnalité de sa souffrance, qui dérive sa fiction des divisions dans une matière impalpable (acoustique, figurative) où passent des relais incapables de combler *le stress sur lequel il vit*, celui du détachement de la libido. Ce stress où gîte le processus premier de la paranoïa, peut à son tour enseigner, *là où il ne fait que contourner* la question de la libido, comment s'y engendre idéologiquement l'étai fictionnel du texte des *Mémoires;* dans cette proposition « Nietzschéenne » : « l'impression générale que je gardais (de la religion chrétienne) avait toujours été que le matérialisme ne pourrait donner le dernier mot sur ce qu'il en est des choses divines : je ne m'étais jamais décidé pour autant à croire fermement en l'existence d'un Dieu personnifié ou à soutenir cette foi ». La perversion du christianisme, déclare Nietzsche *(Par-delà bien et mal)*, est d'avoir attaché à l'âme cet atomisme pré-copernicien, croyance à un reste de terre, à cette particule infime : « il importe de faire rendre gorge à cet autre atomisme, encore plus désastreux, que le christianisme a enseigné le mieux et le plus longtemps, l'atomisme de l'âme ». *Intuition* de ce qu'a été (dans le débat sur les « raisons séminales ») la réfutation de l'atomisme dans le domaine de la causalité et son introjection à un domaine alors hors de la causalité : le psychisme; c'est-à-dire que cette introjection pouvait conduire à la représentation d'une « causalité psychique » et qu'en même temps la question serait de cette résurgence dans le symbolique *ou* d'une émergence du symbolique comme effet d'une forclusion non pas du *réel* mais d'un réel en position théorique dans la causalité. Il y a un sous-ensemble du problème de la causalité dans la question du symbolique chez saint Augustin. Là où *passe* l'arbre entier de Schreber.

La trinité insoluble a posé une aporie première dans la philosophie, de ce qui restera sur le terrain de la dialectique hégélienne, et comme mise en scène d'un procès démonstrativement impossible : la question trinitaire cache, déplace la question de ce corps qui ne fait pas stase en des « personnes », en des « relations », *le corps juridique lui-même vécu au réel comme corps paranoïaque* (corps traversé par les instances de l'ordre théologique, juridique, dont la mise en place vise ou organise sa plus entière déréliction). Place du « délire religieux » de Schreber. Féminisation du corps paranoïaque; s'il est au plus près dans la vision — ou la prophétie — d'une chaîne de persécussions, dans un espace social sadien, c'est aussi pour avaliser l'ordre qu'intime sa propre déréliction.

Si le texte de Schreber témoigne d'une profonde

connaissance dans le symptôme, qu'est-ce qu'une connaissance qui demeure dans le symptôme, c'est-à-dire qui ne cesse, précisément, d'y interpréter? C'est la connaissance d'un autre sujet supposé à la fiction en laquelle le symptôme fait exactement *pont*. Le symptôme, s'il s'écrit si admirablement, c'est à la fois de franchir et de laisser intact le corps inhabitable : le signifiant en réseaux de division du texte schrébérien (avec ses moments d'épiphanie, de surpointage de figures-carrefours, d'allégories ou de prosopopées...) prend si fortement l'aspect de la révélation parce qu'il connaît en un moindre délai, en une moindre médiation, l'effet de retour d'un corps signifiant déshabitable (le sacré, dans les figurations données, est la marque, marque d'infamie, du corps exécré) : deux dieux, deux ou trois Flechsig etc.; c'est que dans la présupposition même de signifier (de signifier dans un procès autonyme, celui de la résection juridique du symbolique) quiconque prend pour réel le procès signifiant dont il est partie, connaît *deux corps inverses* qui sont d'abord insolvables, c'est-à-dire précisément qui ne peuvent être « rachetés ». L'exécration de Dieu est dont la sauvegarde « idéale » du sujet, s'il ne tenait à Dieu de quelques fils ou rayons, de l'être, précisément.

***

La question de ce que l'on pourrait nommer très provisoirement le signifiant schreberien, comme signifiant non phallique, cette question *est décrite* dans son texte — par la multiplication des fils, leur transformation en rayons, etc., fils qui doivent renouer avec les objets de la libido — comme celui du hile : point cicatriciel marqué sur le tégument par le détachement du funicule. Corps cicatriciel écrit par Schreber, marqué de hiles, points cicatriciels, dépressions organiques qui attestent (au point de sa féminisation immi-nente) le détachement ou la cession d'un rapport de nutrition à un objet extérieur.

C'est-à-dire que le problème du signifiant schreberien dépend du fait du détachement de la libido et de la recherche de nouveaux objets à la libido. et cela sans présupposition que les objets soient immédiatement objets de jouissancc susceptible de combler cette dépression que le hile représente, qu'il constitue comme signifiant.

Le hile (lat *hilum :* fil) comme point cicatriciel, atteste la dépression signifiante en tant qu'elle est constituée du stress d'un détachement de la libido. Le corps ainsi interposé n'est peut-être lié que par le problème du signifiant en tant qu'il serait constitué dans le domaine de la libido — en tant qu'il déplace la distinction libido du moi/libido d'objet rappelée hypothétiquement par Freud dans *Pour introduire le narcissisme.*

## NOLI ME TANGERE
## OU DE LA VALEUR DES MARCHANDISES

par

Luce Irigaray

La marchandise, forme élémentaire de richesse, est le point de départ des recherches de Marx dans la critique de l'économie politique [1].

Or, l'analyse de la marchandise, de sa constitution en valeur d'échange, paraît une interprétation — à l'insu de Marx? — du statut de la femme dans les sociétés dites patriarcales. Le travail social du symbolique dont l'instrument est le nom propre : du père, de Dieu, contiendrait, en germe, certains développements que Marx définit comme caractéristiques d'un régime capitaliste : soumission de la « nature » à un « travail » de l'homme qui la constitue ainsi en valeur d'usage et d'échange; division du travail entre producteurs-propriétaires privés qui échangeraient entre eux leurs femmes-marchandises; étalonnage de celles-ci selon des noms propres qui déterminent leurs équivalences; tendance à accumuler les richesses, soit, à ce que les représentants des noms les plus « propres » capitalisent plus de femmes que les autres; progression du travail social du symbolique vers une abstration de plus en plus grande; etc.

Certes, les moyens de production évolueront, les techniques se développeront, mais il semble que dès que l'homme-père ait été assuré de son pouvoir reproducteur et qu'il ait marqué de son nom ses produits — soit dès l'origine de la propriété privée et de la famille patriarcale — l'exploitation sociale avait lieu. Autrement dit, tous les régimes sociaux de « l'Histoire » fonctionnent sur l'exploitation d'une « classe » de producteurs : les femmes. Dont la valeur d'usage reproductrice et la constitution en monnaie d'échange assurent l'ordre symbolique comme tel sans que pour ce « travail » elles soient, dans cette monnaie, rétribuables. Ce qui impliquerait un double système d'échanges, soit un éclatement du monopole du nom propre par le père et de ce qu'il signifie comme pouvoir d'appropriation. Il y aura donc une répartition du corps social en sujets producteurs ne fonctionnant plus comme marchandises du fait qu'ils servent à celles-ci d'étalon, et en objets-marchandises assurant la circulation des échanges sans y participer comme sujets.

***

De l'analyse de la valeur par Marx, on reprendra ici quelques points qui semblent décrire le statut social des femmes.

— La richesse reviendrait à ce que l'usage des choses soit relégué au bénéfice de leur accumulation. A ce que *l'usage des femmes* soit *moins important que leur nombre? Moins important*, *en tout cas*, *que leur valeur d'échange.* Entre hommes. C'est dire moins important que leur cote en étalon : or, Phallus. Les propriétés du corps des femmes ne sont pas ce qui détermine leur prix. Elles constituent néanmoins le support *matériel* de celui-ci. Mais de ce corps il doit être fait *abstraction* quand on les échange. Ce n'est pas en fonction d'une valeur intrinsèque, immanente à la marchandise, que cette opération peut avoir lieu. Elle n'est possible que dans un rapport d'égalité de deux objets — de deux femmes — à un troisième terme qui n'est ni l'un ni l'autre. Ce n'est donc pas en tant que femmes que les femmes sont échangées, mais en tant qu'elles sont ramenées à quelque chose qui leur serait commun et dont elles représenteraient un plus ou un moins. Pas un plus ou un moins de qualités femmes, évidemment. Celles-ci éventuellement abandonnées aux besoins du consommateur, *la femme vaut sur le marché en fonction d'une seule qualité : celle d'être un produit du « travail » de l'homme.* A ce titre, chacune ressemble complètement à l'autre. Elles ont toutes la même réalité fantomatique. Métamorphosées en sublimés identiques, échantillons du même travail indistinct, tous ces objets ne manifestent plus qu'une seule chose, c'est que dans leur production une force de travail humaine a été dépensée, que du travail y est accumulé. En tant que cristaux de cette substance sociale commune, elles sont réputées valeur.

— *Marchandises, les femmes sont deux choses à la fois : objets d'utilité et porte-valeur.* « Elles ne peuvent donc entrer dans la circulation qu'autant qu'elles se présentent sous une double forme, leur forme nature et leur forme de valeur ». Mais « la réalité que possède la valeur de la marchandise diffère en ceci de l'amie de Falstaff, la veuve l'Éveillé, qu'on ne sait par où la prendre » [2]. *La femme, objet d'échange, diffère de la femme, valeur d'usage, en ceci qu'on ne saurait par où la prendre* car « par un contraste des plus criants avec la grossièreté du corps de la marchandise, il n'y aurait pas un atome de matière qui pénétrerait dans sa valeur. On peut donc tourner et retourner à volonté une marchandise prise à part, en tant qu'objet de valeur elle reste insaisissable. » La valeur d'une femme échappe toujours. Ce n'est que dans l'opération de l'échange entre elles que quelque chose — certes d'énigmatique — peut s'en pressentir. *La femme n'a donc de valeur que de pouvoir s'échanger.* Dans le passage de l'une à l'autre, autre chose enfin existe que l'utilité éventuelle de « la grossièreté de son corps». Mais cette valeur ne se trouve pas, retrouve pas, en elle. Elle n'est que son étalonnage à un troisième terme qui lui reste extérieur et qui permet de la comparer à une autre femme. Qui lui permet d'avoir rapport à une autre marchandise en fonction d'une équivalence qui leur reste à l'une et à l'autre étrangère. *Les femmes-marchandises sont donc soumises à une schize* qui les divise en utilités et valeurs sociales, en corps-matière et enveloppe précieuse mais impénétrable, insaisissable, et inappropriable par elles, en usage privé et usage social.

— Pour avoir une valeur relative, une marchandise doit être mise face à une autre marchandise qui lui serve d'équivalent. Sa valeur ne se trouve jamais en elle. Et qu'elle vaille plus ou moins n'est pas son fait mais vient de ce à quoi elle peut équivaloir. *Sa valeur lui est transcendante, sur-naturelle.* Autrement dit, pour la marchandise, pas de miroir qui la redouble en elle et son « propre » reflet. La marchandise ne se mire pas dans une autre, tel l'homme dans son semblable. Car le même miré quand il s'agit de marchandises n'est pas « son » même, n'est en rien ses propriétés, ses qualités, « ses peau et poils ». Ce même n'est qu'une mesure exprimant le caractère *fabriqué* de la marchandise. Sa trans-formation par le travail de l'homme. Le miroir qui enveloppe et transi la marchandise spécularise, spécule le « travail » de l'homme. *Les marchandises sont miroir de valeur de/pour l'homme.* Pour ce faire, elles lui abandonnent leurs corps comme support-matière de spécularisation, de spéculation. Elles lui abandonnent leurs valeurs naturelles comme lieu d'empreinte et de mirage de son activité. Les marchandises entre elles ne sont donc ni égales, ni semblables, ni différentes. Elles ne le deviennent qu'en tant qu'étalonnées par et pour l'homme. La prosopopée du rapport des marchandises entres elles est une projection par laquelle les producteurs-échangeurs leur font rejouer devant eux leurs opérations de spécula(risa)tion. C'est oublier que pour (se) réfléchir, (se) spéculer, il faut être « sujet », et que la matière peut servir de support de spéculation mais qu'elle ne peut en rien se spéculer elle-même. Ainsi, dès le plus simple rapport d'équivalence entre marchandises, toute l'énigme de la forme monnaie est en germe. Soit l'appropriation désappropriation — par l'homme, pour l'homme, de la nature et de ses forces productives en tant qu'un certain miroir maintenant divise, travestit et la nature et le travail. Les marchandises produites par l'homme sont douées d'un narcissisme qui floue le sérieux de l'utilité, de l'usage. Le désir, dès l'échange, « pervertit » le besoin. Mais cette perversion sera attribuée aux marchandises et à leurs soi-disant rapports. Alors qu'elles n'en peuvent avoir que dans l'optique de tiers spéculateurs.

— *L'économie de l'échange — du désir — est une affaire d'hommes.* A double titre : l'échange a lieu entre sujets masculins, l'échange exige un *en plus* surajouté au corps de la marchandise, en plus qui lui donne une forme valeureuse. Cet en plus, elle le trouverait — écrit Marx — dans une autre marchandise, dont la valeur d'usage deviendrait, dès lors, étalon de valeur. Mais cet en plus dont jouirait une des marchandises pourrait varier : « de même que maint personnage important dans un costume galonné devient tout à fait insignifiant si les galons lui manquent », ou encore « que le particulier A ne saurait représenter pour l'individu B une majesté sans que la majesté aux yeux de B revête immédiatement et la figure et le corps de A; c'est pour cela probablement qu'elle change avec chaque nouveau père du peuple, de visage, de cheveux et de mainte chose ». Les marchandises auraient donc le respect du galon, de la majesté, de l'autorité paternelle. Et encore : de Dieu. « Sa propriété de valoir — à la toile — apparaît dans son égalité avec l'habit, comme la nature moutonnière du chrétien dans sa ressemblance avec l'agneau de Dieu ». *La marchandise a donc le culte du père, et elle n'a de cesse que de ressembler, de mimer, qui en est le tenant lieu.* C'est de cette ressemblance, du mime de ce qui représente l'autorité paternelle, que la marchandise tire sa valeur — pour les hommes. Mais ce coup de force c'est aux marchandises que les producteurs-échangeurs le font porter. « Comme on le voit, tout ce que l'analyse de la valeur nous avait révélé auparavant, la toile elle-même le dit, dès qu'elle entre en société avec une autre marchandise, l'habit. Seulement elle ne trahit ses pensées que dans le langage qui lui est familier, le langage des marchandises. Pour exprimer que sa valeur vient du travail humain, dans sa propriété abstraite, elle dit que l'habit en tant qu'il vaut autant qu'elle, c'est-à-dire est valeur, se compose du même travail qu'elle même. Pour exprimer que sa réalité sublime comme valeur est distincte de son corps raide et filamenteux, elle dit que la valeur a l'aspect d'un habit, et que par conséquent elle-même, comme chose valable, ressemble à l'habit comme un œuf à un autre. Remarquons en passant que la langue des marchandises possède, outre l'hébreux. beaucoup d'autres dialectes et patois plus ou moins corrects. Le mot allemand « Wertsein », par exemple, exprime moins nettement que le verbe roman valere, valer, et le français valoir, que l'affirmation de l'équivalence de la marchandise B avec la marchandise A est l'expression propre de la valeur de cette dernière. Paris vaut bien une messe. » *Les marchandises parleraient donc.* Certes *surtout dialectes et patois, langages un peu incompréhensibles pour les*

« *sujets* ». L'important est qu'elles se préoccuperaient de leurs valeurs respectives, soit que *leurs propos confirmeraient les projets des échangeurs sur elles.*

— Le corps d'une marchandise deviendrait donc pour une autre miroir de sa valeur. A condition d'un *en plus* de corps. Un en plus « *contraire* » à la valeur d'usage, un en plus qui représente une qualité « *sur-naturelle* » de la marchandise — un caractère d'empreinte purement sociale —, un en plus complètement différent de son corps lui-même, et de ses propriétés, un en plus qui n'existe toutefois qu'à condition qu'une marchandise accepte de se rapporter à une autre considérée comme équivalent : « Ainsi un homme n'est-il roi que parce que d'autres hommes se considèrent comme ses sujets et agissent en conséquence. » Cet en plus de l'équivalent traduit en travail abstrait du travail concret. Autrement dit, pour pouvoir s'incorporer à un miroir de valeur il faut que le travail ne reflète lui-même rien que sa propriété de travail humain : que le corps d'une marchandise ne soit plus que matérialisation d'un travail humain abstrait. C'est dire qu'elle n'ait plus de corps, de matière, de nature, mais qu'elle soit objectivation, cristallisation en objet visible, de l'activité de l'homme. *Pour devenir équivalent, la marchandise change de corps.* A son origine matérielle, se substitue une origine sur-naturelle, méta-physique. Ainsi son corps devient-il corps transparent, pure phénoménalité de la valeur. Mais cette transparence constitue un *en plus* à l'opacité matérielle de la marchandise. Entre les deux la schize existe. Double face, double pôle, extrêmes opposés et exclusifs, la nature et le social sont divisés, tels le sensible et l'intelligible, la matière et la forme, l'empirique et le transcendental, ... la marchandise, tel le signe, souffre de dichotomies métaphysiques. Sa valeur, sa vérité, est le social. Mais ce social est surajouté à sa nature, à sa matière, et il la subordonne comme moindre valeur, voire comme non-valeur. La participation au social exige que le corps se soumette à une spécularisation, une spéculation, qui le transforme en objet porte-valeur, signe étalonné, en signifiant monnayable, en semblant référé à un modèle qui fait autorité. *La marchandise — la femme — est divisée en deux « corps » irréconciliables :* son corps « naturel » et son corps valeureux socialement, échangeable : expression mimétique de valeurs masculines. Sans doute ces valeurs expriment-elles aussi de la « nature », soit de la dépense de force physique. Mais celle-ci — essentiellement masculine d'ailleurs — sert à la fabrication, à la transformation, à la technicisation des productions naturelles. Et c'est cette propriété sur-naturelle qui va constituer la valeur du produit. Analysant ainsi la valeur, Marx donne à voir le caractère méta-physique du fonctionnement social.

— La marchandise est donc chose double dès que sa *valeur* possède une forme phénoménale propre, distincte de sa forme naturelle, celle de valeur d'échange. Et elle ne possède jamais cette forme si on la considère isolément. Cette forme phénoménale surajoutée à sa nature, une marchandise ne l'aurait qu'en rapport avec une autre. Comme entre signes, la valeur n'apparaît que de la mise en relation. Reste que cette mise en relation ne peut être réalisée par eux, par elles, mais correspond à l'opération de deux échangeurs. La valeur d'échange de deux signes, deux marchandises, deux femmes, est une représentation des besoins-désirs de sujets consommateurs-échangeurs : elle ne leur est en rien « *propre* ». A la limite, les marchandises — voire leurs rapports — sont l'alibi matériel du désir de relations entre hommes. Pour ce faire, les marchandises sont désappropriées de leur corps et revêtues d'une forme qui les approprie à l'échange entre hommes. Mais dans cette forme valeureuse s'extasie le désir de cet échange, et le reflet que l'homme y recherche de sa valeur et de celle de son semblable. Dans ce suspens dans la marchandise du rapport entre hommes s'aliènent les sujets-consommateurs-échangeurs. Mais pour supporter cette aliénation, les marchandises ont toujours déjà été désappropriées de leur valeur spécifique. A ce titre, on peut affirmer que la valeur des marchandises revêt *indifféremment* toute forme particulière de valeur d'usage. Leur prix, en effet, ne leur vient plus de leur « utilité », de leur forme naturelle, de leur corps, mais de ce qu'elles mirent du besoin-désir d'échanges entre hommes. Pour ce faire, la marchandise ne peut évidemment exister seule mais pas plus n'y a-t-il marchandises tant qu'il n'y a pas au moins deux hommes pour échanger. Pour qu'un produit — une femme? — ait valeur il faut que deux hommes, au moins, l'investissent.

— L'équivalent général de la valeur des marchandises ne fonctionne plus lui-même comme marchandise. Miroir éminent, transcendant à leur monde, il assure la possibilité d'échange universel entre elles. Chacune peut devenir équivalente à chacune au regard de cet étalon sublime, mais ce suspens de l'estimation de leur valeur à quelque transcendantal les rend, pour l'immédiat, inéchangeables entre elles. Elles s'échangent dans l'équivalent général — comme les chrétiens s'aiment en Dieu, pour reprendre une métaphore théologique chère à Marx — mais cette référence extatique les sépare radicalement l'une de l'autre. Une valeur abstraite et universelle les soustrait à l'usage et l'échange entre elles. Elles sont, en quelque sorte, trans-formées en idéalités valeureuses. Il faut souligner aussi que l'équivalent général, de n'être plus marchandise, n'a plus d'utilité. L'étalon n'a pas de valeur d'usage.

— Si la marchandise « paraît au premier coup d'œil quelque chose de trivial et qui se comprend de soi-même », elle est « au contraire une chose très complexe, pleine de subtilités métaphysiques et d'arguties théologiques ». Sans doute, « en tant que valeur d'usage, il n'y a en elle rien de mystérieux ». « Mais dès qu'elle se présente comme marchandise, c'est une toute autre affaire. A la fois saisissable et insaisissable, il ne lui suffit pas de poser ses pieds sur le sol; elle se dresse, pour ainsi dire, sur sa tête (de bois) en face des autres marchandises et se livre à des caprices plus bizarres que si elle se mettait à danser. » « Le caractère mystique de la marchandise ne provient donc pas de sa valeur d'usage. Il ne provient pas davantage des caractères qui déterminent sa valeur. Si variés que puissent être les travaux utiles ou les activités productrices, c'est une vérité physiologique qu'ils sont avant tout des fonctions de l'organisme humain. » « D'où provient donc le caractère énigmatique du produit du travail, dès qu'il revêt la forme d'une marchandise? Evidemment de cette forme elle-même. » *D'où provient donc le caractère énigmatique des femmes?* Voire de leur supposé rapport entre elles? En tous cas, « la forme valeur et le rapport de valeur des produits du travail n'ont absolument rien à faire avec leur nature physique. C'est seulement un rapport social déterminé des hommes entre eux qui revêt ici pour eux la forme fantastique des choses entre elles ». *Ce phénomène n'a d'analogie que dans le monde religieux.* Là, les produits du cerveau humain ont l'aspect d'êtres indépendants, doués de corps. Il en va de même des produits de la main de l'homme dans le monde marchand. D'où le fétichisme attaché à ces produits du travail dès qu'ils se présentent comme marchandises. *D'où le caractère d'objets-fétiches des femmes en tant que, dans l'échange, elles sont la manifestation et la circulation d'un pouvoir du Phallus mettant en relation les hommes entre eux?*

De là ces quelques remarques :

— *Sur la valeur :* elle représente l'équivalent d'une force de travail, d'une dépense d'énergie, d'une peine. Pour être mesurées; celles-ci doivent être abstraites de toutes qualités « naturelles », de tout individu concret. Un processus de généralisation et d'universalisation s'impose dans le fonctionnement des échanges sociaux. D'où la réduction de l'homme à un « concept » — celui de sa force de production —, et celle de son produit à un « objet », répondant visible, matériel, de ce concept. Les caractères de la « jouissance » correlative d'un tel état social sont donc : sa productivité, mais forcément laborieuse, voire douloureuse; sa forme abstraite; son besoin-désir de cristalliser dans un transcendantal de la richesse l'étalon de toute valeur; son besoin d'un support matériel où se mesure le rapport d'appropriation à/de cet étalon; ses relations d'échange — toujours rivales, — entre les seuls hommes. *Ces modalités ne sont-elles pas celles qui pourraient définir l'économie de la sexualité (dite) masculine?* Et la libido n'est-elle pas un autre nom de l'abstraction de l'énergie dans le travail de la nature, dans une force productrice; un autre nom du désir de l'accumulation des biens; un autre nom de la subordination des qualités spécifiques, des corps à une puissance — neutre? — qui vise avant tout à les posséder. La jouissance, pour la sexualité masculine, ne consiste en fait qu'en l'appropriation de la nature, en désir de la faire se reproduire — sexualité encore et toujours agricole —, et en échanges de ces produits avec les autres membres de la société. Cette jouissance serait essentiellement économiste. D'où la question : quels besoins-désirs de la sexualité (dite) masculine ont déterminé un certain ordre social, de sa forme primitive : la propriété privée, à sa forme développée : le capital? Mais aussi dans quelle mesure sont-ils l'effet d'un fonctionnement social, pour une part devenu autonome, qui les produit tels quels?

— *Sur le statut des femmes dans un tel ordre social.* Ce qui le rend possible, en assure le fondement, c'est donc l'échange des femmes. C'est la circulation des femmes entre hommes qui met en place le fonctionnement social patriarcal. Ce qui suppose : l'appropriation de la nature par l'homme, sa transformation suivant des critères « humains » définis par les seuls hommes; sa soumission au travail, à la technique; la réduction de ses qualités matérielles, corporelles, sensibles, en valeur abstraite d'échange, et d'ailleurs la réduction de tout le monde sensible en activité pratique concrète de l'homme; l'égalité des femmes entre elles mais en fonction de lois d'équivalence qui leur sont extérieures; la constitution des femmes en « objets » qui figurerait la matérialisation des relations entre hommes; etc.

Les femmes représenteraient donc une valeur naturelle et une valeur sociale. Leur « devenir » serait le passage de l'une à l'autre. Mais il n'aurait jamais lieu simplement. En tant que *mère*, la femme resterait du côté de la nature (re)productrice et, de ce fait, le rapport de l'homme au « naturel » ne serait jamais complètement surmonté. Sa socialité, son économie, sa sexualité, auraient toujours affaire : au travail de la nature : elles resteraient donc toujours, au niveau de la première appropriation, celle de la constitution de la nature en bien foncier —, et du premier travail : agricole. Mais ce rapport, insurmontable, à la nature productrice devrait se dénier dans la prévalence des relations entre hommes. C'est dire que la mère, instrument reproducteur marqué du nom du père et enfermé dans sa maison, sa propriété privée, sera interdite aux échanges. Le *tabou de l'inceste* représente cet interdit de l'entrée de la nature productrice dans les échanges entre hommes. Valeur naturelle et valeur d'usage, la mère ne peut circuler sous forme de marchandise sous peine d'abolir l'ordre social. Nécessaire à sa (re)production, sa fonction est de l'entrenir sans que cette intervention le modifie. Ses produits n'y auront d'ailleurs cours que marqués du nom du père, que pris dans sa loi : soit en tant qu'appropriés par lui. La société serait le lieu de l'engendrement de l'homme par l'homme, de la production de l'homme en tant qu'homme, de sa naissance à l'existence « humaine », « sur-naturelle ». *La femme*, par contre, est pure valeur d'échange. Elle n'est rien que le signe de l'échange entre hommes. En elle-même, elle n'existe pas. Simple enveloppe recouvrant la nécessité de la circulation sociale. A ce titre, son corps naturel est aboli dans sa fonction représentative. Le sang rouge demeurerait du côté de la mère mais il n'aurait pas de prix, comme tel, dans l'ordre social; la femme, elle, en tant que monnaie d'échange ne serait plus que semblant. Le passage — ritualisé — de la femme à la mère se réalise par la transgression d'une enveloppe : l'hymen. Il a été, également, constitué en tabou : celui de la virginité. La femme, déflorée, serait renvoyée à sa valeur d'usage et à son emprise dans la propriété privée. Soustraite à l'échange entre hommes. Reste *la prostituée*. Implicitement tolérée, explicitement condamnée par l'ordre social, sans doute parce que la coupure entre usage et échange est, en elle, moins nette. Les qualités du corps de la femme y sont « utiles ». Cependant elles n'ont de « valeur » que d'avoir été appropriées par un homme, et de servir de lieu de rapports — occultés — entre hommes. La prostitution serait de l'usage qui s'échange. Non en tant que virtuel, mais déjà réalisé. C'est d'avoir déjà servi que le corps de la femme tirerait son prix. A la limite plus il a servi, plus il vaut. Non qu'un déploiement de ses richesses naturelles ait été ainsi effectué, mais, au contraire, parce que sa nature s'y est usée et est redevenue simple véhicule d'échanges — entre hommes.

Mère, vierge, prostituée, tels sont les rôles sociaux imposés aux femmes. Les caractères de la sexualité (dite) féminine en découlent : valorisation de la reproduction et du nourrissage; fidélité; pudeur, ignorance, voire désintérêt du plaisir; acceptation passive de l'« activité » des hommes; séduction pour susciter le désir des consommateurs mais s'offrant comme support matériel à celui-ci sans en jouir;... *Ni comme mère, ni comme vierge, ni comme prostituée la femme n'a droit à la jouissance.* Sans doute, les théoriciens de la sexualité s'étonnent parfois de la frigidité des femmes. Mais, selon eux, celle-ci s'expliquerait plus par une impuissance de la « nature » féminine que par la soumission de celle-ci à un certain type de société. Pourtant, *ce qui est requis d'une sexualité féminine « normale » évoque étrangement les caractères du statut des marchandises.* Avec des rappels et des rejets tout aussi ambigus que « naturels » : du physiologique, de l'organique, etc. Et, de même que la nature doit être soumise à l'homme pour devenir marchandise, ainsi y aura-t-il « un devenir une femme normale » Ce qui revient, pour le féminin, à une subordination aux formes et aux lois de l'activité masculine. Le rejet de la mère — imputé à la femme — y trouverait sa « cause ». De même que, dans la marchandise, l'utilité naturelle s'estompe dans la fonction de l'échange, ainsi les propriétés du corps de la femme doivent-elles s'effacer devant ce qu'exige sa trans-formation en objet de circulation entre hommes. De même que la marchandise ne dispose pas d'un miroir qui la réfléchisse en propre, ainsi la femme sert-elle de reflet, d'image, de/pour l'homme, mais manque de qualités spécifiques. Sa forme valeureuse revient à ce que l'homme inscrit dans et sur sa matière : son corps. De même que les marchandises ne peuvent s'échanger entre elles sans l'intervention d'un sujet qui les étalonne, ainsi des femmes. Distinguées, divisées, séparées, semblables et différentes selon qu'on les aura estimées échangeables. En elles-mêmes, entre elles-mêmes, amorphes, confondues, corps naturel, maternel, utile sans doute pour le consommateur, mais sans identification possible, ni valeur communicable. De même que les marchandises deviennent, à leur corps défendant, dépositaires, quasi autonomes, de la valeur du travail humain, ainsi d'être miroir pour l'homme, les femmes deviennent-elles, quasiment à leur insu, le risque de la désappropriation de la puissance masculine : mirage phallique. De même qu'une marchandise trouve l'expression de sa valeur dans un équivalent qui lui est forcément extérieur, de même la femme a-t-elle valeur de son rapport au sexe masculin constitué en transcendantal : le phallus. Et l'énigme de la « valeur » est bien dans le rapport le plus élémentaire entre marchandises, entre femmes. Car, déracinées de leur « nature », elles ne se rapportent plus les unes aux autres qu'en fonction de ce qu'elles représentent dans le désir des hommes. Entre elles, elles sont séparées par ses spéculations. C'est dire que la division du « travail » — aussi sexuel — exige que la femme entretienne de son corps le substrat matériel de l'objet du désir, mais qu'à celui-ci elle n'accède jamais. L'économie du désir — de l'échange — est une affaire d'hommes. Et cette économie soumet les femmes à une schize nécessaire au fonctionnement symbolique : sans rouge / semblant; corps / enveloppe valeureuse; matière / monnaie d'échange; nature (re)productrice / féminité fabriquée,... Cette schize — le fait de toute nature parlante, objectera-t-on — est subie par les femmes sans qu'elles en tirent profit. Et sans qu'elle soit, par elles, surmontable. Elles n'en sont même pas « conscientes ». Le symbolique qui, ainsi, les fend en deux ne leur est, en rien, approprié. En elles, le « semblant » reste extérieur, étranger à la « nature ». Socialement, elles sont « objets » pour et entre hommes et ne peuvent, par ailleurs, que mimer un « langage » qu'elles n'ont pas produit; naturellement, elles restent amorphes, souffrant de pulsions sans représentant ou représentation possible. La transformation, pour elles, du naturel en social n'a pas lieu, sinon au titre de parties de la propriété privée ou de marchandises.

— *Caractères de cet ordre social.* Ce type de fonctionnement social peut s'interpréter comme la réalisation pratique du méta-physique. D'être son destin *pratique*, il figurerait aussi sa forme la plus achevée. Si opérante d'ailleurs que les sujets mêmes y étant de part en part impliqués, y étant produits comme concepts, n'auraient pas de quoi l'analyser. Sinon dans un après-coup dont on n'a pas fini de mesurer les retards.

Cette réalisation pratique du méta-physique aurait son opération fondatrice dans l'appropriation du corps des femmes par le père ou ses tenant-lieu. Soumettant, ainsi, la pluralité et hétérogénéité qualitative du sensible à un équivalent général : le nom propre, représentant du monopole du pouvoir par le père. C'est de cet étalonnage que les femmes recevraient leur valeur : passant de l'état de nature à celui d'objet social. Cette trans-formation du corps des femmes en valeur d'usage et d'échange inaugure l'ordre symbolique. Mais celui-ci fonctionne sur une plus-value quasiment pure. Les femmes, animaux parlants au même titre que les hommes, vont assurer la possibilité de l'usage et de la circulation du symbolique sans y être pour autant partie prenante. C'est le non-accès, pour elles, au symbolique qui établit l'ordre social. Mettant en rapports, en relations, les hommes entre eux, les femmes ne réalisent cette fonction qu'en y abandonnant leur droit à la parole et, d'ailleurs, à l'animalité. Plus dans l'ordre naturel, pas encore dans l'ordre social qu'elles entretiennent cependant, les femmes sont le symptôme du caractère, dès l'origine, capitaliste, de « l'Histoire ». Soit de l'exploitation d'une « classe » d'individus par une société qui ne les rémunère que partiellement, voire pas du tout, pour ce « travail ». A moins que la soumission à un système qui vous utilise ne soit considérée comme une rétribution suffisante... Que le fait d'estamper les femmes par le nom propre — du père — soit évalué comme le prix symbolique qui leur revient pour nourrir de leurs corps l'ordre social. Mais en subordonnant ceux-ci à un équivalent général, soit à une valeur transcendante, sur-naturelle, les hommes ont entraîné le fonctionnement social dans un processus d'abstraction de plus en plus grand. Jusqu'à y être produits, eux-mêmes, comme purs concepts : ayant surmonté toutes leurs qualités « sensibles » et différences individuelles, ils seraient enfin réduits à une production moyenne de travail. La puissance de cette économie pratique du méta-physique expliquerait le fait que l'énergie « physiologique » serait transformée en valeur abstraite sans la médiation d'une élaboration intelligible. Aucun sujet particulier n'en réaliserait plus l'opération. Ce n'est qu'après-coup qu'il pourrait, éventuellement, analyser sa détermination, comme telle, par le social. Et même alors, il n'est pas sûr que son amour de l'or ne lui fasse pas renoncer à tout plutôt qu'au culte de ce fétiche. « Le thésauriseur sacrifie donc à ce fétiche tous les penchants de sa chair. Personne plus que lui ne prend au sérieux l'évangile du renoncement ».

Heureusement — si l'on peut dire — resteraient les femmes-marchandises, simples « objets » de transaction entre hommes. Leur situation d'exploitation spécifique dans le fonctionnement des échanges — sexuels, mais plus généralement économiques, sociaux, culturels — serait ce qui leur permettrait, aujourd'hui, d'élaborer une « critique de l'économie politique », en tant qu'elles sont en position d'extériorité par rapport aux lois des échanges, tout en y étant incluses comme « marchandises ». Mais cette critique de l'économie politique ne pourrait, cette fois, se passer de celle du discours, et plus généralement du système symbolique, dans lesquels elle se réalise et notamment de leurs présupposés méta-physiques. Ce qui amènerait à interpréter de manière différente l'impact du travail social symbolique dans l'analyse des rapports de production.

Car, sans l'exploitation du corps-matière des femmes, qu'adviendrait-il du fonctionnement symbolique qui règle la société? Quelles modifications subirait celui-ci, celle-ci, si les femmes, d'objets de consommation et d'échange, forcément aphasiques devenaient aussi des « sujets parlants »? Non en se subordonnant, en mimant les modèles — masculins ou plus exactement phalliques — qui font la loi, mais en socialisant un autre rapport à la « nature », à la « matière ».

NOTES

1. Cf. Marx, *Le Capital*, livre I, section I, chap. I.
2. *Ibid.*, p. 50.

# SEXUALITÉ FÉMININE DANS L'IDÉOLOGIE FASCISTE

*par*

Maria-Antonietta Macciocchi

*Thèse 1.* Pourquoi l'inexistence historique de la femme, autrement dit ce silence qui pèse sur le rapport qu'il y a eu entre la sexualité féminine et le fascisme, entre la femme et le fascisme? Pourquoi ce secret que le fascisme a gardé sur la frustration de la femme, non seulement politique et économique, mais aussi sexuelle? Pourquoi cette *traversée du fascisme*, parmi tant de sillons creusés dans le terrain politique, social, économique d'une dictature qui a dévoré l'Europe pendant cinquante ans, de Mussolini à Hitler, à Franco, n'a-t-elle jamais été mise en rapport — thèse, antithèse, synthèse — avec les femmes? Pourquoi la scène historique est-elle, pour les femmes, semblable au théâtre vide d'acteurs de Shakespeare? Les femmes sont convoquées de temps à autre, comme de profanes voyeuses, pour lorgner, regarder, écouter, relativement passives, pas tout à fait inhibées bien sûr, mais congédiées ensuite, disculpées, absoutes par des confesseurs politiques et syndicaux, par les diverses momies philosophiques, par des sociologues, des économistes, des féministes-terroristes, et enfin par les plus diverses espèces végétatives, sexuellement frustrées. C'est là une autre façon de les renvoyer au néant ou, au contraire, de créer une théologie de la femme. Ce qui conflue, d'ailleurs, dans le même vide historique. Vide d'autant plus grave, qu'à l'inverse, le fascisme gît concrètement dans le panorama politico-intellectuel comme une carcasse gigantesque et inquiétante. Or, un silence ne saurait être absolu. Il arrive toujours que l'on entende un bruit : les hurlements des Espagnoles alors qu'elles se tordent sur les corps des gardes civils, tout en implorant Franco pour qu'il les venge des révolutionnaires; et enfin, les jérémiades des pleureuses fascistes sur le cercueil du dictateur, alors qu'elles lèvent leur bras pour le salut fasciste; et la rumeur scandée, prolongée, des bourgeoises et petites-bourgeoises chiliennes qui défilent avec leurs *casseroles vides*, en demandant la tête d'Allende; et, du côté opposé, la parole articulée par syllabes d'Eva Forest qui devient le détonateur d'un discours anti-fasciste, démystificateur donc, révolutionnaire. Le développement du mouvement féministe — c'est peut-être le plus solide bastion qui ait résisté en Europe depuis 1968 — permet enfin de poser la question : si on n'analyse pas le genre de « consentement » ou de relation qu'il y a eu (ou qu'il y a?) entre la femme et l'idéologie fasciste — autrement dit, si on n'analyse pas comment et pourquoi le fascisme a mystifié les femmes — le féminisme lui-même (de même que toute l'avant-garde politique) reste privé de son hinterland historique, suspendu comme un aérostat a-temporel, im-mémorial, et donc mutilé de la dialectique impérative nécessaire pour comprendre l'enjeu même d'aujourd'hui, et la direction de l'axe d'une lutte féminine, et révolutionnaire.

Ma *Thèse 1* prend son point de départ dans l'*historicisme absolu* de Gramsci, en tant que façon particulière de saisir l'histoire par rapport aux objectifs politiques, aux solutions stratégiques du présent, en vue de concevoir le marxisme comme historicisme absolu : « la philosophie de la praxis est historicisme absolu, la mondanisation et terrestrité de la pensée, l'humanisme absolu de l'histoire ». Ma revendication obstinée de l'*historicisme absolu* prend pour cible l'hypocrite dégoût pour l'histoire — définie comme une sorte de sous-catégorie du marxisme : l'*historicisme* (de sa chaire parisienne, quelque professeur a déjà tranché contre Gramsci : « le marxisme n'est pas un historicisme ») — qui devient en fait un alibi pour livrer aux masses, de droite et de gauche, une histoire artificielle, un manuel d'appareil idéologique, aussi bien de l'idéologie conservatrice que de la contre-idéologie prolétarienne. Or, depuis Spinoza, nous avons tous appris à nettoyer les verres de nos lunettes. Et le problème est à nouveau — pour citer encore Gramsci — celui de récupérer *notre mémoire* « comme produit du processus historique qui s'est développé jusqu'ici et qui a laissé en toi-même une infinité de traces reçues sous bénéfice d'inventaire » (Brecht écrivait que « l'organe le plus nuisible du bureaucrate est la mémoire »). L'inventaire sans omissions que j'essaie de faire ici entre en contradiction non seulement avec tout le marxisme universitaire poussiéreux et le bureaucratisme de parti, mais aussi avec la nouvelle métaphysique féminine qui risque de faire dévier les mouvements féministes vers un Credo enfantin : la Femme Entité Suprême, la Femme Bien Absolu. Cette idéalisation fait la paire avec celle des *ultragauchistes* primitifs — enfantins — qui élèvent le prolétariat au rang d'entité révolutionnaire sublime, une classe si immaculée, jusqu'à la rendre sans sexe, tout comme les anges. J'affirme au contraire : il n'y a pas de *Femme en soi*, mais une matière féminine, des atomes en mouvement, des millions de sujets, un univers féminin. Et cette curieuse inexistence historique des femmes — comme si au temps du fascisme, la planète n'était pas habitée par l'élément féminin — n'a-t-elle pas pour but caché (honteux) d'en empêcher ce saut rationnel dans la conscience autonome des femmes grâce auquel les femmes sont des sujets agissants, et non de mélancoliques mannequins de supermarché? Le fascisme, en toute exemplarité, peut démontrer comment les différents pouvoirs cherchent à utiliser la matière freudienne. Dans un régime politique, le problème de l'appui déterminant et actif des femmes touche la superstructure, dans sa forme la plus compacte, à savoir la religion. Et, c'est au moment même où la religion, séculaire fouet des femmes, ne suffit plus, comme bouclier idéologique, à l'appareil de pouvoir de la bourgeoisie montante — l'entrée en force du pouvoir féminin dans la lutte se met en place aux XIXe et XXe siècles, avec la Commune de Paris et la révolution d'Octobre —, que le fascisme offre une relève de la garde à l'Église, grâce à la soumission des femmes, dont il canalise les instincts dans une sorte de religiosité nouvelle, servant de support aux dictatures de masse ou aux régimes totalitaires de masse.

La prise du pouvoir du fascisme et du nazisme — qui se sert, à la manière d'un levier, de la féminité martyrisée, funeste, nécrophile des veuves et mères des morts de la première guerre mondiale, et la féminité de la Femme Reproductrice de l'Espèce (frénésie) formule la question qui interroge la structure même du pouvoir, quel qu'il soit. Adolf Hitler affirmait qu'« en politique, il faut avoir l'appui des femmes, parce que les hommes, eux, suivent spontanément ». Brecht comparait le rapport existant entre le fascisme et les femmes à celui du protecteur (souteneur) envers les femmes, lui qui les envoie faire le trottoir pour en tirer du gain, et qui leur donne la force à travers la joie. C'est le proxénétisme d'État. Les femmes traitées comme des prostituées du capital. Virginia Woolf, en 1940, affirmait que l'oppression des femmes et la régression nazie ont les mêmes racines : l'exploitation. Gramsci parle de l'irrationnel fasciste, et de la *viscéralisation*, dans le fascisme, des plus noirs instincts de la petite bourgeoisie réactionnaire, et le terme concernant les *entrailles*, par un impact matérialiste surprenant, doit être pris précisément au sens *biologique* de *viscères*, que lui attribuera Reich dans sa *Psychologie des masses du fascisme*. Reich le plus lucide dans l'examen du poids idéologique superstructural fasciste a fixé en effet la question de la domination dictatoriale dans les termes mêmes d'une énorme répression sexuelle, strictement liée à la mort :

« Le fascisme du XX$^{e}$ siècle par contre a soulevé le problème fondamental des *attributs caractériels de l'homme*, de la *mystique* et du *besoin d'autorité*, qui correspondent à *un espace de 4 000 à 6 000 ans environ*. Là aussi, le marxisme vulgaire essaie de loger un éléphant dans une renardière. La sociologie fondée sur l'économie sexuelle se penche sur une structure humaine qui ne s'est pas formée au cours des deux siècles passés, mais qui résume une civilisation patriarcale et autoritaire vieille de plusieurs millénaires. La réaction sexuelle est utilisée de toutes les façons pour exploiter l'angoisse sexuelle (...). Constatons simplement que les inhibitions et l'affaiblissement de la sexualité — sur lesquels s'appuie essentiellement l'existence de la famille autoritaire et qui forment la base même de la structure caractérielle du petit bourgeois — s'opèrent grâce à l'angoisse religieuse qui se nourrit d'un sentiment de culpabilité sexuelle et s'ancre de la sorte profondément dans la vie affective [1]. »

Le fascisme a montré de façon dramatique que les femmes pouvaient servir dans le sens de la régression-répression, sous l'emprise d'un masochisme d'État destiné à produire la joie dans la négation de la joie et dans le « Triomphe de la mort » (saloperie à la d'Annunzio).

Les femmes sont emprisonnées dans le cercle d'une « maternalité » éternelle jusqu'à son extinction que je renferme dans cette séquence circulaire

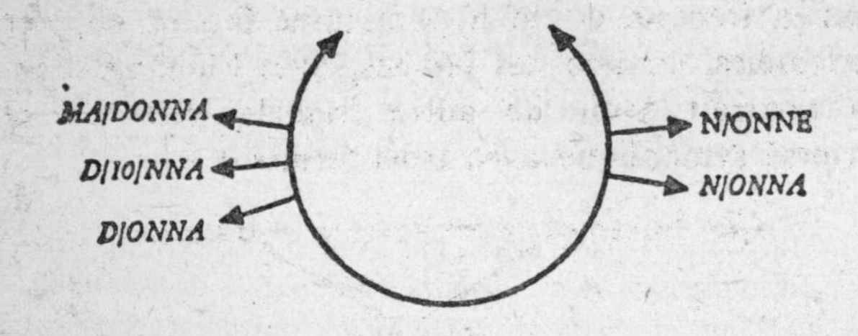

De l'empyrée céleste — où Dieu et femme s'entrelacent dans une bisexualité divine, émule génératrice — jusqu'au tombeau qui enfermera la vieille grand-mère ou nonne improductive.

Tandis que le fantoche viril, le Duce, pourra être symbolisé par un triangle

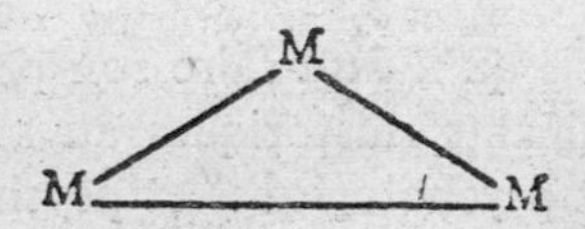


= Mussolini-Mâle-Mari, comme reproducteur d'une espèce romaine, dont la propriété cependant appartient aux femmes, dit-on. Celles-ci sont fraudées dans leur fantasme fondamental, la reproduction-procréation. Le trait de génie du fascisme et du nazisme, c'est de jouer les femmes sur leur propre terrain, de les faire reproductrices de vie et gardiennes de la mort, sans que les deux termes soient en contradiction : celui de répression sexuelle et celui d'appel à la propriété de la femme sur l'espèce. « Cercueils et berceaux » c'est en effet non seulement une des idées fixes de la prose mussolinienne, mais aussi le thème de ses discours et de ses slogans adressés aux femmes, dans la frénésie d'une hypernatalité faisant copuler les femmes, comme des lapines, avec l'homme-dieu. On pourrait avoir un autre triangle, cette fois-ci renversé symbolique avec trois termes :

à savoir : *père et mère ensemble — dieu-femme* (et souvent, par l'usage des chapeaux, des franges, des plumets, des plumes, l'habillement du Duce est féminin). Avec le débouché d'une double pression, patriarcat et matriarcat ensemble déchaînés sur un univers féminin enchaîné.

*Thèse 2.* Je crois qu'il faut faire son possible pour traverser les signifiants, historiques au sens général, et linguistiques et psychologiques et psychanalytiques dans les rapports entre la femme et la *Weltanschauung* fasciste. Quelques rappels historiques : Mussolini est le novateur-inventeur du rapport entre le fascisme et les femmes; ses premiers discours adressés aux femmes, pour obtenir leur appui, comme élément fondamental du *consentement* en vue de la « prise du pouvoir », datent de 1922-23; il pose le problème du vote des femmes (pour le leur refuser par la suite); il invente l'escadron féminin de la mort — veuves, mères en deuil ou demi-deuil — dans une Italie qui sortait de la guerre mondiale avec six cent mille morts et un million de mutilés; il invente l'habillement féminin, les lugubres devises noires des escadristes qui, avec la tête de mort sur la poitrine, attaquaient « les rouges » avec les poignards et des épingles à chapeau; il structure un langage, une sémiotique féminine, par l'invocation initiale « veuves, mères de soldats morts, épouses », qui se changera plus tard en « sœurs » et « filles ». C'est Mussolini qui, le premier, se jette dans la campagne démographique et qui dicte le premier commandement du décalogue féminin : Accoucher : « Le nombre est puissance. » Il invente l'éloge du gouvernement à l'égard des femmes : « Comme l'éloge de vaches fournissant tant de lait, tant de veaux [2]. » Le fascisme mène pour la première fois les femmes italiennes sur la place, dans une contre-explication de la politique, des événements ménagers et mondiaux, et ceci avec le caractère obsessionnel du cérémonial — saluts, cris rythmés et ensorcelants — avec une liturgie qui ressemble à celle de l'église, et le discours de Mussolini adressé aux femmes, et qui remplit l'activité oratoire du Duce, de 1936 à 1941, s'accompagne au rituel hystérique de l'apparat scénique tout noir, avec les faisceaux noirs (lugubres symboles phalliques?) et avec la tête de mort aux tibias croisés que les fascistes arborent sur leurs drapeaux. C'est la « pulsion de mort » dont parle Freud, telle que Reich l'interprète à propos du fascisme. *Des berceaux aux cercueils*, ou bien des cercueils aux berceaux, sans solution de continuité, dans une constante cohérence — unité mortelle.

*Thèse 3. Le mécanisme* économique d'exploitation du capital tire des femmes la plus-value la plus élevée, à l'encontre de tous leurs intérêts matériels : ainsi se pose à nouveau le problème de l'irrationnel dans le consentement accordé par les masses au fascisme, soulevé par Gramsci (en part) et par Reich (surtout).

Le fascisme aurait satisfait l'intérêt des masses : telle est l'explication que les versions économistes et humanistes du fascisme s'efforcent de lui donner. Le fascisme agit au contraire contre leurs intérêts, ceux des femmes en particulier, en leur demandant une pratique sociale, économique et intellectuelle les soumettant, en première instance, à l'exploitation. La plus-value tirée des femmes — qui acquiert des caractéristiques bien plus compliquées que celle qui a été étudiée par Marx — sert, en premier lieu, à boucher les trous d'une économie en crise, à affronter le problème du chômage des hommes, et donc à faire accepter de lourds impôts pour financer ses entreprises de guerre, et va jusqu'à leur ôter le pain de la bouche. Sous le fascisme, les conditions de travail des femmes se situent dans le contexte des travaux les plus misérables, beaucoup plus terribles que ceux qui sont réservés aux émigrants, ou aux méridionaux qui vont s'établir en Italie du Nord; la baisse des salaires des femmes est de 50 %, aux termes de la loi appliquée par les corporations fascistes. Je dérange le jeu de l'oie où tout est facile, et de la case de l'*oppression fasciste* on saute enfin à la case victorieuse de la libération par rapport au fascisme. Je montre le cheveu dans la soupe que l'on veut toujours nous faire avaler. Je dis que le phénomène dictatorial est plus complexe que la banalité justificative de ce petit groupe extrémiste qui, pour sauver la respectabilité des masses, et donc l'*honneur féminin*, a écrit, en polémiquant contre mon cours sur le fascisme à l'université de Vincennes : « L'aptitude du programme fasciste à rassembler de larges masses, en soutenant leurs intérêts, n'a rien d'irrationnel. » Le problème est, au contraire, de savoir comment, *contre ses propres intérêts*, le déchaînement de l'irrationnel (et de l'inconscient, si l'on peut dire, en sortant du langage marxiste), accompagne, et sous certains aspects, permet la domination fasciste. Quand le nazisme explosa en Allemagne, on ne sut trouver aucune réponse dans les gros vieux livres :

« Dans les milieux qui exerçaient une influence décisive sur l'opinion publique en Europe aux alentours de 1930, l'exigence des masses pour le bonheur n'était pas considérée comme allant de soi et son absence ne constituait pas un sujet de discussion. Il n'y avait alors littéralement aucune organisation politique qui eût jugé suffisamment important de s'occuper de questions aussi " banales ", " personnelles ", " non scientifiques " ou " non politiques ".

Néanmoins, les événements sociaux aux environs de 1930 soulevaient précisément *cette* question dans toute sa signification. La vague fasciste avait déferlé sur l'Allemagne comme un ouragan et les hommes complètement abasourdis se demandaient comment pareille chose était possible. Les économistes, les sociologues, les réformateurs culturels, en même temps que les diplomates et les hommes d'État, essayèrent tous de trouver une réponse dans de vieux livres. La réponse ne pouvait être trouvée dans de vieux livres. Aucun modèle politique ne correspondait à cette irruption d'émotions humaines irrationnelles que représentait le fascisme. Jamais auparavant on n'avait examiné la politique en tant qu'objet irrationnel [3]. »

C'est en faisant appel à l'irrationnel — foi religieuse en la doctrine du régime-patrie-nation, que le fascisme tout comme le nazisme font accepter des conditions de vie intolérables. L'allemand Reck Malleczewen [4], un noble prussien tué à Dachau, écrivait que dans l'Allemagne d'Hitler tout était infecté, tout puait, qu'il y avait une puanteur de vase de nuit, une flatulence évoquant l'odeur de la merde, jusque dans les mets. Et, contrairement à la façon dont certains « extrémistes » en particulier (mais le stalinisme peut-il être, jamais, *de gauche?*) voudraient expliquer le consentement des masses, sans s'apercevoir de la contradiction où elle tombe, les masses n'ont pas été, à l'intérieur du fascisme, « les souris dans le fromage » : les masses sont adamantines, irréductiblement contraires au fascisme, mais... elles vendent leur progéniture pour un plat de lentilles.

La crise économique de 1929, avec ses énormes répercussions, fut résolue en en faisant payer les conséquences aux femmes tout d'abord : par une série de décrets et de mesures, elles furent chassées du travail, des professions surtout (de la médecine en premier lieu), de l'enseignement dans les écoles, des écoles supérieures, où l'on imposa aux étudiantes des taxes doubles, en leur empêchant (mesure allemande) jusqu'à l'étude du latin, et enfin en les expulsant, comme en Italie, des administrations, non seulement d'État, mais aussi privées, où l'on imposa que le nombre des femmes ne dépassât pas dix pour cent. *Sur le plan théorique* Mussolini revendiquait l'incompatibilité entre la femme et la machine (article qui porte le titre « Machine et femme », paru en 1934, dans *Il Popolo d'Italia*) comme rapport qui avilit la virilité masculine, qui lui vole son travail, qui empêche les naissances, qui masculinise les femmes. Pour la femme, *tout à fait dépourvue de capacité synthétique*, il déclairait inconcevable l'activité architecturale : il proclamait que non seulement la femme ne peut pas bâtir un temple, mais pas même une cabane. Après les avoir virilement insultées et rejetées en arrière dans la seule activité qui leur soit consentie, celle de faire des enfants, elles furent alors définies « illustres mères prolifiques », « grandes comme des anciennes romaines », « fidèles vestales », et avec beaucoup d'autres grandiloquentes bêtises elles furent désormais appelées à supporter des sacrifices sans nom : le rationnement, les étoffes autarciques, les mets autarciques; elles ramassaient, comme des fourmis laborieuses, des chiffons, des morceaux de fer, des bouts de laine qu'elles accumulaient pour aider *la patrie* en difficulté. Elles furent dépouillées de leurs alliances en or : le 18 décembre 1935, un mois après les sanctions infligées par la Société des Nations pour l'agression contre l'Éthiopie, Mussolini proclamait une *Journée de l'alliance*, en demandant aux femmes de faire glisser de leur doigt le peu d'or qu'elles avaient. A Rome, naturellement dans des trépieds romains, d'où s'élevaient de hautes flammes, les fascistes recueillirent 250 000 alliances et à Milan 180 000. En échange le « Duce » distribuait un petit cercle en fer, comme s'il était devenu le *Mari*, qui les conduisait à de nouvelles noces, des *noces mystiques*, sous le signe de la Mort (la guerre) et des Naissances (les berceaux). Cet irrationnel, qui sous le fascisme, décompose la raison d'une partie des masses féminines, est décrit par Brecht comme le rapport de peur, de soumission à l'Éros comme exploitation sexuelle qu'il y a entre le souteneur et la femme. Pour le fascisme, comme pour le national-socialisme, Brecht nous offre la seule analyse « économique » possible :

« *Alors il était souteneur.*

Il existe en effet plusieurs sortes de souteneurs. Il y a le souteneur traditionnel, qui envoie les prostituées gagner de l'argent à sa place, et il y a le souteneur politique.

En fait, il n'y a pas de meilleure école de national-socialisme que le proxénétisme. Si elle récrimine, il lui parle de filles plus jeunes qu'elle. Il est très favorable à la jeunesse, il est plus facile de travailler avec elle. En tout état de cause, il lui demande quelques sacrifices en échange de la sécurité qu'il lui garantit. Il lui apprend à mépriser les choses matérielles. Qu'est-ce que le beurre sur le pain comparé à un regard de lui? Il se met en peine pour elle, elle le remarque aux raclées qu'il lui donne. Et il ne la comble pas seulement de coups mais aussi de flatteries. Elle est la meilleure des prostituées, aucune autre ne lui ressemble. Et c'est lui qui la rendra riche. Pour sa part, il est dénué d'égoïsme, il lui assure volontiers qu'il n'a ni domaine ni compte en banque [5]. »

La « peste émotionnelle » du fascisme se propage dans l'épidémie familialiste, et impose que la femme s'auto-efface comme entité autonome, sous le fouet de celui qui l'a en main, qu'elle se crucifie par la procréation continue, toujours soumise à l'autorité patriarcale, mère, épouse, fille. (Virginia Woolf, comme je l'ai dit, compare la brutalité du patriarcat à celui de la dictature fasciste en 1940.) Hitler, en un certain sens, sanctionne l'appartenance de la femme à la communauté : la nation s'identifie à la mère, la mère à la famille, et l'État est un amas moléculaire fait de familles. Il écrit dans *Mein Kampf :*

« Plus impérieux encore que le travail en commun il y a le devoir qu'ont l'homme et la femme de perpétuer le genre humain. C'est la noblesse de cette mission des sexes qui est la cause des dons naturels spécifiques de la providence. Notre tâche la plus haute... la fin dernière d'une évolution vraiment organique et logique est la fondation de la famille. Elle est l'unité la plus petite, mais aussi la plus importante de la structure de l'État. »

L'homme est le dépositaire de la valeur mystique de la race. La femme sera la grande mère allemande, la patrie douloureuse, la patrie ressuscitée, la patrie en guerre, Mère et Mort à la fois. L'archétype constant est l'ange du foyer, fantasme angoissant qui nous hante encore. Je cite encore une fois Virginia Woolf dans *Trois Guinées :*

« L'ombre de ses ailes [celles de l'ange du foyer] obscurcissaient ma page. Dès que je reprenais la plume pour parler d'un roman écrit par un homme célèbre, elle se glissait derrière moi : " ma chère, vous êtes une jeune femme. Vous écrivez à propos d'un livre écrit par un homme. Soyez compréhensive, soyez tendre, trompez, adulez; usez de tous les artifices, de toutes les ruses de votre sexe. Ne laissez jamais deviner que vous avez une idée à vous. Et surtout, soyez pure ". Je me tournai vers elle et je la saisis à la gorge... Tuer l'ange du foyer, ça fait partie des tâches de la femme écrivain. »

J'ajoute : étrangler l'ange du foyer, ça fait partie des tâches de la révolutionnaire, de la femme politique, de la militante féministe.

*Thèse 4.* Comment (et si) la mentalité réactionnaire du pouvoir dominant organise « la cuirasse caractérielle » de l'ange domestique comme trait d'union entre patriarcat et tyrannie fasciste en faisant en sorte que la femme, dans cette topique, joue le cruel rôle matriarcal qui viscéralise en soi l'autorité paternelle (exemple des femmes dans la bourgeoisie chilienne).

C'est dans ce cadre qu'il faut accomplir, j'insiste, le crime salutaire contre la frustration de la *femme au foyer*, pour détruire le jésuitisme et l'hypocrisie de la société, l'angoisse qui se nourrit de la culpabilité sexuelle, et qui prépare le terrain à la tyrannie répressive. Cette féminine « cuirasse caractérielle » du fascisme (et du néo-fascisme) est soutenue par les quatre encycliques papales promulguées en ces cent dernières années contre la femme et son travail, en vue de ne lui imposer rien d'autre que la procréation : et par conséquent, de ne pas divorcer, de ne pas prendre la pilule, de ne pas avorter, etc. Soutenu par cette autorité « spirituelle », le fascisme et le néo-fascisme organisent la mentalité réactionnaire, non seulement de l'individu, mais de la femme, sous la forme de la famille autoritaire, qui va jusqu'à caractériser la structure caractérielle des couches sociales petites-bourgeoises (en premier lieu), qui de l'Italie de 1922 à l'Allemagne de 1933, au Chili de Pinochet, tirent le potentiel de la contre-révolution : dans la Femme/mère, dans la Femme/foyer, dans la Femme/patrie. Entre femme et politique s'opère une coupure épistémologique consacrant l'idéologie dominante. *La féminité* dans la lutte des classes a été souvent agitée contre le prolétariat, et c'est Marx qui, le premier après avoir exalté l'héroïsme des femmes sur les barricades, en parle à propos des bourgeoises et des prostituées (ensemble), qui, comme des viragos, étaient du côté de Thiers dans la Commune de Paris. Mais le Chili réclame une analyse politique très urgente : les fossoyeurs du pouvoir d'Allende se servent de quelques couches de femmes comme force de choc qui marque le début de l'involution réactionnaire par des « charges » de coups de casseroles, faites non seulement de bourgeoises, mais de petites-bourgeoises. Puis ce sont les femmes des camionneurs et celles des grévistes des mines de cuivre de El Teniente qui descendent sur la place, lors de la grève financée par la CIA. Beaucoup d'« anges du foyer » chiliens ont, contre Allende, proclamé avec rage la défense de la famille (patriarcale), de l'état d'ordre; en signe d'humiliation et de mépris, elles allaient jeter des poignées de maïs devant les casernes pour dire aux officiers et aux soldats qu'ils étaient comme des poulets, qu'ils étaient « couards », « cons », « pédérastes » et « impuissants » enfin (article de Michèle Mattelart, in *les Temps modernes*, 1975). Les femmes reprenaient à leur nom les valeurs viriloïdes les plus sordides, en soulignant de façon absurde le pouvoir de l'État comme Pouvoir du Mâle, alors qu'elles se dressaient contre les hommes (démocratiques, socialistes) comme des détentrices du matriarcat.

Mais on se demande aujourd'hui, de façon autocritique : qu'a donc fait la gauche chilienne, pour opérer, du plus profond d'un tissu historique spécifique, une révolution féminine s'accompagnant d'une révolution démocratique. Maintenant, selon Armando Uribe, ex-ambassadeur du Chili en Chine, le régime néo-fasciste qui s'est structuré au Chili a les caractéristiques d'une *féminité bourgeoise* d'asservissement existant entre maître et domestiques, qu'Uribe définit en ces termes :

« Le sadisme prend aujourd'hui des aspects féminins. Au fond de la voix puissante des militaires, dans leur brutalité de caserne, dans les écrits soi-disant définitifs, dans les discours péremptoires, on sent des notes stridentes et des spasmes. Sous leurs condamnations des politicards transparaît la jalousie, comme une ombre de l'envie qui, depuis plusieurs générations, couvait dans les femmes des militaires — fonctionnaires subalternes — à l'égard de leurs contemporaines, les femmes des hommes de pouvoir. Et, lorsqu'ils crient après ceux qui s'appellent " nos travailleurs ", lorsqu'ils menacent d'augmenter le travail pour un salaire identique ou inférieur, ils imposent une discipline dépourvue de droit à la parole, de réplique, et on assiste, sur le plan national, aux attitudes des " maîtresses de maison " gouvernant leurs " domestiques ". Aujourd'hui, au Chili, Marx a enfanté du nouveau [6]. »

*Thèse 5.* Le fascisme organise la « cuirasse caractérielle » féminine *par un discours rigoureusement chaste* et *son plus grand effort réside dans le meurtre de la sexualité*, dans la frustration sexuelle — par le langage, la liturgie politique, le cérémonial mystique.

La représentation finale d'un monstre — le fascisme — s'organise dans le langage totalitaire, comme intervention déterminante en politique pour unifier la *mentalité féminine.* La corpulence du discours politique est instrument de pouvoir et, en tant que tel, Mussolini s'en est servi pendant vingt ans, lorsque du balcon il s'adressait aux foules féminines — comme squelette d'une langue ou métalangue particulière que l'on adresse aux femmes. Le corps du discours fasciste est rigoureusement chaste, pur, vierge. Son but central, c'est la mort de la sexualité : les femmes sont toujours appelées au cimetière pour honorer les morts en guerre, pour leur apporter des couronnes, et elles sont exhortées à offrir leurs fils à la patrie. Le langage mussolinien s'enlise, mais il réussit à charmer, à posséder les femmes qui, au moins pour un moment, sont prises entre le suprême sacrifice et l'enfantement. Il s'agit, je le répète, de deux termes entre lesquels il n'y a pas de contradiction : le rapport n'est pas sexuel, il n'est pas charnel, il ne se produit pas avec l'homme ou son phallus, mais il est idéologique. Il se produit avec le régime fasciste lui-même, semence de la procréation dans une Femme Immaculée, tout comme « Marie eut Joseph pour très chaste époux », qui la fit enfanter sans la toucher. De même les femmes ont dans le symbole phallique, le faisceau, le grand Ensemenceur. Quand l'alliance est offerte à Mussolini, c'est un mariage sublimé qui s'accomplit : les femmes épousent le père et le mari sacré, la consommation du mariage est mystique. C'est dans la crise violente de sainte Thérèse de Lisieux — « le délire de nombreuses religieuses qui se croient les fiancées du Christ [...] qui choisissent d'autres voies sexuelles, telles que le martyre masochiste [7] » que l'on peut joindre ces deux racines, celle du mysticisme et celle de la pulsion fasciste. Chez sainte Thérèse de Lisieux, la crise du sang perdu (« menstrues ») qui « révèle à la femme son identité » et la vue du « premier filet rouge qui s'échappe du corps » sont mises en rapport avec les plaies du Christ. Comme l'écrit Mabille, en elle se réveille « la passion sadique de la femme infirmière, de l'éternelle soigneuse attirée par l'odeur du sang chaud », et Thérèse note :

« Ce fut devant les plaies de Jésus, en voyant couler son sang divin, que la soif des âmes, de la conquête des âmes pénétra mon cœur. Aux âmes j'offrais le sang de Jésus, à Jésus j'offrais ces mêmes âmes rafraîchies par la rosée du Calvaire. Comme toi, mon Époux Adoré, je voudrais être flagellée et mourir dépouillée, je voudrais être plongée dans l'huile bouillante, je désire être broyée par la dent des bêtes, afin de devenir un pain digne de Dieu... Je voudrais présenter mon cou au glaive du bourreau [8]. »

Les fascistes, on le remarque marginalement, firent de celle qui soigne les plaies, de l'infirmière, celle de la Croix-Rouge, la féminité mystique attirée sur le front par le sang chaud; dans la dernière phase du régime, elle fut célébrée, comme l'héroïne numéro un dans le film de Rossellini, consacré aux infirmières de la Croix-Rouge, un film-texte du pur-mystique répressif fasciste : *Le bateau blanc* (La nave bianca). Ce qui confirme que le mysticisme favorise la répression sexuelle, et consomme l'énergie sexuelle. En effet, pour que l'attitude mystique puisse être réellement anti-sexuelle, elle doit être accompagnée du sermon sur la pureté et la chasteté, comme l'écrit Reich :

« Cela explique pourquoi l'homme élevé selon les normes de la " moralité " mystique ou nationaliste succombe si facilement au bavardage de la réaction politique sur l'*honneur*, la *pureté*, etc. Il est obligé de s'exhoter sans cesse à être honnête et chaste : le caractère génital est spontanément chaste et honnête, il n'a pas besoin d'incessantes admonestations... La prise de conscience sexuelle signifierait la fin du mysticisme. L'éveil de la conscience sexuelle des femmes, leur mise en garde expresse contre les dangers de l'ascétisme, sont les préalables essentiels à la lutte contre l'exploitation politique de leur dépendance par rapport à l'homme [9]. »

Or, dès la fin du siècle dernier, le marxisme avait mis en état d'accusation refoulement sexuel, mysticisme et chasteté, comme matrice de la réaction : en 1887, Eleanor Marx écrivait, dans un article paru dans une brochure :

« Le moment est venu pour les hommes et les femmes de reconnaître que la répression sexuelle est toujours suivie d'effets ravageants... des milliers de femmes sont frustrées, mois après mois, année après année, pour leur " jeunesse passée à jamais ". C'est pourquoi, nous, pour la plupart socialistes, nous affirmons que la chasteté est une chose sacrée mais malsaine... Nous considérons la chasteté comme un crime. »

Les époux recevaient, lors du mariage célébré sous le fascisme, non seulement un prix de cinq mille lires (la dot paternelle remplacée par le Duce), mais aussi une copie de l'encyclique « Chastes mariages », proclamée par Pie XI, un an après la réconciliation entre l'église et le fascisme, en 1930 — encyclique qui imposait à la femme pour seule vocation, celle de servir son mari après les noces, et aux époux un *mariage très pur*, avec pour seul but la procréation. La femme était fraudée jusque dans « *sa propriété* » de ses fils qui étaient, en vertu de la loi et dans toute la pratique et la théorisation catholique, reproposés comme propriété absolue du mari. Mais de quel Mari? Au fond, dans le fascisme, la figure du mari n'existe même pas. Au long du discours, les variations mussoliniennes sur les fils sont telles que les fils semblent ne pouvoir parler que de pères putatifs : ils sont « fils de martyrs », de « mutilés », fils de « jeunes couples paysans », « fils de la louve », « fils de Rome », « fils de l'Italie mussolinienne », etc. *Finalement, ils n'ont jamais de pères.*

L'exemple du discours sexuel qu'accomplit à son tour la femme fasciste est offert par le salut que la marquise Casagrande adresse, lors du premier congrès de la femme fasciste (à Venise en 1923), à Mussolini en personne :

« Les femmes ont mis au monde les enfants, mais vous [Mussolini], vous les avez inspirés et conçus. Il est vrai que c'est au plus profond de la femme que l'on trouve l'arôme stimulant la vigueur mâle du combattant que nous vous sentons prêt à répandre à pleines mains, de même que nous, à pleines mains, nous avons donné nos fils à la patrie... »

Un discours de symbolisme érotique exprimé si ouvertement qu'il humilie tous les hommes excepté la « vigueur mâle » du Duce. En effet, pendant le fascisme, *la castration de l'homme va de pair avec celle de la femme.* Et la libido masculine réprimée prend pour seul et ultime débouché celui de la guerre, des aventures mortelles par lesquelles l'eros est remplacé : c'est l'ancienne malédiction — « sublimation » — d'amour et mort.

Une image : je vois les femmes sous le fascisme qui semblent porter attachée à leurs reins une longue chaîne de casseroles, semblable à une queue métallique bruyante — chaîne symbolique, et réelle —, d'où l'on entend résonner, comme les chaînes du condamné, tout le métallique discours mussolinien, qui rejoint le discours franquiste, celui des « casseroles vides » au Chili, de la femme de Pinochet, dont le grincement est encore présent parmi nous et torture nos oreilles. Couper cette chaîne, c'est briser celles qui, dans le manifeste communiste, étaient appelées les chaînes attachant le prolétariat au capitalisme, car en les brisant, le prolétariat n'avait rien à perdre. Gigantesque travail politico-idéologique pour tous les révolutionnaires en vue d'en finir à jamais avec le mysticisme-mystification : celui-là même qui incitait les pauvres paysannes de Lucanie à dire, en se signant, lorsqu'elles voyaient venir Mussolini parmi elles pour battre : « Dieu nous donne le blé, il nous le travaille et nous le protège!... »

*Thèse 6. Le rapport entre marxisme et révolution sexuelle.* Rapport passé sous silence et obstinément refusé : question brûlante que Reich fixait en ces termes :

« La morale sexuelle se trouve fourrée sous notre peau, notre peau de communistes, beaucoup plus profondément que nous ne le croyons. Ainsi, tant que ce verrou de notre répression ne sautera pas, non seulement il ne sera pas possible d'examiner sérieusement le fascisme, mais le fascisme sera possible. »

Le fascisme s'installe comme négation de la lutte des classes en rejetant violemment tout sexe en arrière, vers la fonction « originaire ». Dans le fascisme, la différence sexuelle est imposée jusqu'à l'absurde. La lutte des sexes est niée comme l'est la lutte des classes, puisque le fascisme prend comme point de départ la subordination d'un sexe à l'autre, en tant qu'acceptation volontaire de sa propre féminité-maternité, « attributs royaux ». De même que, dans la corporation fasciste, le prolétariat est obligé à un rapport d'entente et de paix sociale avec le maître, de même la femme est présente dans le contrat social décrété entre elle et la société. *La propriété de la femme* est la même pour tous les hommes, qui, précisément en raison de ce bien inexpropriable qu'est *la femme, peuvent se considérer, du maître au travailleur*, égaux entre eux, et ayant les mêmes droits. (En effet, toutes les organisations féminines fascistes se créent comme des corporations moléculaires de femmes, qui se renient elles-mêmes pour servir la propagande propre au Duce, viriloïde, sur l'appartenance de la femme à la Patrie, et à l'Homme Noir.)

Du côté opposé, de notre côté de marxistes, de léninistes, de révolutionnaires, toute action libératrice repose sur la *lutte des classes*, sur la victoire finale, qui brise les chaînes de l'esclavage féminin, ainsi que celles de tous les exploités. Ces deux positions, bien qu'antagonistes, sont liées comme la face et le revers d'une médaille. Sur le terrain d'une révolution sexuelle, nous autres, communistes, nous sommes misérablement arriérés. Si Marx et Engels ont accompli, avec un immense labeur, un travail de cyclopes pour déchiffrer 2 000 ans d'histoire, ils ont laissé ouvertes, et surtout Engels, de grandes hypothèses sur la famille, la femme prolétarienne du prolétaire, le rapport entre les sexes, de sorte que l'on reste d'autant plus stupéfaits en constatant comment les marxistes, les partis communistes et les « pays socialistes », ont réussi pendant si longtemps à ensevelir les problèmes du marxisme concernant la *société civile.* Quand, en Italie, nous rencontrons le néofascisme, quand nous nous heurtons au *fascisme quotidien*, nous nous apercevons que la question sexuelle est là — comme Reich le disait au moment de l'explosion nazie en Allemagne :

« L'évaluation morale et sociale de la plus importante fonction biologique humaine était entre les mains de dames frustrées sexuellement et de professeurs morts végétativement. Il n'y avait, après tout, aucune objection à l'existence de ces sociétés formées de dames frustrées sexuellement et de momies végétatives mais il était nécessaire de protester contre le fait que ces momies, qui avaient cherché à imposer leurs attitudes à des organismes sains et florissants, étaient aujourd'hui à même de les imposer. Les déçues et les momies en appelèrent au sentiment de culpabilité sexuelle général et citèrent comme témoignages le *chaos sexuel* et le " déclin de la civilisation et de la culture [10] " .»

N'est-ce pas pareil aujourd'hui, devant l'explosion de l'eros, dans la civilisation de consommation, par la brutale intervention des films érotiques qui envahissent la vieille Europe : nous restons ici, comme des béguines, armées de jugements moralistes, ou des ciseaux de censeur, comme certaines féministes, qui invoquent la hache de la censure bourgeoise : ou bien nous restons désarmées — le roi est nu — face aux sentiments vitaux et naturels qui, si l'on va au fond des problèmes, ne semblent en rien criminels aux masses. Quelle est la vraie position de ces dernières face aux problèmes de la sexualité?

Nous, nous ne le savons pas, pas même comme militantes des partis. Parce que ce sont depuis toujours des sujets tabou. Quand à Berlin, en 1930, après avoir créé l'*Association allemande de politique sexuelle prolétarienne* Reich eut une expérience militante directe au milieu des masses, en défiant parfois les bandes nazies, et alors qu'il recueillait dans les campagnes du quartier ouvrier de Berlin jusqu'à deux ou trois mille personnes, voici comment il notait la réaction des militants aux meetings :

« Les gens sortaient complètement de leur coquille. Mon rôle était capital et l'est resté jusqu'à ce jour : il consistait à renverser la barrière qui sépare les gens de leurs vies privées. Comprenez-vous? Personne n'en parle. Personne n'y touche. Personne! La première chose à faire était donc de renverser cette barrière. Je leur disais : " Je vous poserai des questions directes, je vous présenterai des problèmes concrets. Pas de périphrases! " Le résultat était merveilleux. Je n'oublierai jamais les figures ardentes et colorées, l'éclat des yeux, la tension, le contact humain. Je puis vous assurer, docteur, que ce sujet s'imposera partout. Il abattra n'importe quel dictateur. Il est chargé d'une force sociale considérable. C'est la force de l'avenir. C'est la révolution sexuelle [11]. »

Mais Reich fut expulsé du parti, le KPD (de même qu'il sera expulsé de la société de psychanalyse), sous l'inculpation d'être un libidineux corrupteur de la jeunesse. Selon les mots indignés d'une doctoresse du KPD, telle est son « infamie » : « Comment vous permettez-vous de croire que nous, filles d'ouvriers, nous avons un problème sexuel? Votre théorie est une honte pour le prolétariat, les problèmes sexuels ne concernent que la bourgeoisie. » Nous ne sommes pas si loin de ce qui se passe aujourd'hui. Quelques petits groupes ultra-gauchistes infantiles — et ceci d'après mon expérience, lors de mon cours sur le fascisme en France à l'université de Vincennes — sont sur la même ligne que le KPD en 1933-34. Le phènomène auquel nous assistons se branche sur l'involution idéologico-politique d'après 1968 : des poussées rétrogrades d'hypocrites répressions hystériques et anti-femme renaissent : un dangereux « machisme » dogmatique-stalinien fait du chemin : il veut l'humiliation de la femme et met tout en œuvre pour l'aveugle contestation d'une bataille féminine autonome, en remettant tout « salut » de la femme — *inférieure* pour eux aussi — dans les mains d'une *masse* indéterminée. C'est ainsi qu'ils rejoignent la haine de la droite à l'égard des femmes dans un étrange amalgame (qui, du reste, était aussi présent en Allemagne dans la collusion politique entre extrême droite et « gauche », qui fut représentée dans ledit courant du national-bolchevisme). Je parle d'un misérable groupuscule délirant qui ne doit certes pas être confondu avec le gauchisme — mais dont les positions sont pourtant à signaler comme épiphénomène : *a*) seule une révolution prolétarienne donne une solution globale au problème de la femme; *b*) on ne peut pas analyser le rapport qu'il y a eu entre le fascisme et les femmes, parce que le phénomène du consentement lui-même est mis sur pied par ceux qui veulent insulter le prolétariat, qui est, par antonomase, adamantin et incorruptible. Celui qui affirme que l'opposition des sexes précède l'opposition des classes est considéré blasphémateur. Je vous prie de m'excuser si je parle de mon expérience directe, mais l'agression, presque physique, que j'ai subie pour avoir abordé, comme femme et comme militante, ces thèmes à Paris, a un intérêt de référence non pas personnel, mais politique-théorique, précisément par la métalangue employée par le petit groupe qui s'est défini d'abord groupe Foudre, en employant, certes par ignorance, le même signe graphique que les SS. Maintenant il s'appelle « Groupe Yenan » : les grottes de Yenan — soit dit en passant — dans le quartier latin sont devenues de tout confort. Ce que l'on entend résonner, dans ce discours, c'est l'accent du même dégoût-mépris des fascistes à l'égard des femmes, masqué, dans ce cas, par la phraséologie marxiste-léniniste-maoïste (phénomène que l'on ne connaît pas en Italie, où la scission d'avec les fascistes est plus violente).

« Macciocchi... c'est un symptôme de la façon dont toute une frange d'intellectuels marxistes abandonne le marxisme-léninisme, démissionne, s'engouffre dans la nuit psychanalytique, en tournant le dos à la guerre de classe. La passion de Macciocchi pour la Chine ne laissait pas deviner une passion parallèle (honteuse?) pour les obscurs mouvements de l'âme méditerranéenne et pour la libido profonde du Duce. »

Mais laissons de côté ces parasites — poux de l'histoire? — qui ridiculisent la Chine et sa révolution, en se l'appropriant comme des pickpockets pour passer aux grandes forces politiques qui se rapportent au marxisme : de l'idéologie et de la structure même des partis communistes, des syndicats, et pour en arriver au jugement (global) sur les pays socialistes, qu'ils soient vrais ou faux, à leur rapport avec une révolution féminine. La donnée réelle c'est que, non seulement la cuisinière de Lénine n'a pas appris à diriger l'état, mais qu'en politique, les femmes restent toujours aux fourneaux de la cuisine, et leur pouvoir n'est pas plus grand que celui des nonnes dans le couvent gouverné par les pères prieurs. Un exemple rapide, sur les habitudes intellectuelles : si, en Italie, une femme étudie et analyse la pensée de Gramsci, une revue influente « de gauche » la raillera en lui disant qu'elle a mis « Gramsci *sous le lit* » (titre donné par *Quaderni piacentini* au compte rendu de mon « Pour Gramsci »).

Le problème est énorme : il réside dans la place de la femme dans le discours marxiste lui-même, et il repose de ce fait tout le problème de la superstructure. Il le repose : *a*) face au fascisme, car la crise qui conduit au fascisme ne se réduit pas aux seuls phénomènes de concentration violente du capital, sollicitant un régime « césariste » ou dictatorial, ou encore à « l'action du capitalisme financier le plus réactionnaire », (selon l'analyse mutilée de la Troisième Internationale), mais bien plutôt il investit l'immense domaine superstructural « la SUPERSTRUCTURE NAIT PAR ANTICIPATION » (Brecht) — dont les idées qui dominent les piliers de l'appareil idéologique d'État, grâce aux deux forces conjointes du capitalisme et du fascisme, pivotent sur le familialisme, l'antiféminisme, le patriarcat. Il le repose : *b*) face au socialisme, ou au marxisme-léninisme renouvelé, comme révolution idéologique, intellectuelle et morale, celle que Gramsci évoquait avec une passion semblable à celle de Machiavel lorsqu'il invoquait le *Prince* (inexistant) pour soustraire les masses à l'atomisation (au merdier) de la conception petite-bourgeoise et fasciste. *Mais une révolution semblable va si loin que la sexualité interroge et investit la politique* à l'intérieur *de la théorie, et de la superstructure même des forces politiques de gauche, des partis ouvriers, de l'entière organisation de la société, elle met donc en crise l'équilibre même grâce auquel le système capitaliste essaie, par des compromis historiques ou non, de rester au pouvoir.* Écoutons Brecht sur l'évolution irréversible de la superstructure.

« La superstructure se développe au moment où elle est le plus nécessaire : lorsque les conditions matérielles la rendent nécessaire pour leur mutation (leur bond!). Au moment de la révolution s'opère sa transformation qualitative. L'humanité ne se propose rien qu'elle ne puisse réaliser, mais elle doit tout se proposer [12]. »

Cependant il n'y a aucune autre voie : en Italie, le premier signe de désagrégation du pouvoir DC — Église —, événement historique après 1945, a été donné par le *référendum* sur le divorce, c'est-à-dire justement sur le plan de la superstructure, sur un terrain où se rejoignent politique et sexualité, fait qui démontre que si une crise économique peut être surmontée par le pouvoir, une crise idéologique de fond investissant la conception du monde, *et de la femme*, peut décomposer définitivement le « système de forteresses et de casemates » qui se forme derrière la première ligne du front et qui protège l'ennemi, même lorsqu'on croit que le heurt contre la première tranchée a été victorieux. L'introduction du divorce, arrachée par une bataille de masse, a démontré historiquement que c'est possible : *l'expropriation de la femme*, comme signe du procès d'autonomie, d'indépendance, de libération, de la femme par rapport à elle-même, à sa nature concrète, à son propre corps. Comme pour la pilule, comme pour l'avortement.

Mais une telle révolution porte aussi un coup au messianisme féminin qui, tout en se battant pour le divorce, la pilule, etc., refuse non seulement la politique, mais aussi l'histoire : en créant une nouvelle métaphysique, un nouveau thomisme, à son tour mystifiant, en posant les femmes hors du processus historique réel (le fascisme n'était-il pas tout à fait hors de l'histoire quand il voulait donner l'empire de Rome aux Italiens sous-développés, de l'époque pré-industrielle?). Quelques-uns de ces mouvements féministes disent : 1) nous autres femmes, nous n'avons rien à voir avec l'histoire; 2) tous les hommes sont des cochons, et nous pensons n'avoir rien à partager avec leur sale politique (même les bourgeoises diront : les hommes ne sont pas grand-chose, nous, au contraire nous sommes dans l'éternité) : on débouche ainsi sur un marécage idéologique putrescent qui peut subsister à côté de l'idéologie fasciste : dans la dévalorisationhumiliation de l'autre sexe, dans une nouvelle amputation de la sexualité dans le rapport avec l'homme. On se précipite enfin dans l'a-histoire, dans le vide historique. La vieille trappe se referme encore une fois sur nous et ainsi : tandis que, par un compromis tacite, la femme s'engage à ne pas dépasser les limites d'un pouvoir socio-politique masculin, elle reçoit en échange la garantie que chez l'homme la sexualité ne sera pas encouragée, que le tissu social sera vidé de sexualité, hygiénique, stérilisé en vue de la reproduction. Le tissu social le plus immaculé possible, que la femme paie de la perte du pouvoir socio-politique. Sur le plan sexuel, et comme je l'ai affirmé plusieurs fois, le fascisme n'est pas seulement la castration des femmes, mais la castration des hommes : dans le fascisme, la sexualité comme la richesse appartiennent à une oligarchie de puissants. Les masses en sont expropriées.

*Thèse 7.* La question finale : la politisation complète de la question sexuelle est à l'ordre du jour. Mais comment, de quelle façon, politiser la sexualité? A l'encontre de tous les fascismes? Par une révolution intellectuelle et morale? Cette dernière thèse mérite un débat. Je ne suis pas intervenue ici — et je me suis demandée à plusieurs reprises si je devais ou non le faire — en tant qu'experte en problèmes psychanalytiques (où je ne suis pas compétente) mais comme militante qui sentait que l'enjeu est politique, contre tous les moralismes de la gauche. Mon intervention, circonscrite dans la tentative d'ébaucher la base d'un débat, qui part de l'*historicisme absolu* pour servir de détonateur aux conflits et aux obscures questions du présent politique, c'est ma contribution politique à la lutte des femmes, des militantes, des camarades. C'est bien en leur parlant ce dur langage de la conscience et de l'autonomie à conquérir, c'est en les réinsérant comme protagonistes, responsables aussi jamais innocentes, en tout cas, dans cette vieille et nouvelle traversée du fascisme, que je parle de l'intérieur de l'univers féminin. Femme comme les autres, mais venant de loin cependant, du plus profond d'une lutte politique souvent redoutable, souvent solitaire, même au cœur du mouvement communiste, même au cœur du mouvement féminin d'émancipation. Dont la leçon historique est d'avoir appris, à l'encontre de toutes les frustrations, la prise en charge en première personne de son sujet révolutionnaire, même à travers l'activité pratique militante et furieuse, même à travers l'âpre étude, l'orgueil de sa propre intelligence et de sa propre expérience pratique qui s'affirme par la domination du réel social et politique. Il ne s'agit pas seulement de « reprendre possession de son corps » selon le slogan féministe, mais de son cerveau. Je parle pour toutes celles qui ont décrété depuis toujours, ou depuis peu, la mort de la vieille « morale » féminine, et pour lesquelles le monde et la révolution s'acquièrent par la capture rusée de l'homme — soit riche, soit politiquement puissant, ou viril, soit intellectuellement grand, etc., et en le contestant éventuellement *de gauche* (ultime forme de séduction à la mode dans les familles des intellectuels petits-bourgeois). Je parle pour toutes celles qui ont tué l'anti-féminisme féminin, artificiellement alimenté par le pouvoir mâle, et qui fait de la femme l'ennemie de l'autre femme, de la *femme-trop :* trop intelligente, trop active, trop militante, trop généreuse, trop courageuse, trop jeune, trop naïve, etc.

Je ne crois pas que l'espèce humaine soit confrontée au pessimisme de Freud : autrement dit, que la féminité ne soit acceptée par personne, y compris par les femmes. Mais je crois au contraire que, grâce à l'esquisse incertaine et timide d'un rapport *autre* entre homme et femme, nous sommes en présence de l'ouverture d'un *nouveau continent* de l'histoire. Si tous les mouvements féministes, si tous les révolutionnaires le comprennent, un jour on en finira à jamais avec le fascisme.

*Traduit de l'italien par Nicole Famà.*

## NOTES

1. W. Reich, *La Psychologie de masse du fascisme*, Payot, Paris, 1972, p. 23, 69.
2. B. Brecht, *Écrits sur la politique et la société*, L'Arche, Paris.
3. W. Reich, *La Fonction de l'orgasme*, L'Arche, Paris, 1970, p. 180.
4. Reck Malleczewen, *La Haine et la Honte*, Le Seuil, Paris, 1969.
5. B. Brecht, *op. cit.*, p. 166 sq.
6. Séminaire de M.-A. Macciocchi : « Armando Uribe » in *Éléments pour une analyse du fascisme*, UGE, « 10/18 », Paris, 1976.
7. W. Reich, *La Psychologie de masse du fascisme*, op. cit., p. 147.

8. P. Mabille, *Thérèse de Lisieux*, Le Sagittaire, Paris, 1975, p. 53 sq.
9. W. Reich, *La Psychologie de masse du fascisme*, op. cit., p. 158, 166, 181.
10. W. Reich, *La Fonction de l'orgasme*, op. cit., p. 181.
11. W. Reich, *Reich parle de Freud*, Payot, Paris, 1972, p. 92 sq.
12. B. Brecht, *op. cit.*, p. 65.

# L'ENGAGE SEXUEL

ou

## La voix derrière le miroir

par

René Major

> *Hark you Guildenstern,*
> *And you too, at each ear a hearer*
>
> *Hamlet*, II, 2, 364

> *Id expectant aures, ut*
> *Verbis con igentur res.*

Ludovico Il Moro, Duc de Milan, devait s'y entendre au plaisir de l'oreille, lui qui fit venir à la cour Leonardo da Vinci, non pas au titre de peintre ou d'architecte mais comme joueur de luth. Le peu d'engagement que Leonardo contracta dans la vie sexuelle n'implique pas qu'à travers l'exercice de ses exceptionnels talents la sexualité n'ait pas trouvé son compte. Il inventa tout, même son propre instrument de musique. Nous sommes loin de ce que la découverte de l'hystérie comme perversion négative a réussi à promouvoir dans l'ère psychanalytique au rang d'un acte manqué : le coito, ergo sum.

La révolution freudienne opère avant tout au niveau du langage pour tenter de dénouer le désir de l'hystérique des liens de fascination et de servitude qui enchaînent son corps au discours du Maître et laissent ce dernier pris au rêts d'un pouvoir usurpé. Sommée de quitter un discours révolu pour s'exprimer en un langage différent, l'hystérie, *interne au discours lui-même* [1], se doit d'interroger le désir du révolutionnaire, voire de le subvertir à nouveau ou de fétichiser son objet.

Me voilà, psychanalyste, mis en demeure dans le lieu de mon retranchement : *de l'excès de ce que j'ouis s'enrobe et se dérobe ma jouissance;* ou dans ce que j'en dis, ou même à vouloir faire entendre une autre parole.

Qu'en est-il de cette troisième génération que l'on voit accouchée de l'oreille du psychanalyste, comme dans ce mythe cathare qui représente le Christ né de l'oreille de la Vierge? Ils en disaient long sur les pouvoirs de la voix de l'archange, ces cathares, qui furent réduits au silence et anéantis par l'Inquisition.

C'est dans le roc — de la pulsion sexuelle — que se retranche l'oreille, comme la nymphe Echo elle-même qui ne parle jamais la première, mais que pour faire entendre une voix qui vient de partout et qui parcourt l'intérieur et l'extérieur dans une circularité.

Narcisse, faut-il le rappeler par la bouche d'Ovide, voit son destin marqué par l'oracle de Tirésias. Venue consulter l'interprète pour savoir si elle garderait longtemps son fils, objet chéri entre tout, Liriope qui avait tout à redouter de l'amour des nymphes, recueille le mot de l'augure : « s'il ne se connaît pas. »

La mère de Narcisse, femme aux cheveux d'azur douée d'une rare beauté, ne mit au monde un enfant que sous la contrainte du Céphise qui la tenant enfermée au milieu de l'onde lui fit violence. Elle semblait jusque là s'être complue, non sans raisons, dans la contemplation de sa propre image. Et voilà qu'un enfant mâle digne de sa propre beauté vient la ravir. Qu'avait-elle besoin de s'inquiéter de compter les jours de Narcisse. Pourquoi ne consulta-t-elle pas l'oracle pour savoir si son fils deviendrait un héros? S'il allait réaliser ses espoirs?

C'est à l'âge nubile que Narcisse, après avoir rencontré la nymphe Echo, s'abîmera dans le fleuve des dieux où à ne plus entendre sa voix il connut l'objet de son amour.

Ovide est le premier poète qui ait raconté la légende d'Echo et l'ait mise en rapport avec celle de Narcisse [2]. Pour me permettre d'articuler le *voir* et l'*entendre* dans le champ de la sexualité et de l'amour — et aussi bien de l'interprétation psychanalytique qui *engage* l'être parlant — je retiendrai essentiellement les deux dialogues de Narcisse : l'un avec Echo, l'autre avec l'être aimé qui se révélera l'image de son double [3].

| | |
|---|---|
| — Y a-t-il quelqu'un près de moi? demande Narcisse | — Dixerat : Ecquis adest? |
| — Moi, répond Echo. | — Adest, responderat Echo. |
| Ici, réunissons-nous. | — Huc coeamus. |
| — Unissons-nous. | — Coeamus. |
| — Retire ces mains qui m'enlacent : plutôt mourir que de m'abandonner à toi. | — Manus complexibus aufer; ante emoriar quam sit tibi copia nostri. |
| — M'abandonner à toi... [4]. | — Sit tibi copia nostri. |

Dans sa fuite Narcisse est conduit à la source, lieu de son désir et de sa nostalgie, lieu de ses origines; cherchant un apaisement, celui de sa soif, il voit de ses lèvres naître un autre désir : celui des yeux qui le contemplent, les lèvres qui se tendent vers lui.

Mais cette bouche qu'il admire lui renvoie des paroles qui n'arrivent pas jusqu'à ses oreilles. L'onde qui se colore de pourpre réfléchit la blessure qu'il s'inflige mais ne saurait infléchir sa voix. Les dernières paroles que Narcisse adresse au visage qu'il contemple ne peuvent être que celles naguère recueillies par sa mère ou à lui transmises :

« Hélas! enfant que j'ai vainement chéri » (Heu frustra dilecte puer).

Il m'a paru nécessaire [5] *d'articuler* la *pulsion scopique* dans son rapport à la temporalité qu'elle scande sur fond de battement d'une autre pulsion qui structure l'espace, la *pulsion acousique* [6]. L'objet de la pulsion scopique, le regard, surgirait dans la structure d'un champ *phonématique* et virtuellement sémantique.

Il ne faut pas confondre d'où la sexualité sourd en des zones privilégiées et la source elle-même de la sexualité. Les lieux décrits de la sexualité orale, anale ou génitale n'ont nullement l'exclusivité dans le recrutement de l'excitation sexuelle : « toute région cutanée et tout organe des sens — et à la vérité probablement *tout* organe — peut avoir la fonction d'une zone érogène » [7]. A notre avis les sources internes de l'excitation sexuelle font appel d'emblée à une sollicitation par le toucher mais ne participent à la constitution des fantasmes inconscients que par l'entrée en fonction de la zone auditive puis de la zone visuelle.

Les lallations du troisième mois contiennent des possibilités d'expressions sonores beaucoup plus vastes qu'il n'est jamais nécessaire à l'agencement des réseaux signifiants.

Une pulsion invocante a été désignée par J. Lacan [8], sans qu'il lui soit consacré de développement. Il n'en est dit que ceci : qu'elle est la plus proche de l'expérience de l'inconscient. L'hallucination, dont on sait qu'elle est à prédominance acoustico-verbale, en témoigne. Il importe de considérer que l'objet dont dépend le fantasme dans le registre auditif c'est *la voix*, qu'elle se fasse bruit, parole ou simple rythme.

Si au fond de ce qui serait un *moi-même* ça parle sans interruption, ça doit s'entendre quelque part; dans le corps comme monde extérieur, en *un langage d'organe* que traduit le *s'écouter*, à la limite comme purs sons du corps, si l'on admet que les premières impressions cénesthésiques de l'enfant sont liées à des sons émis et perçus bien avant que l'objet de la pulsion orale, le sein, ne soit appréhendé; ça s'entend aussi dans *le langage du rêve* comme rébus, hétérogène à la légende qui le formule; ça s'entend également dans *le langage du fantasme* à la place indéterminée du sujet, langage que privilégie la situation analytique par la structure même de son espace et de son temps et qui correspondent à un fonctionnement spécifique de l'appareil du langage. Que la parole veuille se faire entendre dans ce lieu singulier implique que soit délimité l'espace analytique en fonction du *s'entendre parler*.

Que la sexualité comme constitutive de la dimension de l'inconscient passe par les défilés du signifiant, c'est aussi ce que Freud dans l'Abrégé énonce en ces termes : « c'est le travail de la fonction du langage d'établir les liens nécessaires entre les processus internes du Moi et les résidus mnésiques des perceptions, visuelles, et plus particulièrement auditives » [9].

L'étude de notre mythe vaut pour sa valeur exemplaire de réflexion du fantasme en son origine même. Si Liriope reconnaît en Narcisse l'enfant qu'elle a été, son souci concernant sa survie est étrange. Si elle retrouve en lui une partie d'elle-même, c'est cette partie qu'elle craint de perdre. Cet enfant devient son symptôme. C'est à travers lui qu'elle parlera : « Retire ces mains qui m'enlacent, plutôt mourir que de t'appartenir » dira Narcisse qui tient le discours supposé à Liriope enlacée par Céphise, et entend le « coeamus » que répète Echo comme le désir impératif de Céphise.

Narcisse se voit inclus comme sujet dans les voix qui sourdent en lui; *l'une passive*, incarnant l'abandon des buts sexuels, mais capable d'un infléchissement dans la souffrance; *l'autre active*, imposant tyranniquement la jouissance. Par la voix d'Echo, d'autant plus invoquante qu'elle ne dispose que des signifiants de Narcisse, se fait entendre le langage de la pulsion qui réactive les traces mnésiques des bruits qui couv(r)ent ses origines. La différence entre ce que Narcisse dit et entend recouvre les voix passive et active. C'est au lieu de cette différence qu'il incarne le fantasme dans sa fonction de réalité symbolique et s'évanouit comme sujet; le lieu où *la voix se réfléchit*, à faire taire les deux autres et à susciter le regard.

L'abolition de la différence entre l'énoncé et l'ententendu produit dans le réel un éffet de fascination et se traduit en un langage a-symbolique, un dialecte divinatoire qui asservit le champ sémantique au désir de l'autre, ou en un langage d'organe, un dialecte d'outre-tombe où le corps, devenu corps de l'autre, s'arroge le contenu entier des pensées qui lient mortellement le sujet et l'objet dans l'action du fantasme.

Dans ce regard sur lui-même où il ne s'entend plus, qui abolit ce qui fonctionne comme pure différence et comme modèle de la différence sexuelle, Narcisse devient le verbe qui exprime une action entre le sujet et l'objet, c'est-à-dire au sens logique une *copule.* Voilà le gage du lien imaginairement indissoluble qui l'unit à Liriope mais tout autant à Céphise.

Entendons l'autre discours qui se tient en lui comme un discours resté entre Liriope et Céphise inouï : « Ton visage amical me promet je ne sais quel espoir; quand je te tends les bras, tu me tends les tiens de toi-même; quand je te souris, tu me souris... » C'est le langage de l'amour. Mais les sensations qu'il éprouve ne lui sont plus renvoyées par les paroles qu'il prononce et qu'il n'entend pas. « Plût aux dieux, est-il dit, que je puisse me séparer de notre corps »; c'est *là où le sexuel l'engage,* là précisément *où le gage le retient.* « Frustra dilecte puer », enfant chéri de l'illusion, se disent-ils. En quoi l'oracle de Tirésias pouvait bien s'adresser à Liriope elle-même : tu vivras, s'il ne s'entend pas, « si non noscerit », *Noscere* signifiant à la fois connaître et entendre.

Après s'être enveloppé du regard que réfléchit l'onde et avoir rendu indiscernable la différence que lui renvoient les paroles qu'il s'entend prononcer, l'objet dont se dérobe Narcisse c'est le regard dont il ne pouvait pourtant se passer, ce regard devenu objet *remnant* [10], alluvion déposé sur la rive.

Narcisse a surpris des larmes dans les yeux de son double, l'ombre dans ce regard qui ne voyait rien d'autre que son visage.

Les yeux peuvent se fermer et ne rien voir. Dans ce cas ils voient quelque chose d'autre, voire même l'invisible — ce qui est au fondement de toute croyance — parce qu'il n'y a pas de *rien* pour l'oreille; si elle se fait sourde, de l'intérieur sourd la voix, celle d'un autre, de l'inconscient, qui impose une image qui apparaît et disparaît, crée un point de fuite où le sujet s'absorbe.

Ce problème est au cœur même d'un discours qui *se* spécifie d'être psychanalytique; d'abord d'être prononcé en un lieu où tout concourt à l'entendement de la différence, ensuite à ne pas imposer de significations au regard de l'autre, comme objets qui devraient retenir la fascination, et sans lesquels, versés en gage d'un contrat de soumission, ce discours ne saurait jouir [11].

Le drame de Narcisse est d'être constamment suscité en ce lieu où il aurait pour Liriope comblé un manque si elle ne s'était arrogée le privilège de le symboliser par son propre corps. Il ne peut qu'être elle et pas elle à la fois, ou encore, être ce qui ne lui manque pas. Comment peut-il alors être investi autrement que par des voix qui parlent en lui ou par un regard muet.

Dire qu'il est le pénis de la mère c'est créer pour la pensée elle-même un objet fétiche, alors qu'il est le lieu où vient s'avouer et se désavouer toute différence.

Ce qui devrait mettre un terme à la glose sur le sexe de l'image réfléchie dans l'onde. Jamais dans le texte d'Ovide ce sexe n'est différencié. *Puer* se dit d'un enfant, garçon ou fille.

Narcisse n'est pas amoureux de lui-même; il cherche en vain l'objet de son désir, désespéré de ne pas être fasciné par l'illusion de l'amour, désespéré de ne trouver dans l'autre qu'à se reconnaître. En quoi son histoire est aussi tragique que celle d'Œdipe, plus inadmissible encore pour la conscience, effacée de la mythologie grecque où est maintenue la croyance que voir en rêve son image réfléchie est un présage de sa propre mort. Les protagonistes du drame sont en lui sans qu'il soit possible de les extérioriser.

L'onde reste pour Narcisse un point d'appel et de singulière attirance : c'est le lieu de sa conception, celui où le ramène les paroles d'Echo. C'est en ce lieu de particulière brillance qu'il voit surgir l'objet de son amour. Il tient alors comme un secret, confié à l'être aimé, mais non réfléchi, le discours qui a été absent de son histoire. De l'union sexuelle, il en sait quelque chose, puisqu'il en est le gage. De l'amour, rien, puisqu'il ne rencontre pas Liriope, mais l'objet du désir de Liriope : lui-même; il ne trouve pas l'interdit de Céphise mais l'impératif de la jouissance.

« Plutôt mourir » aurait dit Liriope, et c'est le vœu que réalise Narcisse en immolant à travers lui l'image de celle sur qui se porte le regard sans parole, dont le langage qui demeure intérieur s'accompagne du seul mouvement des lèvres. Son geste répète et annule le « coeamus » entre Céphise et Liriope. Si Céphise n'avait pas fait violence à sa mère, il n'aurait pas existé. Par la mort de Narcisse se trouve ainsi réalisé le désir de sa non-existence, mais en lui Céphise et Liriope meurent aussi.

L'image spéculaire, renvoyant à la bipolarité du réel, fait surgir le manque dans l'imaginaire où s'entend la voix comme manque de différence, et fait disparaître le symbole de la différence comme cause de la jouissance.

La perception visuelle introduit une discontinuité dans le *ça j'ouis* marqué par la continuité de l'entendu, dans le parcours entre les deux pôles anasémiques ou dans leur opposition sémantique.

Elle appelle un « entendu » itératif qui marque l'arrêt d'une spécularisation symbolique. La mort du signe — linguistique s'entend — fait coïncider les fragments sonores produits en moi avec ceux que je reçois. C'est cette coïncidence qui fait s'évanouir le sujet de l'inconscient. Car *je ne t'entends pas d'où tu me regardes*.

Là où Narcisse se voit, dans une réalité imaginaire, il ne peut entendre que la voix de sa mère sans différenciation de la sienne propre. Le discours de l'autre vient totaliser les effets de son inconscient. En tant que sujet de cet inconscient il est ailleurs que là d'où il se regarde. Il est là où il parle et entend le double sens de ses paroles renvoyées par la nymphe qui lui parle à son tour à travers ses propres mots.

Certes c'est dans l'espace de l'Autre que Narcisse se regarde mais l'objet, le regard, vient abolir la temporalité dans le registre auditif et il ne s'entend plus, il n'entend qu'une phrase itérative celle de l'objet dont il a à constituer la perte. Plus il perdure plus il *cause*. Alors que l'écoute de la voix d'Echo le ramène plutôt à son propre désir, à sa constitution comme sujet dans l'espace de la substitution des images de l'objet, dans une réalité symbolique.

Donner des significations, si proches soient-elles, dans leur formalisation, du langage même du désir, tente de combler un vide et implique toujours que les mots qui nouent ces interprétations sont eux-mêmes traversés par le désir de celui qui les prononce, comme un appel à son tour à rencontrer un désir qui les entendra.

Si la pulsion invocante et la pulsion acousique, par leur point d'ancrage dans le corps en un lieu qui peut avoir fonction de zone érogène, sont aptes à provoquer plaisir et déplaisir, il est aussi vrai qu'elles occupent une place particulière par rapport à l'ensemble du champ pulsionnel : la place même, dans le langage pulsionnel, de la *copule* en tant que verbe par lequel s'exprime une relation de l'inconscient au sujet, et la place de la *coite* (du latin *culcita*, oreiller) en tant que lit où s'élit ce qui se présente de la libido. C'est en effet cette nécessité de retour, de réflexion passant par l'appel et l'écoute, qui donne après coup sa lisibilité au sexuel dans l'interprétation des mécanismes inconscients, et fait toujours passer la sexualité par les défilés du narcissisme. Cette double fonction qui structure l'espace sémantique connaît son enracinement dans l'originaire en des formes purement repérables dans l'appareil freudien du langage.

Je ne saurais rien de mes pulsions ni de cette activité hallucinatoire nommée désir si la représentation gardant la trace de la perception ne s'offrait comme déléguée de la pulsion. La trace mémorielle est donc un agent double : assurant d'une part la liaison avec l'appel pulsionnel incessant de l'inconscient et transmettant ses messages dans le code que lui dictent les lois du processus primaire; enregistrant d'autre part les réactivations que lui impose périodiquement le système Perception-Conscience pour constituer ces impressions ou ces qualités qui s'attachent à la représentation inconsciente de l'objet.

Or les éléments constitutifs du mot comme unité fonctionnelle du langage sont eux-mêmes fait d'une combinaison de traces auditives, visuelles et cénesthésiques : de ces impressions qui caractérisent la représentation inconsciente.

Que le refoulement actualise une dissociation des éléments constitutifs du mot [12] nous incite à prendre en considération le temps et l'espace de cette opération.

Nous apprenons à parler en associant une image sonore émise par nous à l'image sonore immédiatement entendue. Cette deuxième image sonore n'a nul besoin d'être identique à la première mais simplement associée. L'enfant à ce stade utilise un langage entièrement construit par lui-même. Il associe une variété de sons étrangers à un seul produit par lui. Ce n'est pas un linguiste qui le dit mais Freud lui-même [13].

Nous y voyons la première différence dans la formation du langage, en dehors de toute réalisation par la parole, liée à des impressions cénesthésiques de plaisir et de déplaisir et connotant la présence et l'absence. Cette différence entre le son produit et le son perçu constitue le premier espace où viendra s'inscrire l'objet, associé, dans un après-coup qui abolit le temps, à l'empreinte psychique d'un signe double. L'image dans le miroir, ou réfléchie dans l'onde, viendra figurer, dans une reconnaissance jubilatoire ou étrangement inquiétante, celle déjà « pensée », abstraite.

Il est vrai qu'il y a lieu de s'étonner de cette différence primordiale entre le *conçu* et le *perçu* et de son redoublement dans la perception même du conçu. C'est dans l'espace de cette différence qu'apparaît l'objet. Et cet objet, fût-il un mot, n'est pas symbolique du sein, mais il maintient un lien symbolique avec le sein dans cet espace entre le *je* et le *me*, où circulent *l'entendu* et le *se faire entendre*.

Par lien symbolique je désigne l'association d'une partie de l'objet perdu à une partie dans le sujet qui est conservée comme gage de la perte. L'objet ainsi constitué est médiation du sujet à l'autre, objet de la trace effacée qui cause le désir, lieu du transfert.

Ne rien voir, temps de l'hallucination négative, serait le temps premier, où se constitue l'appel.

Il me souvient d'une jeune femme qui ne voyait pas son image dans le miroir parce qu'elle ne parvenait pas en se regardant à sortir des sensations angoissantes qui l'envahissaient. Elle lança un verre dans le miroir pour le briser. Au bruit qui se fit entendre, et qui fut le point de départ d'un fantasme, son image apparut. Il avait fallu ce bruit dont elle fut à l'écoute pour que la représentation d'elle-même devienne objet de perception.

Au-delà du miroir s'entend la voix qui a articulé un langage intérieur avant même qu'il puisse être proféré, et mis en scène.

Ce langage intérieur, celui de Narcisse dans sa présence à lui-même et cette expérience extrême de la solitude, est aussi celui qui se retrouve dans l'espace hallucinatoire, et celui également que l'analyse parcourt sur un mode singulier : où la fonction de se retrouver est subordonnée à celle de se faire entendre.

Les effets de « l'appareil à influencer », si remarquablement décrits par V. Tausk [14], où une machine procure des images vues dans un seul plan, produit des actions motrices dans le corps et induit des sensations, ne sont autres que les éléments mêmes qui constituent l'appareil du langage et qui se présentent avant tout comme effets de la parole de l'autre sur ses propres pensées, sentiments, sensations et actions. Si l'appareil à influencer n'a pas la parole, c'est qu'il subsume les divers composants du langage, sauf ce qui fonde la parole elle-même. Il se donne comme produit brut d'une coupure de l'extrémité sensorielle de la représentation de mot, à savoir l'image acoustique, seule dans le schéma freudien à pouvoir opérer la liaison avec les représentations de choses de l'objet, avec l'inconscient lui-même.

Le génie propre de la situation analytique est de maintenir cette viabilité, en faisant correspondre l'espace où prend effet la parole à celui du fonctionnement optimal de l'appareil du langage : celui où l'analysant est en position privilégiée par rapport à cette ouverture qui est ici celle d'entendre toutes les implications naturelles du mot à quoi la pulsion sexuelle est consubstancielle.

La pulsion sexuelle, on le sait, s'étaye sur une fonction non sexuelle, sur une fonction corporelle. A cet égard, le plaisir spécifique qu'éprouve l'enfant à entendre les sonorités qu'il émet semble conférer à la sphère auditive la fonction d'une zone érogène. Il est certain que cette zone n'assure pas directement la satisfaction d'un besoin vital, pas plus que la sphère visuelle d'ailleurs, si ce n'est dans certaines circonstances où l'auto-conservation est mise en danger. Il est incontestable cependant que tôt dans la vie le champ de l'audition comme celui du regard concourent, par l'appel à l'autre ou le signal de sa présence, à assurer la satisfaction du besoin. L'entendu d'abord, et le vu, sont enfin essentiels à la constitution de l'objet fantasmatique — le sein par exemple — comme objet de la pulsion sexuelle.

C'est même, nous dit Freud, à partir des choses entendues que se forme le fantasme; de cet entendu, qui véhicule le bruit familial et la légende des parents, voire des aïeux, auquel s'intègre sa propre expérience. Il en sera de même pour la formation du fantasme à partir de la séance d'analyse, tant pour l'analyste que pour l'analysant.

Or trouver l'objet sexuel ne consiste pas à trouver l'objet de la faim comme objet perdu, mais un objet dans un rapport de contiguïté, un objet déplacé par rapport au premier. Ce qui situe d'emblée la sexualité dans un registre qui assure la fonction essentielle de *leurre* de l'objet. C'est précisément à cette fonction de leurre que Narcisse se montre si sensible et devant quoi il prend la fuite à l'appel d'Echo. Mais ce qui du langage de l'objet se voit exclu lui revient par ses propres sens : le désir qui en appelle à la différence des sexes, alors que dans sa solitude il recherchait l'objet de sa tendresse, de son admiration, de sa jouissance diffuse.

Si nous suivons pour la *pulsion à entendre* le modèle singulier introduit par Freud pour la *pulsion à voir*, l'intrusion du sexuel sous forme d'un leurre, fût-il acharné, se fait sur le modèle de substitution d'une personne étrangère au sujet lui-même, c'est-à-dire sur le mode de la voix grammaticale passive, alors que la recherche par Narcisse de l'objet susceptible d'être substitué à l'objet propre se faisait par la voix active du destin pulsionnel. Or ce temps de la voix active était à strictement parler non-sexuel [15]. C'est, selon nous, une discordance (qu'on peut qualifier de traumatique pour l'appareil psychique) qui entraîne un retour vers la voix réfléchie originaire qui, pour ce qui est du « voir » et de l' « entendre », est le lieu où se forme le fantasme et où s'imbrique la sexualité.

L'impossible fermeture de la zone auditive à l'inconscient fait de l'objet un objet non perdu, impossible à perdre [16] mais pose le sujet dans une indétermination, ou au lieu de la copule comme nous le disions, dans l'être d'une dé-saisie identificatoire.

Le stade réfléchi du fantasme intériorise l'action elle-même et l'excitation sexuelle peut être transformée en un bruit perçu de l'extérieur.

Lorsque se présente chez lui une jolie femme de trente ans amenée par son avocat parce qu'elle s'était plainte à ce dernier qu'on avait pris des photographies alors qu'elle faisait l'amour avec son amant, Freud [17] retrace sans peine le fantasme de scène primitive qu'il nomme pour la première fois « primaire » ou originaire, mais surtout il s'interroge sur toutes les transformations subies par la pulsion à travers les vicissitudes défensives jusqu'au changement d'objet. Par cette reconstitution on voit comment diverses perceptions, et représentations s'organisent *après coup* comme une théorie. Tout inclinerait à penser au départ que le bruit du réveil dans la chambre fut immédiatement interprété comme le déclic de l'appareil photographique. Il n'en est rien. L'hypothèse qui nous est d'abord proposée est la suivante : le « bruit » entendu n'aurait pris une signification qu'après la rencontre des deux hommes dans l'escalier. Et Freud, dans une seconde hypothèse, va plus loin : aucun bruit n'aurait même été donné à entendre. Le point de départ aurait été la sensation d'un battement ou d'une pulsation clitoridienne. Une impression cénesthésique, prélude à un plaisir d'organe, est transformée en perception : perception du bruit du corps en extériorité où il peut être trouvé un équivalent dans le monde extérieur : bruit à la porte, déclic d'un appareil.

Ne nous y trompons pas. Le temps du « bruit clitoridien » n'est pas celui du fantasme. Ce bruit doit d'abord se transformer en celui qui a déjà trahi les parents dans leur activité sexuelle ou celui qui risquait de trahir l'enfant à l'écoute; à l'écoute de cette chose dont parle Proust, aussi bruyante que la souffrance, le plaisir. Comment se fait-il que l'enfant plutôt que de se figurer le plaisir puisse, même dans un compromis, entendre quelque chose qu'il n'a jamais vu, qu'une personne par exemple en égorge une autre?

Le fait d'éprouver par soi-même une sensation dans son corps (la patiente de Freud affirma n'avoir eu aucun contact sexuel) ne constitue pas un fantasme à proprement parler, mais il peut être le point de départ d'un fantasme, d'un rêve ou d'un délire. Pour activer « le fantasme *typique* d'être aux écoutes qui est une composante du complexe parental », il fallait le recours à une perception auditive. L'appoint perceptif est ici fourni par une projection dans la réalité d'une sensation physique.

Le bruit externe peut aussi activer le fantasme typique d'être aux écoutes en étant assimilé à une action sexuelle.

C'est ici, pour y revenir, que dans l'excès de ce que j'entends je me retrouve, psychanalyste, dans la nécessité d'interpréter, fût-ce pour moi-même, et de retrouver dans cette interprétation la marque de mon désir.

Les paroles d'Echo transmettaient celles qui auraient accompagné l'acte sexuel qui fut celui des origines de Narcisse. Lorsque dans le temps suivant l'onde lui renvoie un regard mais ne réfléchit pas sa voix, il se trouve *sur le plan scopique* d'abord dans la position active de regarder un objet étranger puis dans la position passive où sa mère substituée à lui-même le regarde. Cette deuxième position se situe au niveau du fantasme inconscient où elle a été repérée grâce aux paroles qu'il prononce. Pour sa conscience, ou pour un regard extérieur, il se regarde. *Sur le plan acoustique*, il cherche d'abord des paroles sur les lèvres qu'il désire mais la voix s'est tue. Le moment est capital : c'est celui de l'évanouissement de l'objet, celui précisément où il se reconnaît, où son image ne le trompe plus. L'espace se transforme au-delà du miroir, au-delà du lieu où l'attente des paroles rendait encore possible la précipitation de l'image comme objet. Le fantasme s'infléchit dans une modification progressive du temps : Narcisse se tourmente d'entendre *rien*, ce qui le ramène à entendre le *co-ite* où Céphise torture Liriope, moment de la jouissance pure d'être ou de n'être pas, temps ultime du fantasme réfléchi originaire : on se blesse [18], on se tue. Ante emoriar : *plus tôt* mourir.

En suivant la légende qui accompagne la figuration du mythe et en retrouvant derrière son contenu manifeste les fantasmes de désir, nous dégageons la même structure que dans le mythe œdipien sous une forme différente, c'est-à-dire *un stade* à proprement parler *réfléchi du complexe d'Œdipe*.

A travers la légende entourant sa naissance, autour de « choses entendues » s'ordonne la mise en scène du désir en fonction des fantasmes originaires : par sa filiation s'introduit la brutalité selon laquelle advient la sexualité et la différence des sexes. La scène primitive, la séduction et la castration s'y profilent comme scénarios offrant des réponses différentes à la question de la place du sujet. Il est le lieu où l'un séduit l'autre, où il est homme et femme (mais plutôt mère et phallus); Céphise et Liriope, et s'engendre lui-même dans un acte d'amour et de mort.

Lorsque le langage met au premier plan l'imagerie visuelle et l'acte dans une scène de rêve, voire de cauchemar, le désir s'avance masqué par le réel. La voix exclue du commandeur régit alors le destin comme une nécessité jusque dans la plus extrême rigueur. En quoi ce qui est donné à voir s'avère, à proprement parler, *inouï*, et reste à entendre.

Il est impossible de comprendre ce qu'il en est de la

jouissance dans son aboutissement ultime si l'on ne prend pas en considération la coalescence possible des formes active et passive dans la forme réfléchie de la pulsion sexuelle. Car la jouissance poussée à son paroxysme insoutenable se résout en un *faire/se faire torturer* où le double et son sujet se trouveraient dans une réflexion narcissique, activement et passivement satisfaits en acte. Une telle machination du désir sexuel qui échappe entièrement au sens commun est pourtant mise en œuvre par le pouvoir.

Qui l'aura dit mieux que l'auteur de ces lignes, au seuil de la mort :

> *Je regarde avec l'œil d'une image*
> *les préposés au lynchage*
> *j'observe mon propre massacre*
> *avec le courage serein d'un savant* [19].

Le drame œdipien, inauguré par l'un ou par l'autre des protagonistes, voit sa violence décuplée dans une *scène originaire* où en une voix réfléchie il *s'incestue*, où en un verbe devenu pur lieu de l'action culmine la jouissance : on égorge, on écrase, on lacère, on dépèce : ça saigne et ça jouit.

Sur une autre scène, *se faire aimer* se conjugue avant tout avec les sources de plaisir. Et tout comme pour la pulsion scopique Freud attribue au désir d'aimer et d'être aimé un passé antérieur réfléchi. Encore faut-il se faire entendre.

Comme une croyance, la vérité poursuit le sujet dans le signifiant qui manque. Ce qui n'a pas été entendu,

Œdipe et Narcisse, chacun à sa façon, cherchent à se le dire ou à se le faire dire.

La pulsion invocante, avec les premiers sont émis et perçus est venue constituer deux pôles (sujet-objet, activité-passivité, plaisir-déplaisir) comme l'avers et le revers d'une monnaie effacée sur la carnèle de laquelle viennent s'inscrire les métaphores orale, anale ou génitale. En passant d'une face à l'autre on traverse forcément le bord qui fait figure de vide; au lieu de l'objet à incorporer ou à ex-corporer seront trouvés des sensations, des cris, des mots qui renverront à d'autres objets à introjecter [20] devenant cause, voire condition, du désir.

Freud a bien saisi, mais après coup, au cours de la deuxième analyse de *l'Homme aux loups* que la condition d'apparition, dans l'histoire de ce dernier, du nez comme fétiche, se trouve dans la signification en tant que telle, comme arrêt de l'oscillation homophonique du *glance* (regard) de la langue maternelle au *glanz* allemand (brillance). Entre les deux, le mot latin *glanz* signifierait directement le pénis [21] — mais dans ce cas ce mot deviendrait lui-même abstrait du processus de symbolisation, soustrait à la réflexion, objectivé comme une idée fixe, comme un mot fétiche, et c'est lui à son tour qui est remplacé par le nez comme référent de la brillance et du regard. Il renvoie également à ce qui n'est pas encore entendu comme secret de la jouissance inavouée et continue aujourd'hui à faire dresser, du psychanalyste, la cinquième ou la sixième oreille.

L'analyste a vite fait de pallier le manque de traduction par une « construction [22] ». Comme une pièce rapportée pour combler l'absence de remémoration, pièce dont il voudra bien qu'elle puisse faire office de leurre. Il a toute une panoplie à sa disposition et une *mythologie freudienne* qui nourrit sa croyance — dont il serait dérisoire de dire qu'elle tient lieu du pénis de la mère — pour lui épargner l'invention du cheminement singulier rebroussant *in situ* jusqu'à l'origine de la parole, où deux dialectes se croisent, opèrent des échanges, et tissent entre eux des liens symboliques dans le réseau desquels le désir de l'autre vient assigner toutes les places possibles dans le montage de la pulsion sexuelle.

Voyons le patient travail de Legrand dans la nouvelle d'Edgar Poe. Le premier indice est celui d'un scarabée d'or [23] trouvé avec un parchemin vierge. En dessinant sur celui-ci la forme de l'animal, il sera étonné de voir son interlocuteur y déceler une tête de mort. Il ne cherchera pourtant pas à le convaincre d'une méprise mais se saisira de l'occasion pour relancer son interrogation sur une autre voie. Cette tête de mort était-elle inscrite en filigrane ou est-elle sortie de l'imagination de l'interlocuteur? Ni l'un ni l'autre. Elle était au verso du parchemin, apparue à la chaleur du feu. Le même procédé conduit Legrand au rébus du chevreau, signature du pirate Kidd, et au cryptogramme en caractères chiffrés dont la pertinente analyse conduit à un message en lettres. En quoi le chiffre fonde l'ordre du signe. Lorsque Legrand aura réussi à obtenir *la chaise du diable*, *la tête de mort* et *l'hostel de l'évêque*, il ne sera pas encore au bout de ses peines. Et il s'en faut de peu que toute cette recherche du trésor secret ne rate parce que le fidèle serviteur, Jupiter, voit son œil gauche à travers le miroir de l'œil de son maître, c'est-à-dire à droite : ce qui déviait considérablement la trajectoire si ardûment déchiffrée.

Est-ce à dire que Jupiter ne tient pas du tout à ce que son maître trouve ce qui est caché et qui se signifie dans un message si savamment codé que seul l'inconscient peut aisément le produire? Certes, livré aux ordres insensés de Legrand, Jupiter s'offre sur son maître un ascendant : il peut le juger fou, ce qui n'est pas pour lui une maigre jouissance. Il n'a ni vu le vélin ni lu les écrits; ça lui permet d'entendre autre chose lorsqu'il fixe l'œil de son maître. De l'histoire d'Edgar Poe je retiens aussi qu'il faut se donner parfois un mal fou pour arriver à la traduction exacte d'un fantasme ou d'un cauchemar dans les détails de son inscription singulière : surtout si le symbolisme conventionnel est mis hors circuit d'utilisation, si les images ou les mots clés sont remplacés par des substituts anaphoriques abstraits, comme c'est le cas dans le scarabée d'or. Comme le dit Legrand, on est déconcerté par « l'absence du corps même du document rêvé, du texte de mon contexte ».

Le symbole auquel recourt le dialecte infantile dont se nourrit le fantasme ne trouve pas nécessairement ses équivalences dans les symboles que l'analyste connaît et interprète. « J'entends votre voix, peut dire l'analysant, mais je suis incapable de saisir la signification de ce que vous dites » ou encore « je comprends le sens littéral mais pas la signification ». Outre que la voix peut être investie comme telle par la zone auditive, le procès de métaphorisation ne doit pas rencontrer un processus inverse, analogue à l'élaboration secondaire du rêve : celui qui par l'interprétation introduirait une cohérence. A moins de vouloir fournir des explications propres à calmer ou à endormir, et une mythologie qui ne serait rien d'autre, en dernière instance, qu'une théorie sexuelle infantile élaborée.

Le ventre affamé de métaphores ne l'entend pas de cette oreille. Il s'est déjà constitué ses objets comme ses petits « ce n'est pas ça que je te demande » Ce que la *pulsion acousique* cherche comme son objet, en retour de son appel, c'est le *signifiant*, dont il faut bien dire qu'il n'a que faire de son rapport au signifié. Ce qu'elle cherche, la pulsion, c'est la trace inconsciente du désir comme lien manquant qui articule un langage du corps à un langage intérieur.

C'est en ce sens que nous disons que le destin de la pulsion, aussi bien dans le refoulement, dans l'idéalisation, que dans sa décharge ou son déplacement en quantum d'affect, c'est de trouver ou retrouver la libre circulation au sein de l'appareil du langage qui permet un processus de liaison de ses éléments constitutifs : sensations corporelles, traces visuelles et auditives. Ce sont les résidus de ces perceptions qu'emprunte la pulsion pour se représenter dans la vie psychique. La formule condensée devient : le destin de la pulsion c'est le langage.

Dès avant l'interprétation des rêves, Freud s'est intéressé aux troubles du langage. Le modèle de fonctionnement de l'appareil qu'il promeut alors est implicitement retenu tout au long de son œuvre. La situation analytique elle-même se donne d'emblée comme corrollaire de ce modèle théorique.

Ce qui est étonnant c'est que Freud fasciné par ce qu'il découvre dans l'ombre, semble oublier souvent dans sa théorie le projecteur à l'aide duquel ces objets sont rendus visibles. Pourtant il ne se fait pas faute de montrer dans les comptes rendus de ses analyses comment ses associations personnelles, ses propres fantasmes concourent au travail analytique et à l'interprétation.

Il reste qu'interpréter le désir c'est aussi réaliser un désir. L'interprétation, pour n'être ni la violence de l'irruption sexuelle qui viendrait désigner et imposer un contenu inconscient, ni l'explication comme reste ou précipité de l'excès venu de la surestimation de l'objet sexuel, n'en a pas moins la structure du fantasme ou du rêve avec son contenu manifeste et son contenu latent, sa perception au niveau du processus primaire où elle est à son tour rêvée en quelque sorte. De l'interprétation l'analysant n'a que la mémoire d'une trace auditive tout aussi longtemps que la trace de cette idée n'entre pas en étroite liaison avec celle du souvenir inconscient, gardienne de l'expérience [24],

C'est pourquoi l'interprétation renvoie par son *plus d'entendu* à l'antinomie même du désir, et c'est pour cela que le processus analytique, pour avoir lieu, doit passer également par le stade réfléchi du *s'analysant* tant pour l'analyste que pour l'analysé. Le désir de l'analyste n'épuise pas l'amour de transfert; à moins d'y puiser à sa source pour maintenir le transfert dans sa voix narcissique où elle s'entend comme un *ni plus ni moins*, en ce point de mirage d'un non-lieu du processus.

L'analysant se trouve dans l'état du sujet qui *se refuse* [25] la satisfaction d'une revendication pulsionnelle, les sollicitations qui émergeraient du champ visuel, et réduit même au minimum celles qui proviennent de la sphère auditive à l'exception de la sienne propre où il s'entend dire des choses qui le surprennent. Dans ces conditions se voit accrue l'exigence de se faire entendre; mais non pas en une demande de significations ou l'analyste ne pourrait se faire que le porte-parole d'un discours déjà tenu ailleurs et par autrui [26], discours qui chosifie sa parole ou désigne et dénonce les avatars de la sexualité en le renvoyant devant le miroir. Comme si l'analyste n'était pas lui-même dans ce qu'il dit! Ce n'est pas pour troquer une mythologie contre une autre qu'il parle, l'analysant, mais bien pour que sa parole prenne cette fois pour lui-même une valeur proprement révolutionnaire.

Ce que le psychanalyste, en maintenant l'exigence de la voix derrière le miroir, engage, c'est son statut de sujet parlé par le sexuel. Autrement le regard de l'analyste sur l'inconscient serait maintenu comme condition à la constitution de l'objet du désir sexuel. Ça se voit. L'interprétation, pour sa part, deviendrait le leurre au service de la jouissance et le gage de la conservation d'un lien libidinal à l'analyste.

« *Plus tôt* mourir que de me livrer à ton pouvoir » calme Narcisse dont l'invocation n'est que plus forte à ne pas se faire entendre.

« Lorsque Narcisse mourut, la source de ses délices, d'eau douce se transforma en larmes salées et les Oréades vinrent pleurer à travers la forêt et voulurent consoler la source. Lorsqu'elles virent que la source, d'eau douce s'était transformée en larmes salées, elles perdirent les tresses vertes de leur chevelure, et s'adressant à la source : « Nous ne sommes pas étonnées que tu pleures ainsi Narcisse, il était si beau ».

— « Narcisse était-il beau? » dit la source.

— « Qui mieux que toi le saurait? » répondirent les Oréades. Nous, il passa sans nous voir, mais toi, il te recherchait s'allongeait sur ta rive et te regardait. Dans le miroir de tes eaux se reflétait sa propre beauté.

Et la source répondit : « Mais j'aime Narcisse parce que lorsqu'il s'allongeait sur ma rive et me regardait, dans le miroir de ses yeux je voyais se réfléchir ma propre beauté. »

De l'excès de ce que vous aurez entendu, à travers la version d'Oscar Wilde, savourez secrètement la jouissance, et laissez Héraclite vous dire *ad finem* :

« Si ce n'est pas simplement vers moi, celui qui (se) prononce, que vous avez tendu l'oreille, mais si vous vous soutenez dans une entente qui écoute, alors il y a ouïr à proprement parler ».

NOTES

1. R. Major, « The Revolution of Hysteria », *The Int. J. Psycho-Anal.*, 1974, 55, 385.

2. Ovide, *Les Métamorphoses*, Traduction de George Lafaye, Éditions « Les Belles Lettres »; 1957.

3. C'est une analyse toute différente qui est faite par D. Braunschweig et M. Fain, in *Eros et Antéros*, Payot, Paris 1971. Voir également Grace Stuart, *Narcissus*, George Allen and Unwin Ltd, London 1956.

4. La traduction française s'éloigne ici du « textuel » mais rend la polysémie qui se fait jour dans la répétition. En effet au *Ecquis adest?* répond le *adest* qui vient tout aussi bien de *adedo* (je me consume) que de *adsum* (je suis tout près). De même le *coeamus* signifie aussi bien l'union sexuelle (le coitum) que les retrouvailles. « *Ante emoriar quam sit tibi copia nostri* » en dit

davantage que la traduction : « plutôt mourir que de m'abandonner à toi ». C'est aussi « que nos corps précieux n'appartiennent qu'à toi » à quoi la réponse « qu'ils soient à toi » en dit long sur la jouissance féminine : la nymphe propose à Narcisse qu'il soit l'unique possesseur de leur commune beauté. Mais le « *copia nostri* » peut être aussi entendu par Narcisse comme la beauté qu'il partage avec sa mère.

5. Depuis « La symbolisation et son achoppement, lettre dérobée ou lettre morte », *Revue Française de Psychanalyse*, 1971, n° 1, et « Langage de la perversion et perversion du langage, ou l'image de l'inouï », in *La sexualité perverse*, Payot, Paris 1972.

6. J'ai forgé le nom de cette pulsion — une convention comme le dit Freud — à partir du verbe grec qui exprime *le désir d'entendre*, αχουστιω (qui ne s'emploie qu'au présent), et en conservant l'homologie avec la pulsion scopique qui traduit le *désir de voir*.

7. Freud, S., *Trois essais sur la théorie de la sexualité*, S. E., Vol. VII, p. 233.

8. J. Lacan, *Les quatre concepts fondamentaux de la psychanalyse*, *Le Séminaire*, Livre XI, p. 96 et p. 182.

9. Freud, S., *L'Abrégé de Psychanalyse*, S. E., vol. XXIII, p. 162.

10. De l'anglais : *reste* ou *vestige*. Nous dirions volontiers l'objet *loess* ou encore l'objet *palus*, pour ce que les mots suggèrent en dehors de leur signification.

11. R. Major, « Le pouvoir de l'interprétation », *Nouvelle Revue de Psychanalyse*, automne 1973.

12. R. Major, « L'économie de la représentation », *Revue Française de Psychanalyse*, 1969, n° 1.

13. Freud, S., *Zur Affassung der Aphasien*, 1891.

14. Victor Tausk, « De la genèse de l'appareil à influencer au cours de la schizophrénie », *La Psychanalyse*, vol. 4.

15. J. Laplanche, *Vie et mort en psychanalyse*, p. 159. Flammarion, Paris 1970.

16. C. Zygel, dans un travail qu'il a présenté et qui reste encore inédit, apporte à l'étude d'une pulsion et d'une perversion d'Écoute, des vues souvent très proches de celles qui sont exprimées ici.

P. Castoriadis-Aulagnier, dans son livre *La violence de l'interprétation*, P.U.F., Paris 1975, met également l'activité sensorielle en rapport avec l'érogénéisation des zones, sièges de leur organe.

17. Freud, S. S. E., cit. vol. XIV, p. 270.

18. La forme moyenne et la forme réfléchie ne comportent ici pas de différence grammaticale mais incluent une différence sur le plan sémantique.

19. Pier Paolo Pasolini.

20. N. Abraham et M. Torok, « Intojecter-Incorporer — Deuil ou mélancolie », *Nouvelle Revue de Psychanalyse*, 1972, nº 6.

21. Voir G. Rosolato, « Le étichisme dont se dérobe l'objet », *Nouvelle Revue de Psychanalyse*, 1970, nº 2.

22. R. Major, *Le pouvoir de l'interprétation*, loc. cit.

23. Edgar Poe, *Histoires Extraordinaires*, Trad. Charles Baudelaire, Gallimard, Paris.

24. Freud, S., *L'Inconscient*, S. E., vol. XIV, p. 175.

25. La *Versagung* que le terme de frustration en français rend bien mal.

26. V. Smirnoff, « La transaction fétichique », *Nouvelle Revue de Psychanalyse*, nº 2.

# LA PAROLE COMME ACTE SEXUEL, UNE INTRODUCTION

*par*

Conrad STEIN

Le thème de la parole comme acte et comme attribut sexuels occupe une place centrale dans mon livre, *l'Enfant imaginaire* (voir en particulier les chapitres 4, 5, 6, 10, 11 et 19). Les pages qui vont suivre veulent introduire à une deuxième lecture de cet ouvrage auquel je me permets de renvoyer les congressistes.

## 1

Autant Freud s'est intéressé aux mots, autant il a ignoré la parole ; je veux dire qu'une fois pour toutes, il a tenu le pouvoir de la parole pour aller de soi. Voici ce qu'il écrit en 1905, dans son petit article sur *le Traitement psychologique*. « Maintenant nous commençons à comprendre la ' magie ' des mots. Il est vrai que les paroles sont l'agent le plus important de l'influence qu'une personne peut exercer sur d'autres. Les paroles sont un bon moyen pour provoquer des modifications psychiques chez celui à qui elles sont adressées, et c'est pourquoi l'affirmation cesse d'être énigmatique, selon laquelle la magie du mot peut faire disparaître des manifestations morbides, de celles, bien entendu, qui sont motivées par des états psychiques [1]. »

Et, en 1917, dans le premier chapitre de *l'Introduction à la psychanalyse.* « A l'origine, les mots relevaient de la magie, et la parole a conservé encore aujourd'hui une grande part de son ancien pouvoir magique. Les mots permettent à une personne de rendre l'autre bien-heureuse ou de la réduire au désespoir; c'est au moyen des mots que le professeur transmet son savoir aux élèves, et c'est de la même manière que le conférencier fascine ses auditeurs et détermine leurs jugements et leurs décisions. Les paroles éveillent des affects, elles sont l'agent commun de l'influence que les hommes exercent les uns sur les autres. Nous ne sous-estimerons donc pas l'utilisation des paroles dans la psychothérapie... » (*G.W.*, XI, 10).

Et de nouveau, en 1926, dans *la Question de l'analyse non-médicale :* « ... Toutefois, nous ne voulons pas mépriser la parole. Il est vrai qu'elle est un instrument puissant, elle est le moyen qui nous permet de nous communiquer nos sentiments, elle est la voie qui permet d'exercer une influence sur autrui. Les paroles peuvent faire un bien indicible et infliger des blessures épouvantables... » Constatations qui valent au sens courant aussi bien qu'au sens figuré : il eût suffi de le noter ici pour reconnaître aussitôt dans la parole — selon les propres termes de la métopsychologie freudienne — l'objet de la pulsion.

Lieux communs, pourtant, dont la répétition débouche cette fois-ci sur une allusion à une thèse personnelle de Freud, sur une découverte qui lui tenait particulièrement à cœur : « ... Certes, au commencement était l'acte, la parole ne vint qu'ensuite, et si l'acte s'atténua en parole, ce fut à certains égards un progrès culturel. Mais il reste qu'à l'origine la parole était sorcellerie, acte magique, et elle a conservé une grande partie de son ancien pouvoir. » (*G.W.*, XIV, 214) Allusion, bien entendu, à *Totem et tabou*, et qui permet de reconnaître avec certitude, dans la dernière phrase de ce livre, une citation implicite du *Faust* de Goethe : « Au commencement était l'acte ». Telle est, on s'en souviendra, la formule à laquelle aboutira Faust qui a entrepris une nouvelle traduction du premier verset de l'Évangile selon Saint Jean, après en avoir rejeté la version luthérienne : « Au commencement était la parole ». Et lorsque, à deux reprises, Freud jugera nécessaire d'affirmer qu'il ne sous-estimera pas la parole, qu'il ne veut pas mépriser la parole, ne s'agit-il pas de dénégations en référence à l'argument de Faust qu'il peut paraître avoir fait sien : « Je ne puis porter la parole en si haute estime »? En fait, ces dénégations me paraissent être des formules de compromis qui trahissent son aversion à l'égard de la religion. Il se défend de mépriser la parole comme si la parole ne pouvait être que Dieu et, à l'origine, il situe l'acte, comme si l'acte ne pouvait être qu'acte de l'homme. On sait en effet qu'aux termes de sa découverte, cet acte — originaire tout au moins en ce qui concerne les règles de la vie en société et la religion — a été celui des frères alliés qui ont tué et mangé le père de la horde primitive. Acte antérieur à la religion, par conséquent, acte fondateur de la religion et de la figure d'un dieu qu'ainsi l'illusion seule pouvait situer aux origines.

Acte, il est nécessaire de la souligner, dont le caractère premier est d'ordre chronologique, acte qui s'inscrit, quoiqu'il ne puisse être daté, dans les temps de la préhistoire des hommes et qui a constitué un événement tout aussi réel que ceux qui peuvent être attestés par les recherches archéologiques si chères à Freud. C'est ainsi, peut-être, qu'une hiérarchie des valeurs, dont l'un des termes a d'ailleurs subi un déplacement (« Je ne puis porter en si haute estime la parole », c'est-à-dire la religion), en est venue à être représentée dans l'hypothèse scientifique par une précession dans le temps. Hypothèse pseudo-scientifique plutôt, vue scientiste des choses qui aboutit à une impasse, mais où une attitude constructive permet aussi de reconnaître l'expression d'un phantasme fécond. Je m'explique.

S'appuyant sur « ce que nous savons de la jalousie commune à tous les mammifères », Darwin estimait que s'il n'était pas encore un « animal social », l'homme devait vivre, à l'origine, de la même manière que le gorille, en petits groupes de femelles dominées par un seul mâle, l'élimination des jeunes mâles en surnombre permettant d'admettre qu'une promiscuité générale des sexes n'existait pas à l'état de nature. D'où Atkinson a conclu que l'exogamie étant pratiquement réalisée, « ... cet état de choses aurait donné lieu, avec le temps, à la règle maintenant devenue consciente : Pas de commerce sexuel avec les membres du troupeau. Après l'introduction du totémisme, cette règle aurait pris une nouvelle forme : Pas de commerce sexuel au sein du même totem. » (*G.W.*, IX, 153) Durkheim estimait toutefois que l'exogamie était une conséquence de la loi totémique. On pouvait donc discuter à l'infini quant à savoir si l'exogamie était antérieure au totémisme ou si elle en était la conséquence. Et c'est là que Freud devait intervenir : « Dans cette obscurité, l'expérience psychanalytique jette un seul rayon de lumière ». (*G.W.*, IX, 154).

L'expérience est celle de l'analyse des phobies d'animaux chez les enfants, phobies dont la comparaison avec la fête du repas totémique permet d'apporter la réponse suivante. « Un jour les frères exclus se réunirent, ils tuèrent et mangèrent le père et mirent ainsi fin à la horde paternelle. Unis, ils osèrent et ils accomplirent ce qui serait resté hors de portée de l'individu [...] Le violent père primordial avait certainement été pour chacun des frères l'image exemplaire à la fois jalousée et redoutée. Maintenant, dans l'acte de la dévoration, ils réalisaient l'identification avec lui, chacun d'eux s'appropriant une part de sa force. Le repas totémique, qui est peut-être la première fête de l'humanité, serait la répétition et la commémoration de cet acte mémorable et criminel qui instaura tant de choses, les organisations sociales, les règles de la bienséance et de la religion. » Ce joli récit implique qu'avant même l'acte fondateur, les hommes étaient doués de la capacité de se représenter l'image de ce qu'ils voudraient être. Mais il me faut poursuivre la citation.

« [...] pour juger vraisemblables ces conséquences, il suffit d'admettre que la troupe des frères réunis était dominée par les mêmes sentiments contradictoires à l'égard du père que nous pouvons mettre en évidence chez chacun de nos enfants et de nos névrosés en tant que contenu de l'ambivalence du complexe paternel [...] Une fois qu'ils eurent éliminé [le père], une fois satisfaite leur haine, et accompli leur vœu de s'identifier à lui, les impulsions tendres ainsi réprimées devaient se faire valoir. Cela se produisit sous la forme du remords; une culpabilité fit son apparition [...] Ils stigmatisèrent leur acte en portant l'interdit sur le meurtre du substitut paternel, du totem, et ils se privèrent des fruits de cet acte en renonçant aux femmes devenues disponibles. C'est ainsi qu'à partir de la *culpabilité* du fils, ils créèrent les deux principaux tabous du totémisme. » (*G.W.*, IX, 171-3.) Avant même que ne fut accompli l'acte fondateur, les hommes étaient donc capables d'identification, capables de former des vœux ambivalents, et s'ils n'étaient peut-être pas doués de l'usage de la parole — ce qui n'est pas précisé dans *Totem et tabou* —, ils avaient la notion de la paternité et de la filiation (sans quoi leur remords serait resté sans contenu). Impliquant ainsi l'existence préalable d'un complexe paternel si rudimentaire soit-il, et qui exige d'être lui-même fondé, l'acte par Freud supposé fondateur, ne rendant compte que d'une étape de l'organisation de la psyché, ne saurait être tenu pour véritablement premier. Si l'on veut affirmer qu'au commencement était l'acte — qu'il soit, ou non, acte de parole —, on ne saurait assigner à cet acte une réalité d'ordre historique ou préhistorique, voire paléontologique, au risque de lui voir perdre son caractère premier. Voilà l'impasse que je signalais plus haut.

Quant au phantasme de Freud, il est attesté par une notation qu'à deux reprises il introduit subrepticement en l'attribuant indûment à son prédécesseur. « Darwin, écrit Freud une première fois, déduisit de l'observation des singes supérieurs, qu'à l'origine, l'homme avait lui aussi vécu en petites hordes au sein desquelles la jalousie du mâle le plus âgé et le plus fort faisait obstacle à la promiscuité sexuelle ». Comme si le mâle le plus âgé était nécessairement le plus fort, alors que dans la citation de Darwin qui est introduite par cette phrase, il est écrit : « Une fois que le jeune mâle grandit, il se produit une lutte pour la souveraineté, et après avoir tué ou banni les autres, le plus fort s'établit à la tête de la société. » (*G.W.*, IX, 152-3.) Ce n'est évidemment pas toujours le plus vieux mâle — que Darwin n'a d'ailleurs pas songé à désigner comme père puisqu'il peut être né, aussi bien, de l'une des femelles de la horde —, ce n'est pas nécessairement le plus vieux qui est le plus fort. Or, Freud répétera son erreur, quelques pages plus loin, au cours du récit que j'ai déjà reproduit : « Unis, ils osèrent et réalisèrent ce qui fut resté hors de portée de l'individu. » Le phantasme, une première fois dévoilé dans *l'Interprétation des rêves*, mais une fois de plus dénié (« hors de portée ») et toujours actif dans *Totem et tabou* consiste, à n'en point douter, en la figure d'un père tout puissant et immortel; mortel aussi, mais du seul fait des vœux tout-puissants du fils dont la pérennité lui confère une existence éternelle au-delà de la mort et qui est peut-être identique à son immortalité première. Dans cette tautologie qui opère avec les moyens de la même pensée animiste dont Freud a cherché à rendre compte — négation de la mort naturelle, survivance des morts, toute-puissance de la pensée —, la toute-puissance du père se présente comme un attribut du fils [2].

## 2

*La vérité historique.* Ainsi s'intitule l'avant-dernière section de la deuxième partie du troisième chapitre de *Moïse et le monothéisme* où, vingt-sept ans après la publication de *Totem et tabou*, Freud affirme avec véhémence sa détermination de maintenir la construction exposée dans ce dernier livre, en dépit de tous les reproches qui lui ont été faits de ne pas avoir tenu compte des objections qu'il a soulevées. Avant d'aborder ces pages, il peut être utile de signaler un passage plus haut situé qui soulève quelques difficultés quant aux rapports entre le meurtre du père de la horde primitive, l'acquisition du langage et la toute-puissance de la pensée. Le voici : « Selon notre opinion, [la toute-puissance de la pensée] est une surestimation de l'influence que nos actes psychiques — qui sont ici d'ordre intellectuel — peuvent exercer dans la transformation du monde extérieur. Il est vrai que, foncièrement, toute la magie, qui est la préfiguration de notre technique, repose sur une telle présupposition. Toute la sorcellerie appartient à ce domaine, en particulier la conviction quant au pouvoir qui est lié à la connaissance et à l'énonciation d'un nom. Nous admettons que la ‘ toute-puissance de la pensée ’ fut l'expression de la fierté que l'humanité conçut du développement du langage dont la conséquence fut un progrès si extraordinaire de l'activité intellectuelle. Un nouveau domaine de l'esprit s'ouvrait, où les représentations, les souvenirs et les processus de déduction devaient jouer un rôle déterminant, par opposition à l'activité psychique inférieure qui avait pour contenu les perceptions immédiates des organes des sens. Ce fut certainement l'une des étapes les plus importantes sur le chemin de l'humanisation. » (*G.W.*, XVI, 221.) Or l'acte des frères alliés ne pouvait être fondé sur une activité psychique inférieure ayant pour seul contenu les perceptions immédiates des organes des sens, il exigeait de toute évidence la capacité de former des représentations, de conserver des souvenirs, et de procéder à des raisonnements simples, toutes capacités psychiques que Freud attribue ici à l'acquisition du langage, ce qui, en toute logique — car la logique est précisément le terrain que Freud, dans ses spéculations, se refuse à quitter —, laisserait à supposer que cette acquisition est antérieure au meurtre du père.

Quant à la toute-puissance de la pensée, il faut noter qu'en l'attribuant à une fierté que l'humanité conçut au cours de son développement, Freud la dissocie de la primordiale toute-puissance narcissique, ou de la toute-puissance attribuée au père originaire. (« A l'origine, le sacré n'est rien d'autre que la volonté du père primordial », p. 229). C'est à propos du pouvoir de ce père qu'intervient la notion — ambiguë, nous le verrons — de vérité historique. Voici ce que Freud écrit au sujet de la Révélation. » [ Les croyants] disent que l'idée d'un Dieu unique a exercé une si grande attraction sur les hommes parce qu'elle est une vérité éternelle qui, s'étant fait jour après être restée longtemps voilée, ne pouvait qu'entraîner l'adhésion de tous... Nous admettons que la solution des croyants contient la vérité, non pas la vérité *matérielle*, mais la vérité *historique*. Et nous nous accordons le droit de corriger une certaine déformation que cette vérité a subie lors de son retour. Autrement dit, nous ne pensons pas qu'il existe aujourd'hui un grand dieu unique mais qu'il a existé dans les temps originaires une personne unique qui devait paraître extrêmement grande et qui, plus tard, a fait retour dans le souvenir des hommes, élevée au rang de divinité... Quand Moïse a apporté au peuple l'idée d'un Dieu unique, cette idée, loin d'être nouvelle, représentait la reviviscence d'un événement survenu durant les temps originaires de la famille humaine et qui avait depuis longtemps échappé à la mémoire consciente des hommes. » (*G.W.*, XVI, 234-8.) L'événement en question n'est autre, bien entendu, que le meurtre du père.

Autrement dit, Dieu n'existe pas (vérité matérielle), mais il a existé un père primordial qui devait paraître extrêmement grand (vérité historique) et dont les hommes gardent un obscur souvenir. Mais cette « personne unique », ce père magnifique dont la découverte est, comme je l'ai déjà signalé, indûment attribuée à Darwin, se présente en réalité comme la créature de Freud. Vérité psychique, par conséquent, vérité à la fois universelle et singulière dans la mesure où il est permis à tout un chacun de prendre la mesure du pouvoir exercé par la représentation d'une personne unique et extrêmement grande qui est pourtant sa créature dans l'analyse.

La construction dans l'analyse permet chaque fois de reconnaître dans la personne extrêmement grande, la grande personne telle qu'au cours des scènes recréées, elle se présente face au petit enfant que l'on continue de porter en soi. Et cette grande personne est le plus souvent figurée comme étant douée de la parole; il arrive même assez fréquemment qu'elle ne soit présente que par sa parole. Dans ces conditions, le point de vue ontogénétique, qui a le défaut de tenir le produit de la remémoration et de la reconstruction pour la cause historique du développement ayant abouti à la configuration où le travail régrédient de l'analyse prend son départ, ne semblerait pas devoir faire obstacle à ce que l'effet originaire de la parole soit pris en considération. Lorsque, ayant reconstruit la scène, par ailleurs muette, où l'Homme aux loups, âgé d'un an et demi, assistait aux rapports sexuels de ses parents pour les interrompre enfin par des cris consécutifs à l'émission d'une selle, Freud ajouta que, peut-être, la voix du père s'était fait entendre pour réprimander l'enfant, sa supposition — où nous voudrions reconnaître l'obscure intuition que la parole paternelle était organisatrice de toute la scène — est pourtant restée une hypothèse tout à fait contingente. Ainsi le père de la préhistoire individuelle auquel Freud a attaché tant d'importance est-il demeuré muet, tout de même que le père de la horde primitive.

Le plus naïf réalisme permettrait pourtant d'imaginer que la grande personne manifeste en premier lieu sa grandeur par la parole, ne serait-ce que parce que le tout petit bébé réagit au son de sa voix alors qu'on ne saurait encore lui prêter la capacité de mesurer du regard l'étendue de son corps (sa grandeur au sens concret) ou de porter un jugement sur son pouvoir de régir les frustrations et les satisfactions (sa grandeur au sens figuré). Un père attentif à ses cinq enfants est-il resté insensible aux effets de détente ou de jubilation, — effets de sidération aussi, plus tard, et où l'on croit reconnaître l'inscription de l'amour et de la culpabilité —, est-il resté insensible à l'action que sa voix articulée a exercée sur leurs corps? Il n'est probablement pas resté de glace, mais il n'a peut-être pas été permis à sa perception d'accéder au statut d'observation. N'était-ce pas sa piété filiale qui s'y opposait? Cette encombrante piété filiale qui est au centre de *l'Interprétation des rêves* n'aurait peut-être pas admis qu'il se reconnaisse père primordial, quitte à franchir le pas suivant qui eut été de mesurer pleinement le poids de sa parole dans les cures de ses patients, poids dont le jeu des transferts de signifiants permet de méconnaître le caractère véritablement originaire, en l'affectant d'un « comme si ». Mais n'était-ce pas aussi sa mégalomanie dite infantile? A reconnaître son effectif pouvoir originaire, il eut peut-être perdu l'illusoire mais illimitée toute-puissance conférée par l'attribution à soi d'un père immortel, seul tenu pour véritable. En vérité, il n'eut rien perdu : le fait que le présent roman n'est que celui de l'auteur de ces lignes, l'atteste. Mais il fallait qu'il soit armé pour soutenir le siège, sans quoi, comme Breuer, il se serait enfui devant la première patiente tombée amoureuse de lui, et la psychanalyse n'eut point existé. Enfin, à côté de la piété filiale et de la mégalomanie qui vont de pair, la pudeur n'était-elle pas aussi en cause? A son corps défendant. Ne point dénier à l'amour du transfert le statut d'amour véritable (voir l'article de Freud, *Remarques sur l'amour de transfert*) n'est pas une offense; au contraire, c'est un témoignage de respect du moment que, conscient de sa position, on s'interdit d'y répondre par quelque manifestation érotique. Mais prononcer une parole, atteindre la patiente, ou le patient, dans son corps...! Il était vraiment nécessaire que le pouvoir de la parole aille de soi, qu'il restât non-élucidé. Sujet dont le tabou devait assurer le respect de l'interdiction de toucher.

A posteriori, il m'apparaît que le chemin parcouru dans *l'Enfant imaginaire* est fondé sur le non-respect de ce même interdit.

## ADDENDA

Paraissant en dehors du contexte qu'elles étaient destinées à appeler, les pages qu'on vient de lire n'appartiennent pas véritablement aux actes du congrès auquel le présent volume est consacré. Un double malentendu en est la cause. Conçues comme une introduction écrite à un débat, elles n'ont pas reçu une bien large diffusion préalable. Adressées aux membres d'un congrès de psychanalyse qui devait avoir pour thème « la Sexualité », elles ne pouvaient intéresser la totalité d'un très nombreux public attiré par l'annonce d'un congrès intitulé « Sexualité et politique ».

Au cours de mon exposé oral, je me suis efforcé de rendre sensible l'extension du concept de « sexualité » en psychanalyse. A mon sens, il faut réaliser que les paroles agissent sur le corps d'autrui, pour pouvoir reconnaître à la cure psychanalytique son caractère d'aventure à proprement parler sexuelle, plutôt que de ne l'appréhender — dans une vue scientiste — que comme une intervention portant *sur* la sexualité.

1. Si la parole peut avoir pour effet de supprimer un malaise éprouvé dans la situation analytique, elle n'en a pas moins un statut unique, différent de celui de tous les autres objets qui peuvent permettre à une pulsion d'atteindre son but, ce but étant la décharge d'une excitation endogène. Il est nécessaire, en particulier, de souligner que la parole est un attribut appartenant aux deux sexes.

2. On se rappellera que Freud a été amené à abandonner purement et simplement sa théorie de l'étiologie traumatique des névroses où nous pouvons pourtant reconnaître, un peu comme dans une caricature, l'intuition d'une vue plus profonde et tout à fait conforme au génie de la psychanalyse. Il suffit pour cela de renoncer à concevoir comme une séduction génitale la séduction sexuelle subie durant l'enfance et de se demander si la parole » qui peut faire un bien indicible et infliger des blessures épouvantables » n'a pas, chaque fois, un effet de séduction.

La parole n'agit-elle pas, chaque fois, comme répétition d'une déchirante séduction originaire, comme répétition d'une mythique parole primordiale? C'est tout au moins ce que l'examen des phénomènes qui se produisent dans la situation analytique m'a amené à penser.

## NOTES

1. S. Freud, *Gesammelte Werke*, Fischer Verlag, Frankfurt/Main, vol. V, pp. 301-2.

2. Voir, à ce sujet : Jacques Pohier. La primauté du père comme attribut du fils dans la foi chrétienne, in *Au nom du Père*, Paris 1972.

# LA « FOLIE » THÉTIQUE

*par*

Marcelin PLEYNET

Je dirai bien voici la place que je n'occupe pas, ou encore j'occupe la place que je n'occupe pas. Mais quelle place? Quelle place n'occupera pas le langage poétique à un congrès de psychanalyse? Et parce qu'il faut bien prendre date, je veux dire marquer un avant et un après, de faire ce qui se distribue de cet avant dans cet après, parce que c'est d'abord ainsi que nous reconnaîtrons ce qu'il en est de la psychanalyse, je marque au départ la place impossible à occuper, toujours occupée et impossible à occuper, celle du langage. Voilà pourquoi elle m'occupe. Je voudrais dans ce qui suit en rester là, à ma place c'est-à-dire partout et nulle part. C'est ce nulle part, qui ne saurait être qu'une part nulle, que je voudrais ici questionner. Ici sur le thème sexualité et politique aussi bien puisqu'il y faudra définir quelque chose de l'organisation de la cité qui concerne la psychanalyse, et ... le langage. Dans *Souvenirs, rêves et pensées* [1] Jung rapporte cette conversation qu'il eut avec Freud : « J'ai encore un vif souvenir, écrit-il, de Freud me disant : « Mon cher Jung promettez-moi de ne jamais abandonner la théorie sexuelle. C'est le plus essentiel! Voyez-vous nous devons en faire un dogme, un bastion inébranlable. » Il me disait cela plein de passion et sur le ton d'un père disant : « Promets-moi une chose mon cher fils : va tous les dimanches à l'église! » Quelque peu étonné, je lui demandai : « Un bastion — contre quoi? » Il me répondit : « Contre le flot de vase noire de ... » Ici il hésita un moment pour ajouter : « ... de l'occultisme ». Je vous fais grâce du commentaire de Jung, pour ne retenir que sa première libre association : quelque chose de l'église, du dogme, de la religion est concerné par la théorie freudienne de la sexualité. Pourtant Freud ne parle pas explicitement de la religion mais de l'occultisme — de l'occultisme (qui peut aussi bien faire question pour la psychanalyse, Jung en sait quelque chose) dont on connaît à travers les *Nouvelles conférences sur la psychanalyse*, ce que Freud définit par là, et qu'il ne faut pas confondre avec ce que par ailleurs il peut dire de la religion, du dogme, de l'église. C'est de la religion à l'occultisme que le discours analytique se marque historiquement dans la question du procès constituant le rapport du sujet à la loi. C'est initialement et interminablement que Freud lie les virtualités de l'analyse à la crise de l'institution religieuse : « la névrose remplace à notre époque le cloître où avaient coutume de se retirer toutes les personnes déçues par la vie et trop faibles pour la supporter » — et qui est aussi bien entendu la crise de toutes institutions. Que dans le rapport du sujet à la loi l'organisation médiatrice de la religion fasse défaut toute place devenant intenable la crise est entamée, l'histoire ne saurait plus faire que symptôme. La question est ouverte, qu'en est-il des institutions? Qu'en est-il du sujet et des institutions? Qu'en est-il du sujet et de sa médiation religieuse à la loi? Quel symptôme, quelle vérité manifeste la constance de cette trinité loi, religion, sujet, la constance de l'organisation de ce trois en un, quand bien même l'ordonnance en changerait — Père, fils, Saint-Esprit — que Georges Dumezil retrouve à l'origine de la structure des institutions indo-européennes : un prêtre, un héros, un roi (un légiste)? Structure qu'on retrouve développée à travers l'organisation monothéiste : Moïse, Aknaton, le peuple d'Israël. Modèle institutionnel d'où la femme est exclue, même si la féminité y trouve sa place du côté de l'instance la moins remplaçable : Moïse, le prêtre, la religion, le Saint-Esprit, si tant est que dans ce trois en un aucune des instances soit jamais tout à fait remplaçable. Imaginez cette drôle de Sainte famille que la loi maintient, que le prêtre lie et que le héros réalise! Aucun des représentants ne peut bien entendu en être exclu puisqu'ils ne sont qu'un corps social, mais comment le héros se réaliserait-il sans le maintien de la loi et comment la loi se maintiendrait-elle sans le lien de la religion? Si les trois « personnes » se retrouvent au sein de l'église, ni le héros ni la loi ne peuvent représenter la religion. De 1912 à 1939, de *Totem et Tabou* a son dernier livre *Moïse et le monothéisme* Freud ne cesse d'insister de ce que la religion naît de ce qui fait lien et loi pour les fils : le meurtre du père. Ébauche d'un ordre moral et social, l'ordre moral sublimant la volonté du père mort, l'ordre social tendant à maintenir l'ordre nouveau qu'instaure cette sublimation — ordre (législation) sans lequel un retour à l'état antérieur (au meurtre) deviendrait inévitable. C'est-à-dire où les renoncements pulsionnels que suppose l'égalité des droits ne viendraient plus faire obstacle à la lutte meurtrière pour la possession des femmes sœurs ou mères. C'est ici écrit Freud que les lois sociales se séparent des autres qui, affirmons-le émanent directement de la religion. Séparation où elles ne sont, si je puis dire que d'être liées à ce qui les travaille, où elles ne sont que dans ces liens; dans la mesure où les unes et les autres n'ont de fondement qu'au meurtre du père, où elles sont plus ou moins directement liées à l'inconscient : la société est construite sur un crime commis en commun. C'est évidemment ce plus ou moins qui vient faire séparation et lien. Si les lois morales émanant directement de la religion restent associées au meurtre originaire, les lois appelées à maintenir le nouvel ordre social que suppose le caractère désormais métaphysique de l'interdit (qui est ne l'oublions pas l'interdit, le tabou de l'inceste) tendent effectivement dans la fonction même de leur économie conservatrice, sous la pression de facteurs diversement économique, à se séparer de ce qui les détermine : la volonté du père. Mais on entend bien que de l'une à l'autre le sujet est tout entier impliqué et que pour lui cette séparation ne peut faire que lien. Lien qui dans l'ordonnance de passage du meurtre du père à son refoulement attache la tribu à la mère, au matriarcat, puis selon aussi je suppose un autre déplacement du refoulement au patriarcat. L'évolution qu'implique l'économie de la forme sociale déterminée par le refoulement religieux tend dès l'origine à une séparation avec les formes du refoulement mais dans un rapport du quantitatif en qualitatif. Rapport de la quantité des investissements mis en jeu avec la qualité des formes du refoulement — avec la qualité que ces formes de refoulement ont de lier les investissements économiques. Les structures morales et religieuses suivent « l'évolution » des lois sociales selon un mode de séparation qui lie diversement le sujet aux investissements qu'implique l'économie de la nouvelle structure sociale. Nous aurions là en quelque sorte dans le lié de la séparation le schéma d'un principe civilisateur. Disons que si la forme du refoulement est trop liante la séparation s'accentue fait symptôme et met la structure religieuse en question, pas assez liante et c'est la forme sociale qui régresse vers des stades antérieurs aux formes du refoulement, ni trop liante, ni pas assez liante garantissant la stagnation sociale et religieuse. Si l'on considère le christianisme comme une crise interne au judaïsme on peut très bien voir comment cette crise est née de la rencontre du peuple juif avec le monde méditerranéen, de la conjonction de deux civilisations l'une mise continuellement en crise par des structures de refoulement trop liante, l'autre mise en crise par le caractère insuffisamment liant de ses dogmes religieux. Le passage du judaïsme au christianisme (de la religion du Père à celle du Fils) et ce qu'on en sait des accommodements dit assez bien qu'il y fallait un déplacement de la loi morale par rapport aux lois sociales — ceci par transformation interne de leur relation : refoulement de la culpabilité fixation à (fascination et terreur de) celui qui en porte la trace symbolique. La communauté des fils se développe, s'unifie, se lie d'un aveu implicite : ils, les autres, les juifs, ont tué dieu. L'interdit initial est conservé mais la nouvelle structure sociale y est cette fois liée d'un aveu implicite sous la forme d'un désaveu. Freud traduit le texte intégral de l'accusation que les chrétiens portent contre les juifs : « Ils (les juifs) n'admettent pas qu'ils ont tué dieu, tandis que nous (les chrétiens), nous l'avouons et avons été lavé de ce crime [2] ». Des lois morales aux lois sociales un nouveau dialogue, un nouveau discours est entamé, celui de la culpabilité et de l'aveu. L'aveu incarne le père dans le fils et désincarne le père, ce qui rend le fils efficient (mais n'en fait pas un père) en bouchant définitivement, de ce reste, la question de l'interdit. L'aveu, la religion du fils, en libérant certains affects du sentiment de culpabilité, adapte et donc lie l'interdit aux conditions de développement de l'ordre social qui ne maîtrise les forces dont il est l'enjeu que des bénéfices de ce lien. Ici très nettement entrée en scène de la représentation et composition de la spiritualité avec la vie active. Nouvelles structures de la séparation et du lien, nouvelles formes religieuses et sociales, nouveaux discours, mais aussi ne l'oublions pas nouvelle langue. De la religion d'Aton, à la religion judaïque, à la religion chrétienne les formes du lien social en se transformant changent de langue. Egyptien, hébreu, grec au niveau de ce qui nous retient ici tout nouveau discours entraîne une nouvelle langue, tant il est vrai que de la structure religieuse à la structure sociale c'est la langue qui est lié. Ainsi des fils de Noé bâtissant leur ville Iahvé dit : « Voici qu'eux tous forment un seul peuple et ont un seul langage. S'ils commencent à faire cela, rien désormais ne leur sera impossible de tout ce qu'ils décideront de faire. [3] » Dans la médiation entre la sublimation de la volonté du père et le nouvel ordre que suppose cette sublimation les fils ne cesseront ainsi jamais à avoir successivement recours à une nouvelle langue, diversement interprétative, diversement liée.

La question qui s'ouvre aujourd'hui, aujourd'hui je veux dire depuis plus d'un demi-siècle, crise religieuse, crise des institutions, crise du sujet, est à aborder du côté de l'ordonnance liante de la religion. Pour ce qui nous concerne *religion du père* — culpabilité — refoulement du meurtre initial, *religion du fils* — aveu — refoulement du père — enfouissement définitif de la question du meurtre initiatique — occultisme. Freud indique à ce propos : « Puisant sa force dans une vérité historique, la nouvelle foi put surmonter tous les obstacles; au sentiment enivrant d'avoir été choisi succéda le soulagement de la rédemption salvatrice. Toutefois le fait de l'assassinat du père, quand son souvenir resurgit dans la mémoire des hommes, eut à surmonter de bien plus grand obstacle que l'autre, celui qui avait constitué l'essence du monothéisme. [4] » Qu'en est-il donc aujourd'hui de ce qui lie la tribu : le meurtre du père. D'où le père mort en religion tient-il ses liens? On entend que cette question du liant de la loi morale, dans la constitution de la structure sociale est avant tout la question de la place du héro, du sujet — il est dans ce lien, qui par quelque aspect qu'on les considère figure dans toutes les religions la place du sujet : « Une filet est étendu sur tous les êtres vivants » écrit Rabbi Aqiba. Dans l'ancien testament le lien est à la fois le fait de dieu et de la mort, comme dieu la mort lie et dieu lie à la mort. Nous ne sommes jamais aussi près de la vérité du rapport que le héros entretient avec son dieu que lorsqu'il parle des liens qui les unissent : « Sachez donc que c'est dieu qui m'a accablé et qui a étendu ses filets autour de moi » [5]. Dieu lieur et délieur, maître du rapport entre la loi morale et la structure sociale : maître des liens. Ce que nous retrouvons ici relève de l'ambivalence des rapports avec le père, avec le divin. Lier est aussi bien le fait de dieu que du diable, lier appartient au « sacré » au « sacer », au bon comme au mauvais, au saint comme au maudit, le coupable consacré aux dieux infernaux est *sacer* (sacer esto) d'où le sens de « criminel » (« auri sacra fames ») nous dit le dict. de la la langue latine. Dans le nouveau testament le christ délie ce que Satan à lié : « cette fille d'Abraham que Satan à lié, voici dix huit ans, ne fallait-il pas la délivrer de ce lien le jour du sabbat » [6]. L'obligation que détermine le refoulement, l'obligation vis à vis du dieu (« uoti sponsio qua obligamur deo ») comportait à l'origine le port d'un lien matériel, constitue le lien même qui fonde la religion — *religio* que certain auteurs rattachent (si je puis dire) à *religare* ce qui serait proprement « le fait de se lier vis à vis des dieux ». Etymologie que l'on trouve chez Lucrèce au moment même il vante les qualités de son poème : « C'est d'abord que je donne de grandes leçons, et tâche à dégager l'esprit des liens étroits de la religion, c'est aussi que sur un sujet obscur je compose des vers lumineux... » [7] (— « ... religionum animum nodis exsoluere... » où il fait dériver *religio* de *religare*). Nous retrouvons d'ailleurs là tout aussi bien le rapprochement que, sur la suggestion de Jones, Freud établit entre le Christ et le dieu Mitra dont le culte le disputa un temps au christianisme. A cela près que si l'on suit Freud sur l'origine du monothéisme judaïque, à savoir la religion d'Aton et le règne d'Akhnaton, soit vers 1376 avant, il faut préciser que le culte du dieu Mitra (dont le nom apparaît en tête de la liste des dieux aryens sur un document du XIVe siècle avant notre ère) est contemporain de la religion de Moïse, et peut être même plus ancien dans la mesure où Antoine Meillet interprète et propose de définir « le dieu indo-iranien « Mitra » comme le Contract personnifié », dans la mesure ou Georges Dumezil [8], rattache le mot « *mitra* » à la racine *mei* « échanger » et y apparente, sur tout le domaine indo-européen, d'autres mots à nuances aussi diverses que sanscrit *mayate* (il échange), latin *munus* (cadeau, service rendu, obligation, devoir) vieux slave *mêna* (changement, échange, contrat). » Dumezil écrit : « ce mot mitra a du désigner d'abord le moyen ou l'agent d'opération du type *potlatch*, c'est-à-dire « d'échanges obligatoires de dons » Mitra est qualifié comme celui « qui doit payer les hommes en retour (p. 117). Echange, obligation, contrat, le mot évolue jusqu'à signifier « amitié ». On ne quitte pas la racine du *religio* et du *religare* et ce d'autant moins que le dieu Mitra lui aussi maître des liens est associé sous la forme ambivalente du sacré, en double et en opposition, au dieu Varuna dont le nom a été interprété comme signifiant la faculté de lier (racine indo-européenne *uer* — skr. *varatra*, courroie, corde), il est d'ailleurs représenté avec à la main une corde ce lien par lequel se fonde la religion et dans les cérémonies qui le concernent « tout ce qui lie, à commencer par les nœuds, est dit varunien ». L'étymologie d'une part et les formes religieuses les plus archaïques d'autre part permettent on le voit de traverser et de vérifier d'interpréter à travers la dispersion des langues la constitution d'un des investissements symboliques les plus prégnants qui soit. Si tant est que dans le parcours sinueux où nous nous sommes engagés jusqu'ici ce lien peut faire office d'interprétation. De la question du sujet et des institutions, du rôle de la religion, de sa fonction séparée et liante, je ne me retrouve qu'à peine, à la fin de ce parcours, assuré qu'il y va effectivement d'un lien, et plus précisément d'une corde. Faut-il parler de corde dans la maison d'un pendu? Pourtant tout ce que j'ai interrogé comme modèle d'investissement me renvoie bien en définitive à ce tressé où je suis pris, à cette fonction que Freud nous dit être une des plus anciennes et des plus importantes de l'appareil psychique et qui consiste à lier. Des origines à nos jours l'humanité ne tiendrait-elle que d'un bout... de ficelle? La corde nouée ne figure-t-elle pas comme un des plus anciens systèmes de notation? Le lien qui se noue, prépare et affermit le filet de la langue jeté sur ce que la volonté du père garde (l'accès à la mère, aux sœurs, à la femme) c'est pour cela qu'il est ambivalant sacré. Le dieu lieur (Varuna) « est assurément « le terrible »; et il l'est grâce à sa magie, à sa *maya* d'*asura*, par laquelle, omniprésent, il a prise et action immédiate partout et sur tout, grâce à laquelle il crée et modifie les formes et fait les « lois de la nature » aussi bien que leurs « exceptions » », l'arme de cette magie « se précise d'ailleurs le plus souvent sous la forme du lacet, du nœud, des liens matériels ou figurés ». Reste que si tout cela insiste sur l'ambivalence du sacré qui participe de la double volonté de la loi et veille au grain, nous ne nous expliquons pas pour autant pourquoi à travers lui la loi morale *(religio — religare)* se cristallise dans la représentation symbolique de la corde et du nœud, ce qui du surgissement symbolique et de la langue de l'humanité se lie en ce lieu. Liens, filets, nœuds, corde et tissage qu'est-ce qui se cache là qui trace et garde la première note et, déploie à travers l'histoire, et sans tarder, le chatoyant tissus des langues? Mais si la langue en est la cache pourquoi ne l'interroger? Que savons nous du sens moral qui ne s'appuie, qui n'entame l'ubiquité du symbolique et de la loi? Et selon cet ordre quelles associations pouvons nous attendre de ces liens? Si à partir de la question de l'institution et des rapports que le sujet entretient avec la religion et la loi nous rencontrons cette représentation symbolique du lien, si nous la suivons jusqu'à sa fixation sur un des modèles les plus archaïques de l'écriture, la notation, sans doute d'abord comptable, de la corde noué, allons nous conclure que puisque c'est la langue elle-même qui fait nœud, il ne saurait dans la langue se dénouer? Il y va certes là d'un appareil qui entretient les rapports les plus étroits avec la langue mais ce type de notation ne participe-t-il pas lui-même déjà de la diversité des langues, et dans l'activité qu'il suppose n'est-il pas lui-même qu'une phase d'un investissement (une phrase) symbolique justement à dénouer? Ce qui fait lien, ce qui se noue, ce qui notifie la dette (cad. le cadeau-potlatch) l'obligation, la fonction sacerdotale (le rapport de tout sujet à la religion) c'est la corde, la fibre tressée, le tissage. Le lien ce qui est lié et tissé et en liant il tisse. Chez les Dogons la parole est assimilée au tissage. Et ne sommes nous pas là sur le seuil de l'interprétation freudienne lorsque nous apprenons que les Dogons disent que : « la fondation du grenier de la femme est comme la parole du tissage » [9]? Du tissage qui fait lien Freud suggère que la femme en a trouvé la technique : « On pense que les femmes n'ont que faiblement contribué aux découvertes et aux inventions de l'histoire de la civilisation. Peut-être ont-elles cependant trouvé une technique, celle du tissage, du tressage. S'il en est vraiment ainsi, on est tenté de deviner le motif inconscient de cette invention. La nature elle-même aurait fourni le modèle d'une semblable copie en faisant pousser sur les organes génitaux les poils qui les masquent. Le progrès qui restait à faire était d'enlacer les fibres plantées dans la peau et qui ne formaient qu'une sorte de feutrage. [10] » Fibre en effet et c'est là que je voulais en venir quant au sens possible de ce qui retient ce lien. De *fibre* si je suis le dictionnaire j'obtiens : « (lat. *fibra*). Chacun des filaments ténus et flexibles qui groupés en faisceaux constituent certaines substances animales, végétales ou minérales (...) techn. *fibres textiles*... substance filamenteuse susceptible d'être filée et tissée. *Fibres animales* (laine, poil, soie)... » et du latin *fibra* : « filament des racines, fibre, veine; dans la langue augurale " division du foie, lobe ", puis le " foie " lui-même et par extension " entrailles " ... le sens premier a pu être " fente " cf. *fibras radicum* Cic. Tusc. 3,13, qui doit désigner l'endroit où la racine se divise pour donner naissance à d'autres racines; ce sens de " fente " est encore dans Pline...[11] » Investigation (n'est-ce pas) où presque tout est à retenir à commencer par la présence du mot *fibra* dans la langue des augures (ceux qui font croître en interprétant) pour désigner le « foie », jusqu'à ce sens premier situé à l'endroit où la racine se divise pour donner naissance à d'autres racines, entre les jambes où la nature a fait pousser sur les organes génitaux les poils qui masquent et révèlent la fente — en cet endroit où le petit garçon ne peut pas croire que la fillette n'en ait pas elle aussi un et se tranquillise en se disant qu'il est encore *petit*, où la petite fille ne peut pas croire qu'il ne lui poussera pas. Cet endroit où la foi se noue d'un manque tressé qui fait note et compte, filet de la langue jeté sur la fente, filet de la fente tenue du père mort : religion, langue du sujet noué au cortex, tissus lâche tout de même du refoulement fondateur de la double loi, du savoir et de toute place occupée. « Avec le filet lie et annhile » énonce une incantation assyrienne; et le poème babylonien de la création : « ils furent jetés dans des filets, restèrent dans les nasses, furent mis dans des cavernes. » Qu'on imagine ce tapis tressé, ce « tapis » en détresse, construisant l'histoire et les fables que l'on sait!

On a beaucoup glosé de l'étude du Freud sur le Moïse de Michel Ange (paru comme l'on sait sans nom d'auteur), et sur le rapport réciproque des tables de la loi, de la main droite et de la barbe du patriarche dans l'iconographie de Michel Ange. Ne pourrait-on pas dans la perspective de ce qui précède, et en considérant aussi bien, l'appendice que Freud ajoute en 1927, à son essai [12] revenir sur le fait que le Moïse de Michel Ange est destiné à un tombeau (celui d'un pape, un *papa* humaniste, un homme d'action plus particulièrement intéressé par le pouvoir) — qu'en Moïse y est assis, et si je puis dire à sa place (— Michel Ange n'écrira-t-il pas : « Je constate que j'ai perdu toute ma jeunesse, ligoté à ce tombeau [13]) — que Michel Ange n'acheva jamais ce tombeau, qu'il n'est toujours pas achevé et que le rapport des tables de la loi à la barbe, en dehors du caractère et des sentiments que l'Ancien Testament aussi bien que ses interprètes attribuent au patriarche, se justifie du lieu caché qu'occupe dans la volonté de l'artiste, *il papa* le mort : Moïse gardien derrière sa barbe du tombeau où Michel Ange est lié (on sait que le pape Jule II commanda son tombeau en 1505, soit huit ans avant sa mort). Faut-il penser qu'il y a toujours un mort avant pour lier les tombeaux où les morts viennent prendre place? Les femmes doivent en savoir quelque chose de cette place à occuper? Quelle tresse que la statuaire (barbe sur la bouche du *Moïse* de Michel Ange, ou d'un autre — figure dite de *la nuit* dans le même tombeau) quel langage scellé dans la loi que l'artiste de la renaissance sait déjà pouvoir ne tenir que d'un coude! Forme, bouchon de la génération et du reste, langage comptable de ces sublimes déchets accumulés où les hommes se lient esclaves du vouloir dire à tout prix (d'y croire un membre ou une cachette) et du savoir qui n'en veut rien savoir. Là et nulle part — lieu de la part nulle — le lien (qui est toujours du père) institue à chaque fois une langue et une seule (c'est-à-dire diversité des langues) en place de ce qui n'en a pas. La place surveillée et que le père lie de la diversité des langues, c'est la place sans langue, c'est en langue (de rêve si l'on veut) la place ouverte de la question du libre échange de la place, et de l'objet et de la place. Ici recours, accident, forme du lien, retour du refoulé, l'unité de la langue appelle l'analyste qui en traite comme la diversité nulle des langues vide le poète. Double mouvement de l'interprétation en ce qu'elle fait thèse et dans son infinité précipite des viscères jusqu'au ciel les constellations fixes emportées à tout moment par rien. Allez y voir vous même si vous ne voulez pas me croire, je dis rien où toujours quelque chose manque puisque de ces manques tissés, nait ce qui cache et découvre comme l'on sait, et se dresse à nouveau le reste; j'y suis de ne pas y être et d'y être je n'y suis pas.

## NOTES

1. C. G. Jung, *Souvenirs, rêves et pensées*, Gallimard, Paris 1973.
2. S. Freud, *Moïse et le monothéisme*, Gallimard, Paris 1948.
3. *Genèse*, XI, 6-8.
4. S. Freud, *op. cit.*
5. Job, XIX, 6.
6. Luc, XII, 16.
7. Lucrèce, *De rerum natura*, I, 931-2.

8. G. Dumezil, *Mitra-Varuna*, Gallimard, Paris 1948.
9. G. Calame-Griaule, *Ethnologie et langage*, Gallimard, Paris, 1965.
10. S. Freud, *Nouvelles conférences sur la psychanalyse*, Gallimard, Paris 1936.
11. A. Ernout et A. Meillet, *Dict. Etymo. de la langue latine*, Librairie C. Klincksieck, Paris 1967.
12. S. Freud, *Essais de psychanalyse appliquée*, Gallimard, Paris 1952.
13. Michel Ange, *Lettre*, oct. 1542.

# THÉORIE DU RAPPORT AU SEXE ET PRATIQUE SOCIALE DES RAPPORTS ENTRE LES SEXES

par

Robert Castel

L'intitulé exige quelques éclaircissements, mais le propos sera simple, élémentaire même. Il se contentera d'enchaîner deux ou trois évidences que l'on rougirait de rappeler si leur oubli (ou leur dénégation) ne grevait aujourd'hui, dans les milieux inspirés par la pensée psychanalytique, la plupart des discussions sur le rapport de la sexualité à la politique.

Le but de ces rappels : ébaucher le bilan de l'apport (et du non apport) de la psychanalyse à la problématique politique de la sexualité. Le moyen : distinguer clairement les effets pratiques d'une théorie du rapport au sexe, telle que la propose la psychanalyse, et les conditions d'une transformation pratique des rapports entre les sexes, telle qu'elle ressort d'une analyse socio-politique. L'intention : en montrant que la psychanalyse a peu à voir avec ce dernier problème (si ce n'est souvent pour en brouiller les données), dégager une voie vers une articulation plus rigoureuse (et plus politique) de la sexualité et de la politique. S'il est vrai que quelques cadavres théoriques encombrent aujourd'hui cette voie, on excusera peut-être une manière un peu rapide de vouloir s'en débarrasser. C'est un sentiment à la fois d'opportunité et d'urgence (καιρός) qui a dicté ce schématisme. Le risque pris sera justifié s'il ouvre une *franche* discussion entre gens qui, ne parlant pas de la même chose, ont d'abord à le savoir. Ceci, négativement, pour éviter cette forme raffinée du langage de sourds qu'est l'académisme. Quant aux implications positives, c'est à ceux qui récusent les dogmatismes de les chercher ensemble. L'invitation à une discussion ouverte n'est donc pas ici une clause de style.

1. Ce n'est pas ici le lieu de discuter l'apport de la psychanalyse à une théorie du rapport au sexe. On conviendra, sous bénéfice d'un inventaire plus nuancé, qu'il a été considérable, c'est-à-dire que la psychanalyse a, par le biais d'une généralisation du concept de sexualité, marqué une rupture par rapport aux manières antérieures de concevoir l'impact du sexe dans l'existence individuelle et sociale : celle de la psychologie commune ou « scientifique », de la biologie, et même, quoique sous une forme plus discutable, de l'anthropologie historique. « Révolution » donc, si l'on veut et si l'on a pas peur des mots, mais révolution théorique. Ou plutôt, déjà, mais en un sens très précis, révolution théorico-pratique. Car le gain de savoir et de pouvoir dont on est redevable à la psychanalyse est inséparable de l'invention d'un dispositif dans lequel l'inconscient a pu être mis en scène, a pu apparaître comme « l'autre scène », dont les effets ont pu être observés, contrôlés et, pour une part, manipulés, à travers les mécanismes du transfert

et du contre-transfert [1]. On n'y refléchira jamais trop : le rapport duel, ce dispositif apparemment si léger du fauteuil et du divan, est une des institutions les plus fermement structurées qui existent dans notre société. Et il fallait bien celà, d'une part pour rompre avec le confusionnisme des relations psychologiques « naturelles » dans lesquelles de multiples intérêts, motivations, intentions etc... se trouvent toujours et indissociablement confondus; d'autre part pour instituer comme un rite régulier, payé, reproductible x fois la semaine pendant x années (c'est ce qu'on appelle une habitude) une des relations les plus intimes, les plus profondes, les plus complètes, qu'un sujet puisse nouer. C'est donc bien à partir de et dans cette situation strictement normée qu'apparaît une « autre scène », que se manifestent la plupart des effets de l'inconscient, du moins dans la mesure où la psychanalyse a à en voir, à en savoir et à en faire [2].

Il y aurait donc lieu de s'interroger un peu sérieusement sur les caractéristiques d'un tel dispositif et la nature des conventions qui l'instituent. Ce n'est pas un simple cadre, une enveloppe, un ensemble de règles plus ou moins extérieures, de dispositions plus ou moins arbitraires. S'il est vrai que s'y produit l'essentiel des effets théoriques et pratiques de la psychanalyse, la structure contractuelle de la relation analytique est bien sa matrice originaire, son institution fondatrice. On ne peut donc qu'être étonné d'entendre un psychanalyste éminent (O. Mannoni) objecter sans justifications à un propos de ce type que la psychanalyse doit bien peu à sa structure contractuelle [3]. Étrange souci de mettre la psychanalyse à l'abri d'interrogations simples qui ne paraissent iconoclastes que parce qu'elles n'entérinent pas d'emblée toutes les prétentions de la psychanalyse : le caractère ex-nihilo de son apparition, l'an-historicité totale de son développement, l'extra-territorialité sociale de ses productions. Attitude révérencieuse, religieuse, dont, de fait, il n'y a pas à discuter. Mais ou bien les psychanalystes tiennent au monopole de la répétition monotone de leurs propres certitudes, ou bien s'ouvrent des questions pour des gens qui ne possèdent pas un Savoir Absolu coquettement baptisé non-savoir.

2. Disons donc que pour ce qui est de la psychanalyse aussi, comme pour bien d'autres pratiques sociales, c'est d'un contrat qu'il s'agit. Qu'est-ce que ce contrat a de spécifique dans cette situation? Quels sont les effets de cette structure contractuelle sur ce que la psychanalyse dit et fait de la sexualité? Quels sont les rapports entre ces « effets sexuels » produits en situation contractualisée et une problématique politique de la sexualité?

Un contrat, c'est un système de règles qui normalisent un échange entre deux partenaires sociaux. Deux faces dans tout contrat : ce qu'il impose et interdit explicitement et à quoi les partenaires se savent tenus; ce qu'il impose et interdit implicitement, tout un système de présupposés réitérés dans l'ordre du non-dit et, souvent, du non-su. Le premier aspect est le plus facile à admettre, encore qu'il implique quelques conséquences essentielles pour le traitement psychanalytique de la sexualité.

Inutile de déployer ici toutes les règles explicites ou quasi explicites de la relation analytique pour montrer comment elles scandent et structurent l'échange. Arrêtons nous seulement un instant sur *la portée* de n'importe laquelle de ces obligations ou interdits que les partenaires se donnent à eux-mêmes et acceptent afin d'entrer en commerce l'un avec l'autre. Soit le tabou du toucher dans la relation analytique : pure « convention », en un sens, mais qui règle la possibilité de l'accès au symbolique; disposition très « respectable » au demeurant, et qui respecte en fait toutes les normes sociales et morales du commerce sexuel; garde-fou déontologique dont se précautionnent tous les intermédiaires institutionnellement mandatés pour le traitement des problèmes personnels et intimes, et analogue au secret professionnel de l'avocat ou à la règle de célibat des prêtres. Rien à redire à celà. Mais à dire quand même qu'une telle règle est si peu extérieure à ce qui se passe dans la relation analytique qu'il suffit qu'elle soit transgressée (ou plutôt que sa transgression soit officiellement avouée et devienne à son tour la convention d'un nouveau contrat) pour que l'on se trouve dans un tout autre registre d'expérimentation dans lequel la sexualité est manipulée tout autrement. Témoin l'existence de certaines thérapies aux États-Unis, parfois conduites d'ailleurs par d'ex-psychanalystes qui ont trouvé leur nouveau chemin de Damas théorique à travers l'acceptation de pratiques sexuelles avec leurs patients. Les psychanalystes peuvent s'en indigner au nom de l'orthodoxie freudienne, ou de la morale sexuelle dominante, ou des deux à la fois, c'est leur affaire. Nous dirons seulement que de tels transfuges ne sont plus, de fait, des psychanalystes, parce qu'ils ont modifié sur un point essentiel le système incompressible d'axiomes qui institue le traitement théorique et pratique de la sexualité en psychanalyse à partir de ce laboratoire d'expérimentation bien particulier qu'est la situation duelle.

On commence peut-être à comprendre qu'une « révolution » profonde dans la conception de la sexualité, telle que la psychanalyse en propose une, pourrait aller de pair avec l'acceptation des modèles socialement dominants de la pratique sexuelle. Peut-être conviendrait-il de s'interroger plus avant dans cette voie sur la signification d'une certaine connotation ascétique (puritaine?) de la psychanalyse qui lui a permis, les premiers contre sens « dépassés de part et d'autre », de faire au demeurant assez bon ménage avec une conception religieuse de la « santé » sexuelle. Qu'on m'entende bien cependant. Ce n'est pas parce que le divan ne sert pas à autre chose qu'à parler que la psychanalyse n'a pas révolutionné les pratiques sociales en matière de sexualité. Mais les conditions techniques d'accès à l'inconscient comme autre scène imposent une émission réglée de la sexualité (comme de l'agressivité), endiguée, formalisée, contrôlée, et, en un sens, aseptisée pour pouvoir être fantasmatisée. Ainsi les éventuels aspects subversifs de la psychanalyse se produiront-ils sur la base de cette situation professionnalisée, avec ces deux implications essentielles : il s'agit d'une problématique individuelle de la sexualité; il s'agit d'une prise de conscience permise par la mise entre parenthèses (la neutralisation) des dimensions directement sociales et politiques de cette problématique sexuelle. En s'inscrivant dans la grande matrice des contrats libéraux, la psychanalyse en épouse les contraintes, mais en même temps elle bénéficie de ses garanties. Les interdits, comme les règles positives qui commandent l'instauration de la relation analytique (cf. le rôle de l'argent, le libre choix du thérapeute, le secret professionnel etc. et leur stricte coïncidence avec les termes du « code de déontologie médicale ») reprennent et poussent à la limite de leur logique les principes qui, dans la société, structurent les relations de service reconnues pour traiter les problèmes personnels par des spécialistes à la compétence légitime. Le psychanalyste, qu'il le veuille ou non, est un expert, respectable et respectée, estimable et estimé. Cela se paye, à tous les sens du mot.

Il suffit de comparer cet espèce de laboratoire soigneusement agencé et surveillé par un professionnel comme on dit, « qualifié », qu'est la situation psychanalytique, et les situations où affleurent de francs enjeux politiques (ou des enjeux politiques directs) en matière de sexualité. Celles-ci se signalent par une répression, qui n'est pas aveugle, mais qui se déclenche à partir du moment où des seuils précis de tolérance sont atteints. Ainsi pour les délits de propagande sexuelle à l'égard de la jeunesse : lorsque l'information sort du « silence du cabinet », lorsqu'elle s'adresse à un public indifférencié, lorsqu'elle incite à des pratiques au lieu de se contenter de documenter « objectivement » [4]. Au contraire, la psychanalyse est une pratique *privée*, au cérémonial hautement *contrôlé*, dont les adeptes sont soigneusement *sélectionnés*, et dont le déroulement est rigoureusement *clivé* de la pratique sociale.

On n'aura certes pas la naïveté de reprocher aux psychanalystes de ne pas être des martyrs de la répression. On leur demandera seulement de ne pas se prendre trop vite pour des révolutionnaires. Pour l'instant, tout plutôt les en éloigne à partir d'une situation professionnelle dont le caractère contractuel contractualise l'émission même de la sexualité.

3. Demeure cependant la possibilité d'effets subversifs de ce qui se passe dans ce cadre : les retombées éventuellement politiques du détour par le symbolique auquel permet d'accéder la structure contractuelle. Mais celles-ci serront ramenées à leurs limites si l'on envisage l'autre face du contrat et que l'on redonne son poids au système des pré-supposés implicites qui le sous-tend. Il ne s'agit plus des principes que la psychanalyse pose et auxquels elle s'attache comme autant de conditions de son fonctionnement technique, mais de la structuration objective des rapports entre les sexes dans une société donnée dont elle hérite nécessairement. Comme toute mise en scène du drame psychologique — et quelle que soit, par ailleurs, son immense originalité dans *l'orbs* de la psychologie — la psychanalyse a toujours affaire à un déjà-là, au déjà-donné des matrices sociales qui moulent les relations personnelles et sexuelles. Ainsi la séparation historique du personnage public et du sujet privé, la coupure sociale entre la jouissance et le travail, le divorce entre un corps support de fan-

tasmes et un corps instrument de production, la séparation de la parole et de l'acte, etc... La technique psychanalytique reçoit ces différences, en joue et s'en sert en vue de ses propres fins. Bien évidemment, elle ne s'en affranchit pas. Plutôt, elle les réitère, les porte à leur forme structurale, au point où elles nouent le destin individuel. Il en va de même pour les relations sexuelles « réelles », c'est-à-dire pour l'économie sociale et politique des rapports entre les sexes. La psychanalyse les reçoit « telles qu'elles sont », les axiomatise, en dégage les implications imaginaires et symboliques. Et que pourrait-elle faire d'autre que de rejouer, sur sa propre scène, ces implications — par les conséquences secondes, mais les effets structurants — de l'existence du couple, de l'organisation familiale, de la dépendance de l'enfant, de la domination de la femme, etc...? *La psychanalyse les analyse.*

C'est évident, banal, et pourtant fondamental. Car cela ne signifie rien d'autre que le fait que la psychanalyse ne « traite » jamais autre chose que les *effets* de ces structures, leur reprise dans une logique du désir, ce qui signifie aussi, réciproquement, que l'économie inconsciente est structurée par ces conditions. « Rien d'autre » n'implique pas qu'il s'agisse de quelque chose de négligeable, il s'en faut, puisque beaucoup y jouent l'essentiel de leur destin personnel. Mais politiquement, cela signifie que la psychanalyse suppose et reproduit les structures historiques de la famille et les fonctions sociales dévolues à la sexualité. Elle suppose et impose aussi, ce qui politiquement est au moins aussi important, à travers la position dévolue à l'analyste dans le transfert, le rôle nécessaire d'un professionnel comme arbitre « neutre » dans les conflits personnels et interpersonnels, le recours ultime au spécialiste compétent pour assumer les problèmes essentiels de l'existence avec toute la dialectique du pouvoir et de la dépossession, de la compétence et de la dépendance, que cela implique. Ce sont ces « données » de l'expérience historique, ou si l'on préfère ces productions sociales qui hantent la relation analytique et scandent son déroulement. Ce sont les conditions même de possibilité de l'expérience analytique. L'exercice de la psychanalyse n'a pas été « influencé » ou « contaminé » par des éléments du contexte historique au moment de sa naissance, pas plus qu'il n'est aujourd'hui « menacé » ou « récupéré » par une situation politique particulière. Aujourd'hui comme hier les dimensions fondamentales de l'expérience historique de la sexualité sont présentes *dans* la situation analytique et en règlent le déroulement.

Certes, la psychanalyse n'est pas seulement une théorie du rapport au sexe (une analyse de son économie). Elle est indissociablement une pratique, c'est-à-dire qu'elle a des effets pratiques sur les rapports entre sujets sexués (elle en modifie l'économie). Mais ces effets sont strictement circonscrits par l'acceptation des lois sociales qui structurent la sexualité dans ses fonctions de reproduction familiale (prohibition de l'inceste, assomption de la génitalité) et de production sociale (dérivation de la libido vers des fins socialement utiles). Sur la base de cette double acceptation peuvent se produire des déplacements dont le coût et les conséquences (positives ou négatives, c'est une autre question) peuvent être, pour chacun, essentiels. A travers l'expérience analytique il arrive que se délient des énergies, que s'opèrent de nouveaux équilibres pulsionnels et « qu'à la fin de la cure »(?) de nouveaux équilibres expriment une logique du désir auparavant écrasée par des contraintes sociales. Implications politiques personnelles possibles donc. Mais, même « libéré », le désir circule à travers des structures sociales inchangées. Le « destin » des pulsions s'inscrit toujours dans un réseau de forces préexistantes sur lesquelles la psychanalyse n'a aucun pouvoir puisqu'elle en réitère le pouvoir tout en en accommodant les effets. Comme le dit à peu près J. Baudrillard, dans ces entreprises de « libération », la subjectivité n'est jamais « libérée » que pour être immédiatement reprise par une économie politique, de même que dans une société productiviste le travail ne peut être « libéré » que comme valeur d'échange »[5].

Je ne souhaite pas être injuste. Au sein des découvertes qui jalonnent l'aventure analytique, il en est qui *peuvent* avoir des implications politiques. Cela signifie que la prise de conscience de certaines données de l'expérience analytique peuvent être réinjectées dans une expérience politique, *mais à condition de quitter le registre analytique.* Au contraire, prétendre passer sans solution de continuité du champ analytique au champ politique, c'est s'interdire la possibilité de traiter politiquement le problème politique de la sexualité. Telle est pourtant la pente « naturelle » de la psychanalyse et en cela consiste sa « contribution » la plus générale à une analyse politique : en brouiller les données, en confondre les plans, et conduire les pratiques à l'impasse.

Une analogie avec ce qui s'est passé en psychiatrie montrera que je n'exagère pas. La référence à la psychanalyse a été à coup sûr un moyen pour un certain nombre de psychiatres à partir des années cinquante, d'accéder à la critique du système asilaire, de prendre conscience de son caractère répressif etc. Mais la référence psychanalytique a été aussi la tentation de s'y enliser, de le fuir, ou de le sublimer dans des conduites fantasmatiques. Ainsi, il n'est que de comparer, aujourd'hui, certains services psychiatriques français qui « marchent » depuis vingt ans à la « psychothérapie institutionnelle » analytique à certaines réalisations italiennes par exemple — Gorizia, Trieste, Reggio, Emilia.... — qui ont fait leur révolution psychiatrique sur de toutes autres bases, politiques celles-là, pour réaliser à quel point l'exclusivisme psychanalytique peut conduire à l'impasse, voire à la régression politique.

De même pour la sexualité, parmi ceux qui militent politiquement dans ce domaine, nombreux y sont venus à travers un itinéraire analytique. Cela pourtant n'implique en rien que la psychanalyse en tant que telle puisse apporter une contribution privilégiée à un traitement politique des problèmes qui se posent entre les sexes ou plus généralement qui concernent l'organisation sociale de la sexualité. Ici l'enjeu est tout autre : non plus seulement une question d'investissements personnels mais une problématique du pouvoir qui, tout en traversant la vie quotidienne et l'aventure personnelle de chacun, s'attaquerait aux rapports socialement déterminés entre les sexes, à leur ancrage dans la division (sociale et domestique) du travail, à leurs supports organisationnels, à leurs racines dans les mœurs collectives et les pratiques institutionalisées. Or, par rapport à une telle perspective non seulement les catégories de la psychanalyse ne sont d'aucun recours, mais encore, en tant qu'elles fonctionnent, elles invalident l'accès à cette dimension. Rien, dans la psychanalyse, pour penser ou maîtriser le pouvoir dans sa nature sociale et politique. Au contraire, le champ analytique se gagne en neutralisant l'impact direct de ces déterminations (suspension de la réalité, choix de la dimension symbolique, etc.) tout en les reproduisant. « Neutralité », qui est aussi neutralisation des conditions d'un questionnement politique du pouvoir. Ainsi la psychanalyse *en tant que telle* tourne-t-elle le dos à ce qui pourrait être un programme un peu cohérent de politique sexuelle [6].

Ma première « évidence » tirée des règles explicites du contrat analytique tendait à prouver que la psychanalyse est au mieux politiquement neutre. Si « neutre » qu'elle est toute disponible pour s'intégrer au système du pouvoir dominant. Ma seconde « évidence » tend à montrer que la psychanalyse est politiquement conservatrice, sans que quiconque soit obligé d'y voir un jugement de valeur. Conservatrice ou conservatoire : conservant, exprimant et réitérant les rapports sociaux dominants, et spécialement les rapports sexuels socialement déterminés. Ce qu'illustrera plus concrètement un problème dont on s'avise aujourd'hui, un peu tardivement peut-être, celui de la place donnée à la femme et à la sexualité féminine dans la théorie et la pratique psychanalytique.

4. Problème incontestablement politique celui-là, puisque la question est celle de la dépossession, de l'exploitation, de la subordination, de la dépendance, de la domination, ou comme on voudra dire, de sujets personnels sur la base d'une commune condition. Mais c'est à mon sens faire preuve de naïveté que de s'étonner que la position psychanalytique ait pu être et soit encore, sur ce point, parfaitement conservatrice. Reprocherait-on à une pierre de tomber? La pesanteur n'est pas celle de la psychanalyse, mais celle d'une situation historique qu'elle ne peut que reproduire. Mon argument ici : plus une position psychanalytique sur le « problème de la féminité » est *psychanalytiquement rigoureuse*, plus elle est *politiquement conservatrice*. Illustration : du « laxisme » psychanalytique américain à la « rigueur » du lacanisme.

Quels ont été en effet les premiers psychanalystes à exprimer sur ce point des vues un peu différentes de celles de Freud, c'est-à-dire un peu moins contradictoires avec les exigences politiques d'autonomie de la femme? A peu près tous des déviants rapport à l'orthodoxie. Karen Horney, Alfred Adler, Clara Thompson, Frieda Fromm-Reichmann parmi les analystes formés en Europe. Aux États-Unis, l'équipe rassemblée autour de Harry Stack Sullivan à Washington, bientôt suivie par les différentes écoles plus ou moins en rupture de ban avec le freudisme [7]. Les psychanalystes européens marqueront sans doute leur condescendance à l'égard de ces références américaines. Je ne pense pas que ce soit bien pertinent. La situation de la psychanalyse américaine est très instructive et spécialement sa position devant les problèmes que lui pose l'existence de mouvements de contestation de la politique sexuelle dominante (femmes, « minorités sexuelles ») plus larges et plus autonomes qu'ici. On observe schématiquement trois courants :

— La position des freudiens orthodoxes toujours solidement implantés surtout dans les bastions traditionnels de la Côte Est, Boston, Philadelphie, New York... Analyse pessimiste et lucide de la situation : le psychanalyste est un technicien qui ne peut lutter contre une force organisée; les groupes qui sont à la recherche d'un autre équilibre de pouvoir entre les sexes, ou d'une reconnaissance sociale des aspirations des « minorités sexuelles », ont parfaitement raison de s'adresser ailleurs; la psychanalyse ne peut faire autrement que se déployer dans les dimensions de l'expérience sexuelle que l'histoire lui a légué; ceci dit, les principales lignes de force en matière de sexualité dans une société comme la société américaine demeurent du type de celles sur laquelle Freud a fondé sa doctrine, et le psychanalyste a donc encore son rôle social à jouer [8].

— La position « révisionniste » des différentes écoles qui tendent à restructurer la théorie de l'inconscient en faisant une plus large place aux éléments culturels. A partir de la récusation de la fameuse « envie de pénis » chez la femme, c'est ici à une tentative de réélaboration critique des différentes conceptions psychanalytiques de la différenciation sexuelle que l'on assiste. L'intention est de montrer qu'une attitude analytique devant ces problèmes demeure possible après l'abandon des positions rigides de l'orthodoxie freudienne.

— La position des groupes militants eux-mêmes. Pour la plupart d'entre eux, la cause est entendue. La psychanalyse fait partie du vieux monde. Elle est incapable de relever le « challenge » des revendications politiques sexuelles, comme elle a été incapable de reveler celui de la drogue et celui de l'aide à la souffrance psychique lorsqu'il s'agit de passer des douillettes cliniques psychanalytiques aux ghettos. Ce sont là en effet les trois expériences (politiques, soit dit entre parenthèses) qui expliquent ce recul de l'influence de la psychanalyse aux Etats-Unis. En schématisant : les femmes, les drogués et les noirs ont remis à leur place les prétentions révolutionnaristes de la psychanalyse. Mais ce recul doit être bien interprété. Premièrement, il n'est pas essentiellement d'ordre quantitatif : la psychanalyse continue à être la voie royale de l'accès aux positions de pouvoir et de respectabilité dans les professions « psy. », et les jeunes gens ambitieux le savent bien. Deuxièmement, un certain recul de l'audience générale de la psychanalyse dans la société va de pair avec la diffusion accélérée de doctrines, de schèmes d'explication, de modèles pratiques qui sont des sous produits de la psychanalyse à usage populaire, comme la *transactionnal analysis*. Troisièmement, il n'est pas dit, en général, que la psychanalyse soit « fausse », ni même « périmée », même dans les milieux qui s'en sont détachés. On convient qu'elle a son rôle à jouer auprès de certaines catégories de la population, selon certaines indications précises. Après son explosion impérialiste de l'après-guerre, elle régresse au rang d'une technique spécialisée, à la compétence limitée. Mais ce qui est certain, c'est qu'à peu près rien de ce qui se veut novateur, et surtout dans le domaine politique, ne se fait aujourd'hui au nom de la psychanalyse.

Nous n'en sommes pas là. Grâce à Lacan penseront beaucoup, les mêmes, souvent, qui ont le mépris facile et qui estiment que ces positions exotiques ne peuvent rien prouver par rapport à la noblesse de leurs enjeux. L'orthodoxie stalinienne prétendait aussi — mais c'était il y a vingt-cinq ans — que la psychanalyse américaine ne valait pas mieux que le Plan Marshall. Retournons donc enfin chez nous, à notre ethnocentrisme culturel, à Paris ou à Milan, lieux de la pureté théorique et politique. Je disais tout à l'heure que plus une théorie psychanalytique se veut rigoureuse, plus elle est politiquement conservatrice au sens où j'ai défini la ou le politique sur l'exemple d'une politique des pratiques sociales entre les sexes. Contre-épreuve, la doctrine du « retour à Freud » au maximum de sa rigueur voulue, le lacanisme. J'irai très vite parce que presque tout le monde, ici, sur ce sujet, en sait beaucoup plus que moi.

On sait donc que la tendance psychanalytique inspirée par Jacques Lacan a inlassablement déployé ses efforts pour affirmer la spécificité de l'ordre symbolique. On sait aussi qu'il a cru trouver dans cette référence le principe d'une rupture capable à la fois de sauvegarder l'impact dit absolument subversif du message freudien, et de se désolidariser des techniques psychanalytiques compromises avec la morale et l'idéologie dominantes. On sait encore l'accès au symbolique, l'introduction d'un manque symbolique irréductible à l'ordre du besoin et de la frustration, se fait par l'assomption de la castration. La castration barre au désir les voies leurrantes de l'imaginaire et le fait accéder au sens, au langage, à la Loi. Sens symbolique, nom du Père, loi du Père. C'est par la médiation du père que se fait cet accès au sens. Père symbolique, c'est entendu, davantage que personnage réel du père. Mais comment le père symbolique advient-il à l'enfant, quasi indépendamment de sa présence effective ou de sa consistance propre comme individu réel? Essentiellement à travers le discours de la mère. Le rôle positif de la mère, c'est d'être le relais du signifiant paternel. Son rôle négatif, c'est de laisser l'enfant plongé dans l'immanence d'un monde dépourvu de sens, monde maternel trop rempli de dévouements prosaïques, de tâches quotidiennes et d'affects gluants, pour ménager une place au manque à partir duquel le sens pourra se déployer (cf. les analyses de M. Mannoni dans *L'enfant, sa « maladie » et les autres*). Que la mère assume les besognes d'intendance (et il faut y mettre de l'amour) mais qu'elle sache aussi s'effacer, afin que ses conduites servent de prolégomènes à toute symbolique future. « Double jeu, commente Catherine Baliteau dans une critique pertinente des psychanalyses lacaniennes d'enfant [9], qui ressemble fort à une double contrainte et dans lequel se retrouve exactement, haussé à la dignité de la théorie psychanalytique, le rapport que la femme entretient, dans notre société, avec la culture : elle en rend l'accès possible pour l'homme en s'en excluant pour s'occuper du

“ réel ”, de la matérialité, de l’existence quotidienne ».

Et à propos de la fonction du phallus, « alpha et omega de l’alphabet du désir... lettre originelle, *la lettre de la lettre.... différentiel qui fait le corps mâle ou femelle* » (S. Leclaire : *Psychanalyser*), qui, de fait, articule et structure toute la théorie lacanienne du symbolique, elle ajoute : « Cet arbitraire théorique se trouve dans une étonnante harmonie préétablie avec l’idéologie dominante ». C’est peut-être trop peu dire. Certes, les « étonnantes harmonies préétablies » des psychanalyses (lacaniennes ou autres) avec « l’idéologie dominante » ne manquent pas (cf. le rôle de la psychanalyse dans les institutions de santé mentale). Mais il s’agit ici de quelque chose d’assez différent, et en un sens de plus grave : des bases, des fondements, des assises, des matrices, des structures de la psychanalyse, de son inconscient social. Un « roc » comme un autre, et au delà de celui-là non plus on ne peut aller.

Mais on pourrait peut-être consentir à prendre conscience de son existence. Les rapports de domination entre les sexes ne sont pas des avatars empiriques dont on s’affranchi en accédant à « l’autre scène ». Ils y fonctionnent. Ces positions, marques, dénivellations, différenciations — ces rapports de forces — ont un rendement symbolique, ils font fonctionner la dynamique symbolique. La technique psychanalytique repose sur eux, en travaille les effets, mais sans les entamer. Tout ce que j’ai essayé de dire tout à l’heure sur « l’inconscient social » de la psychanalyse, sur la conservation-transposition qu’elle opère du socle social des pratiques, s’applique *a fortiori* à la psychanalyse lacanienne. C’est au contraire du côté des hérésies méprisées par les puristes, lorsque le dispositif se déverrouille un peu, à travers les failles du système, que l'on entrevoit des ouvertures pour faire bouger les pratiques. Paradoxe qui n'est qu'apparent : le maximum de rigueur dégage la trace la plus épurée, mais aussi l'efficace la plus prégnante d'une situation donnée. Elle axiomatise les rapports réels entre les sexes, et donc les rapports de domination qui règlent leurs échanges dans la réalité.

Il n'est pas nécessaire de voir là la moindre critique de la psychanalyse. Seulement une invitation à clarifier de quoi l'on parle et ce dont on veut maintenant discuter. Surtout de la manière psychanalytique de statufier les pratiques de domination en les marquant du sceau du signifiant, ou surtout de la manière pratique de les changer? Si c'est aussi de transformation qu'il s'agit, il serait souhaitable que la discussion ne soit pas exclusivement centrée sur la psychanalyse. Afin que nul ne soit frustré, reconnaissons son ineffaçable contribution à la « théorie du rapport au sexe », et même à une certaine pratique, mais précisée et limitée ainsi : « telle qu'elle est définie et imposée par les pratiques dominantes qui, dans une société donnée, règlent les rapports entre les sexes ». Mais des relations réelles entre sujets sexués qui ne soient pas surplombées par l'ombre du phallus, est-ce une rêverie? Un rôle de la mère qui ne consisterait pas à être l'entremetteuse de la parole du père (et réciproquement un rôle du père qui ne consisterait pas à être le support de la loi phallique) est-ce une utopie? Questions naïves, ou vraies questions auxquelles l'impérialisme psychanalytique barre l'accès?

Je vois assez bien — et peut-être, si mon exposé a servi à quelque chose, voyons-nous un peu mieux maintenant — qui se tromperait et nous tromperait en prétendant apporter une réponse. A coup sûr, elle ne se trouve ni dans les textes sacrés, ni sur les divans. Mais d'où peut-elle émerger, si elle existe? Quelle orientation théorique la profile? Quelles pratiques tâtonnantes la dessinent peut-être déjà en marge des discours officiels? Ce serait maintenant à chercher dans le silence des grandes certitudes.

## NOTES

1. Et même des « transferts latéraux », dont la signification est toujours interprétée à partir de ce foyer. Je mets aussi entre parenthèses, quitte à m'en justifier dans la discussion, les questions qui naissent de la production d'un savoir psychanalytique dans des situations autres que la relation duelle classique. Outre que ces problèmes sont plus embarrassants dans une perspective analytique que dans celle que je propose, ils n'enlèvent rien au caractère premier et paradigmatique de la relation duelle, au fait qu'elle a été le lieu d'émergence de la plupart des concepts psychanalytiques, qu'elle reste l'espace le moins contesté de sa pratique, et que lorsqu'on l'abandonne pour un traitement en institution par exemple, les mêmes difficultés ressurgissent, mais plus aiguës, de constituer un nouveau dispositif réglé pour contrôler les effets de l'inconscient qui apparaissent dans ce nouvel espace.

2. Inutile d'objecter ici que de nombreux analystes prennent des libertés avec les règles techniques d'une conduite « idéale » de la cure. D'ailleurs les plus présomptueux n'en prennent guère davantage que Freud lui-même. Mais purisme et laxisme, avec toute la gamme des positions intermédiaires, sont des figures qui se soutiennent de la présence d'un ritualisme. Audaces complices dont ne sont pas obligés de frémir ceux qui n'ont pas de religion.

3. O. Mannoni, « Astolfo et Sancho », *Nouvelle Revue de Psychanalyse*, n. 8, « Pouvoir », automne 1973, pp. 7-22.

4. Cf. l'acte de condamnation du Dr Carpentier, auteur d'un tract distribué aux lycéens, audience du Conseil de l'Ordre de la région parisienne du 4 juin 1972.

5. J. Baudrillard, « Le Corps, charnier de signes », *Topique*, n. 10, oct. 1972.

6. Aussi son impact social actuel se réduit-il pour l'essentiel à alimenter un discours mondain sur la sexualité, tandis que ses schèmes édulcorés supportent l'entreprise de « sexologies » bien pensantes, lorsqu'ils ne remplacent pas les modèles usés de la fécondation des plantes dans des programmes d'éducation sexuelle pour société libérale avancée. En a-t-il toujours été ainsi? En tout cas, l'impact politique d'une doctrine ou d'une pratique doit à chaque fois s'apprécier dans un contexte historique précis. Ainsi la psychanalyse a effectivement pu avoir des effets politiquement subversifs par rapport à une conception victorienne de la sexualité par exemple, de même qu'elle en a eu sur certaines institutions psychiatriques ou éducatives particulièrement traditionnelles. A preuve, les « résistances à la psychanalyse » et les lenteurs de son implantation. Mais depuis les temps héroïques, il s'est produit un double déplacement; des points d'affrontement politique dans la société (particulièrement en matière de sexualité), des conditions sociales d'acceptabilité des stratégies analytiques. Ici il faudrait entreprendre une autre analyse de ce que les inconditionnels appellent la « récupération » de leur pratique et qui est en fait la complicité existant aujourd'hui entre cette pratique et de nouvelles stratégies sociales de pouvoir. Que la psychanalyse se soit trouvée à certains moments en situation oppositionnelle par rapport à certaines dimensions d'un contexte social, politique et culturel précis ne prouve donc pas qu'elle ait une signification subversive générale. Et qu'en matière de sexualité elle puisse encore aujourd'hui heurter quelques pudibonderies (moins que « la pornographie » d'ailleurs) ne prouve pas davantage qu'elle soit présente sur le front des luttes sexuelles (si on voulait absolument l'y placer, il n'est pas évident qu'elle se trouverait du côté où la pensent ses adeptes).

7. Cf. *Psychoanalysis and Women*, sous la direction de Jean Baker Miller, Penguin Book, New York 1973.

8. Je schématise ici de nombreuses discussions avec des psychanalystes américains. J'ajoute que l'image véhiculée d'eux en Europe, et spécialement à Paris, est par trop caricaturale. Non pas que les différences ne soient très importantes entre la spycha-

nalyse américaine et la psychanalyse européenne (ou parisienne), mais elles peuvent se lire dans les deux sens. J'ai pour ma part été extrêmement frappé par la très grande lucidité de la plupart de mes interlocuteurs. Ils s'efforcent de savoir ce qu'ils font, quitte à admettre des divorces entre leur pratique réelle et les discours apologétiques de la psychanalyse.

9. « La fin d'une parade misogyne : la psychanalyse lacanienne », *Temps Modernes*, juillet 1975.

# LES ÉTALONS FIGURATIFS

par

Jean-Joseph Goux

Je voudrais établir, avec quelque perfidie, un dialogue fictif, car posthume, entre un économiste célèbre et un psychanalyste bien connu sur le problème de l'étalon. Il s'agit plutôt d'une allégorie que d'une démonstration. Ou plutôt d'une énigme, au sens où pour Hegel l'énigme porte en elle-même sa solution quoiqu'elle frappe au premier abord par son disparate. C'est ce qui a fait dire, paraît-il, à Sancho Pança, ce matérialiste bien connu, figure de l'antiparanoïa et du terre-à-terre, qu'il aimait d'abord avoir le mot de l'énigme et entendre l'énigme ensuite... Jouissance de brave homme que le Sphinx, on le sait, n'a accordé ni à Œdipe, ni à ses prédécesseurs.

Pendant tout le XIXe siècle, être en régime d'étalon-or signifiait pour un pays que l'or était le fondement de son papier-monnaie, qu'en d'autres termes les billets et les pièces, signes monétaires sans valeur intrinsèque, pouvaient être librement échangées contre un montant d'or déterminé. Il y avait donc une monnaie-marchandise de base, qui servait de « point d'ancrage », d'« étalon universel ». Pourtant ce système est abandonné dès 1919 par l'Angleterre. Ce pays ne donne plus aucune garantie que la quantité de monnaie existante sous la forme de billet de banque, de pièces, de dépôts à vue, reste en relation constante avec la quantité d'or détenue par la banque centrale... Cette déhiscence entre le stock d'or disponible et la masse monétaire circulante entraîne une fluctuation libre du fiduciaire, qui n'est plus *convertible*. Il ne devait s'agir alors que d'un abandon provisoire. On attendait le « retour à l'étalon-or », comme le système d'évaluation économique le plus sain et le plus naturel. On reconnaissait cependant, en général, que quelque chose était changé dans la croyance en la nécessité absolue d'une encaisse assurant une stricte convertibilité. On admettait ainsi souvent que l'or revienne seulement avec le statut d'un monarque constitutionnel, amputé de ses pouvoirs despotiques d'autrefois, et obligé de prendre l'avis d'un Parlement de banques [1] ». Tous les faits ont montré depuis qu'il n'en est rien. C'est la tendance de plus en plus marqué du système de circulation monétaire d'évoluer vers la flottaison, la non-convertibilité, et de chercher un type d'équilibration complexe qui n'est plus fondée sur l'ancrage par l'étalon fixe. Peu après que Saussure énonce que les valeurs en linguistique, contrairement aux valeurs économiques fondées sur un étalon, n'ont pas de racine dans la nature, peu après que Kandinsky et Mondrian renoncent à chercher une référence empirique directe pour promouvoir la peinture pure, on entrait dans un régime économique sans étalon-or, pour arriver jusqu'à la « flottaison » généralisée que l'on sait.

Ce qui est engagé dans cette question de l'étalon ne m'intéresse pas ici, on l'aura compris, par son versant de technique économique et financière. J'ai acquis peu à peu la conviction [2], que toutes les procédures d'échange, d'évaluation, que l'on rencontre dans la pratique économique, mettent en place des mécanismes renvoyant à ce que nommerait volontiers une *symbologie* qui n'est nullement restreinte à ce seul niveau de procédure. Cette symbologie engage un système, un mode de symboliser, qui est aussi celui des pratiques signifiantes. Et par elles ce sont la constitution des sujets, le rapport à la langue, le statut des objets de désir, ce sont les régimes différents d'entrecroisement entre l'imaginaire, le signifiant, le réel, qui sont interpellés. Il n'est pas question, dès lors, d'accorder une antériorité causale à la symbologie économique. On peut seulement marquer, à l'intérieur d'un mode historique de la socialité, des correspondances et des contradictions entre ses procédures et celles qui régissent les métabolismes signifiants. Ainsi, par exemple « le problème d'un étalon fixe permettant de définir une série d'équivalence [3]. » nous apparaît à travers ce qu'en exposent à leur façon les dispositifs économiques, mais il affecte et travaillent sous d'autres formes, différentes instances d'un régime socio-symbolique, aussi bien d'ailleurs que la dimension ontogénétique des rapports d'un sujet aux substitutions symboliques.

Précisément n'est-il pas étrange que J.M. Keynes, l'auteur fameux de la *Théorie générale*, l'un des partisans les plus décidés de l'abandon de l'étalon-or, affirme que notre passion crispée pour maintenir coûte que coûte le métal jaune — et à nous protéger

ainsi des « dangers des monnaies à cours forcé » —
— a depuis longtemps « cherché à se draper dans les plis d'une respectabilité aussi épaisse que la respectabilité la plus épaisse qu'on ait vu jusqu'ici, *y compris dans les domaines du sexe et de la religion* [...] [4] ». Avec l'humour qui lui est coutumier il en appelle d'ailleurs explicitement au Dr Freud. Suspectant que les plis respectables de cette draperie ne sont qu'un « déguisement sournois » cachant quelque raison « profondement enracinées dans notre subconscient [5] ». Sexualité, religion : quelque chose de ces domaines et du mystère qu'ils dévoilent et qu'ils cachent (dans les plis de ces draps, ou plutôt sous cette *couverture*) n'est-il pas en effet démonté et traversé par le régime symbologique difficile à accepter, où l'étalon avec la place qu'il supporte, n'apparaît que comme une superstition, « un rêve séculaire », une « relique barbare » [6]?

La place ou l'emplacement qu'il supporte? Qu'il s'agisse d'un horizon d'ancrage ou d'ombilication assurant la consistance d'un système de marques signifiantes conventionnelles, et les empêchant de glisser ou de flotter par rapport aux valences qu'elles sont sensées signifier, cela va presque de soi. La logique même de cette procédure économique, sans aucune sollicitation venue de la linguistique ou de la psychanalyse, nous permet tranquillement d'énoncer que c'est l'ensemble des *effets de valeurs* du fiduciaire circulant, et donc la qualité de *signifiant* qui est suspendu à l'*existence* de cette couverture-étalon. Elle est une place privilégiée : un existant nodal permettant que soit constituées les valences symboliques en circulation, par leur rapport imaginaire, mais aussi potentiellement réalisables, à lui.

C'est donc un emplacement dont la fonction de garantie est destinée à rendre possible dans leur ensemble les effets de signifié (de valeur) qui avec la fin du système de la couverture et de l'encaisse, assurées par l'étalon-or, se trouve écarté, aboli. Fonction dont on ne s'étonnera donc pas que Keynes en rapporte justement la question si contreversée du maintien ou de la suppression au domaine impénétrable du « sexe » et de la « religion ». Et qu'il soit conduit pour en suivre le sens et les conséquences, à creuser systématiquement dans le filon de la métaphore paternel (« monarque », « pouvoirs despotiques » dont celui-ci risque d'être « amputé ») et par contre-coup de la métaphore phallique. On ne s'étonnera pas non plus qu'il puisse habilement faire jouer, comme à plaisir, avec une rigueur et une ampleur réthorique remarquable, la différence de registre entre l'idéal, le réel et le substitutif, qui marquerait les vicissitudes logiques et historiques qui transforment et reconstituent incessamment cette fonction, jusqu'aux résultats surprenants de « l'alchimie moderne »... « L'or, initialement placé au ciel avec son consort l'argent comme le sont le soleil et la lune, après s'être dépouillé de ses attributs sacrés pour venir sur la terre comme un autocrate, pourrait bien descendre dans un proche avenir au rang prosaïque de monarque constitutionnel s'en remettant du soin de gouverner à un cabinet de banquiers [7] ». Procès historique de descente d'un ciel idéal où l'or jouait le rôle de *mesure sacrée* des valeurs; époque de règne comme monnaie-marchandise dans une circulation ici-bas où « la main de l'individu en étreignait la substance matérielle [8] »; et peu à peu mouvement d'abstraction où il ne conservait tout juste qu'une dignité nominale d'étalon de valeur pour la monnaie fiduciaire, jusqu'au jour où le cours forcé des signes purement conventionnels, la monnaie dirigée, a permis de se passer complètement de toute référence et appui à cette « relique barbare ». Formellement il se peut que « l'on n'ait jamais besoin de proclamer la république », et que l'on puisse « éviter une révolution » [9], mais il est de fait que le rétablissement de l'étalon-or après sa suppression en 1915 n'a jamais été possible. La tendance conflictuelle qui se manifeste depuis, à travers crises et réajustements, est de plus en plus à la non-convertibilité et à la flottaison. D'ailleurs, dès que « l'idole doré [10] » cessa d'être *visible* au regard de tous, d'être adorée directement, de circuler tangiblement pour ne fournir que l'encaisse secrète des banques, « dans le sein de la terre [11] », on pouvait s'attendre à sa disparition « Quand on ne voit plus les dieux parcourir le monde dans leur équipage doré, on commence à leur substituer des rationalisations, et à ce moment il n'y a plus à attendre longtemps avant qu'il n'en reste rien [12] ». Le procès de substitutions en chaîne, par une implacable logique, finit par se soustraire aux contraintes de la chose supplée, et dans les méandres de la contre-partie et de l'équilibrage, la valence pure finit par se dégager de tout repérage idôlatrique d'origine pour atteindre à l'*infigurable*.

Cette lecture du lieu et du filon métaphorique où s'alimente le discours de l'économiste Keynes s'agissant du problème critique du maintien (ou de la suppression) de la convertibilité des monnaies purement nominales avec une couverture-or, serait unilatérale si elle ne trouvait pas un écho, et presque une rigoureuse réciproque, dans le discours de la psychanalyse. Certes on pourrait insister frontalement. On relèverait que la métaphore de « l'étalon phallique » n'est pas absente d'une théorisation célèbre qui tâche à en formaliser la position. Une telle réversibilité dans l'usage des images, suffirait à nous prouver que l'enjeu métaphorique que l'économiste a choisi n'est pas gratuit. Même si son prix, il faut l'avouer, est loin de pouvoir simplement être fixé. Car nous ne prétendons pas sonder jusqu'à quelle profondeur du trésor souterrain des figures de rhétorique, il en a puisé l'obscure nécessité. Nous avons appris cependant, plus d'une fois, que la ressemblance encore mal consciente dont s'autorisent les métaphores d'un philosophe, ou d'un économiste, n'était pas seulement celle, accidentelle et contingente, qui suffit parfois à la surprise poétique, mais qu'elle renvoyait à une plus solide homologie, encore opaque et immergée (d'où l'effet recherché du trope) mais susceptible, à l'analyse, de trouver un dépliement systématique, qui touche au réel politique et historique d'un régime socio-symbolique [13]. Et en effet, l'existence d'un signifiant destiné à désigner dans leur ensemble les effets de signifié, et à empêcher que les signes arbitraires, flottants et glissants, de la chaîne linguistique, ne viennent à perdre leur convertibilité dans le jeu des substitutions, en ne se rattachant plus à certains points de capitons qui les ancrent dans un sol primaire, et que repère dans son ensemble, un axe qui passe par le phallus et par le père (d'où « sexe » et « religion »), assure une fonction symbolique pour le champ spécifique du signifiant et de la position subjective, qui n'est pas sans homologie avec celle qu'a l'étalon et l'encaisse, dans l'échange économique du fiduciaire, pour en garantir socialement la valeur et en limiter la *folle* inflation.

Qu'une aporie « métaphysique » semble venir compliquer et parasiter la question « technique » de l'étalon-or ne saurait dès lors nous surprendre. Si l'emplacement de l'étalon touche par homologie « symbologique » et donc par métaphore opératoire, quelque chose de la position du phallus et de celle du père, rien d'étonnant à ce que s'y investissent, au niveau même des attendus et des débats de l'économie politique, les mystères et les draperies que Keynes évoque comme étant propre au « sexe » et à la « religion », et qui cachent l'économie d'un désir *(auri sacra fames)* sous « un accoutrement moralisateur [14] ». On pourrait ajouter que c'est le caractère de toute procédure symbologique (qu'il s'agisse des pratiques signifiantes ou économiques) d'engager indistinctement une technique et *autre chose* que cette technique, en tant que la position même des sujets et les modes de la subjectivité ne sont pas autre chose que des *effets* des procédures d' « échange » et des rapports socio-symboliques qui s'y jouent.

C'est pourtant par une autre voie que nous interrogerons non plus l'économie politique, mais la psychanalyse sur les ressources de l'étalon-or. Il faut dire que

nous sommes aidés en cela, bien opportunément, par une remarque d'Ernest Jones, et même par une véritable prise de position de l'auteur de la *Théorie du symbolisme.* Prise de position, qui à notre surprise intéressée, prétend apporter sa contribution à un problème d'économie politique à partir d'attendus issus d'une réflexion analytique sur le symbolisme. Il faut remarquer que l'article du psychanalyste britannique a été écrit pendant la première guerre mondiale, au moment même où l'Angleterre était sur le point d'abandonné le régime de l'étalon-or.
A un détour de son article sur la théorie du symbolisme, Jones s'interroge sur la puissance mystérieuse que l'on prête à certains objets qui servent de « talismans » ou d' « amulettes [15] ». Analysant la cause de ces cultes superstitieux Jones énonce qu'elle découle de la signification inconsciente de ces objets. Ils sont tout simplement des symboles d'organes génitaux, « principalement mâles ». Par l'association qui existait dans l'esprit de l'homme primitif entre les organes génitaux et « l'idée de force et de puissance », ces objets acquièrent un pouvoir de défense et de protection. « Prenons un autre exemple courant, plus important » écrit Jones immédiatement après. C'est alors qu'il aborde la question de l'étalon-or.

Si les idées de possession et de richesse, dit Jones, s'attachent obstinément à l'idée de « monnaie » et d'or, il y a à cela des raisons inconscientes. Comme Freud et Ferenczi il les cherche dans le registre de l'analité : « les pièces d'or sont les symboles inconscients des excréments ». Cette attitude superstitieuse vis à vis des pièces d'or ne conduit à rien moins qu'à « une erreur économique ». Celle qui consiste à vouloir maintenir à tout prix l'étalon-or, c'est-à-dire à ne vouloir considérer comme richesse véritable que l'or, sans admettre que des jetons quelqconques pourraient fort bien être des emblèmes de valeurs. Ce n'est pas tant l'interprétation analytique qui nous retient que la logique des attendus économiques qui sous-tend la déduction de Jones. Il s'appuie en partie pour affirmer ce qu'il affirme sur le savoir des économistes : « les économistes savent que l'idée de richesse signifie tout simplement ' un gage du travail futur ' et que n'importe quel jeton pourrait servir d'emblème à ce gage qui n'a nullement besoin d'être représenté par un ' étalon-or '[16] ». En d'autres termes, la valeur matérialisée dans l'étalon, et la référence à l'étalon, ne sont plus nécessaires, dès l'instant où la *cause* de la valeur est connue. Les jetons n'ont nullement besoin d'une couverture palpable; car ils ne sont pas les substituts d'un bien réel encaissé quelque part, qui les garantit dans leur valeur, par une convertibilité toujours possible, mais les symboles *directs* d'une certaine quantité de travail (ou d'un gage de travail futur). Ils sont les signifiants d'une réalité abstraite et toute *virtuelle*, et non pas les remplaçants provisoires et commodes d'un bien réel qui à tout moment pourrait être exhibé et présenté, montré et donné en personne mettant fin par cet échange à la vicariance éphémère qu'ils étaient chargés d'assurer. Cette opération de virtualisation, dont Jones attribue le savoir aux économistes, nous intéresse à plus d'un titre. Elle garantie le signe immotivé non par une encaisse matérielle que réglerait l'étalonnage en or, mais par une « couverture » nonvisible, potentielle, réalité plus abstraite que l'étalon et strictement infigurable. Au lieu de renvoyer le signe à la *chose* valeureuse elle le renvoie directement à la substance générale des valeurs, à la cause qui produit la valeur. Cette logique de la substitution virtuelle, qui permet de justifier théoriquement l'abandon de l'étalon-or, Jones s'en réclame avec ardeur et conviction. Il pense que l'on peut et doit dépasser ainsi définitivement ce qui n'est qu'une « superstition fondée sur le symbolisme [17] ». Jusqu'ici les propositions de Jones ne font pas problème. Il est même intéressant de constater sa détermination presque militante concernant une question d'économie politique que l'on pourrait croire étrangère à la psychanalyse : combien de sacrifice s'écrie-t-il, n'éviterait pas à tous les pays la fin de cette « erreur économique » basée sur une attitude superstitieuse! Et plus de huit années après cette prise de position très précoce (1915) qui rejoint étrangement celle de Keynes, il se félicite rétrospectivement au vu des derniers événements sociaux, de la justesse de sa prédiction.

Pourtant quelque chose dans ce beau parti pris nous retient et nous alerte. Dans ce même article Ernest Jones fait une référence assez longue à l'existence de « cultes phalliques ». Ce n'est pas très loin. C'est même exactement au paragraphe suivant. L'affaire de l'étalon-or est donc coïncée entre l'amulette, qui serait un symbole génital masculin, et un développement sur le culte phallique. Jones rappelle d'abord que dans les religions primitives, ce culte — « l'adoration du phallus patriarcal » — pour différentes raisons qu'il énumère « occupe une place centrale [18] ». Or immédiatement il s'élève énergiquement contre une objection essentielle faite au sens *pénien* attribué à ces cultes : on a suggéré souvent que ce culte n'aurait rien à voir avec « l'objet concret qu'est le phallus », mais se rapporterait à une idée beaucoup plus abstraite, celle de « puissance créatrice » et de « génération ». Non, dit Jones. Pour le psychanalyste l'idée abstraite et le symbole, loin de présenter un rapport de cause à effet, sont l'un et l'autre les effets d'une seule et même cause : « le phallus concret [19] ». Le symbole ne saurait être ici le signifiant d'une réalité non tangible, mais il renvoie nécessairement à un objet réel qui en contient tout le sens, et qui est la seule cause de ce sens...

Or qui ne voit, que par delà toutes les différences que l'on voudra entre la symbologie économique et la symbologie signifiante (par delà aussi l'insuffisance notoire de la retraduction qui est critiquée par Jones), c'est malgré tout une opération *comparable* que l'étalon matérialisé est dépassé vers la réalité plus « abstraite » qui constitue la valeur en général (et donc sa valeur à lui), et que l'objet phallique est dépassé vers une détermination plus « abstraite » (pour n'en être pas moins réelle) dont il se fait seulement le signifiant-support privilégié (de même que l'or se faisait le support privilégié de la valeur économique)? Du point de vue de l'*opération symbolique* qui est en cause, ces deux mouvements sont parfaitement semblables. Pourtant on voit Jones approuver ardemment le premier dans le cas de l'étalon-or mais critiquer énergiquement le second dans le cas du phallus, vingt lignes plus loin.

Il y a des raisons nombreuses à cela. On s'en doute.

D'ailleurs il ne s'agit que d'une homologie. Peut-être touchons-nous là justement la *limite* de celle-ci. Le point où la comparaison entre l'étalon-or et le phallus, de n'être qu'une comparaison et non pas une raison, présente des bornes indépassables. Il ne suffit pas de mettre à jour des ressemblances. Il faut, pour être complet, et honnête, exhiber les contours où l'homologie n'est plus opératoire et où les deux champs, un instant marié pour la plus grande joie de l'intellect qui prend sa jouissance à assimiler, enfin divorcent, se séparent. Soit. D'ailleurs la conception de Jones, sur son propre terrain, celui de l'interprétation, est loin d'être indéfendable. Elle a au moins le mérite polémique, on le sait, de modérer les excès des Silberer ou des Jung, trop prompts à voir partout du symbolisme anagogique. Elle ramène à l'empirisme interprétatif intransigeant; celui où l'on a voulu, sans doute à tort, cantonner le matérialisme de Freud.

Certainement. Mais la position de Jones, pourtant et malgré tout, reste paradoxale, pour ne pas dire franchement contradictoire. Et voici, selon moi, pourquoi : au mêment même où Jones refuse tout espèce de retraduction potentielle qui conduirait à voir dans le phallus tout autre chose qu'un pénis *réel*, au moment où il en récuse la dimension emblématique pour en faire le référent concret, empirique, d'une symbolisation directe, et donc au moment où il refuse par là même de reconnaître le rôle de signifiant du phallus en le rabattant tranquillement sur l'organe pénien, il ne voit par contre aucun inconvénient à l'opération *exactement symétrique* qui consiste à *retraduire la castration*. Pour en faire, au-delà de la perte littérale du pénis, ce qu'il nomme, on le sait, l'*aphanisis :* soit l'abolition totale et permanente de la capacité de jouir. « Être châtré » ne sera donc pour Jones qu'un symbole primitif et insistant, mais non pas exclusif, de l'*aphanisis.* « La peur de la mort » pourrait en être une autre version. Par contre le phallus, lui, n'est pas un signifiant, mais un référent, il n'est pas le symbole primitif d'un *x* ou d'un *y* à déterminer, mais un objet concret et situable.

Curieuse inconséquence. Deux poids et deux mesures. Une mesure quand il s'agit de la perte du pénis, qui n'est pas *réellement* la perte du pénis. L'autre quand il s'agit du phallus lui-même qui est réellement le pénis. On pourrait ironiser longuement, mais nous ne le ferons pas ici, sur ce *double traitement*, qui, on ne manquera pas de le remarquer, rassure doublement quelque chose de la position masculine. Une première fois en affirmant que le phallus n'est pas un emblème mais bel et bien un objet concret et une référence dernière — étalon figuratif irréductible; et une seconde fois en assurant que la perte du pénis n'est pas de l'ordre du réel ou du possible factuel, mais qu'elle est symbolique d'autre chose, de moins « partielle », et capable de provoquer la *même* crainte, dans les deux sexes.

Ce n'est donc pas le refus théorique de la retraduction à un niveau de réalité qui n'est pas celui des référents empiriques, qui retient Jones de faire à propos de l'objet pénien la même opération que celle qu'il défend ardemment à propos de l'étalon-or. Cette opération de retraduction (qui s'oppose à l'arrêt du renvoi symbolique sur un référent « concret » qui en serait la couverture originaire et causale), il la conçoit aisément, nous l'avons vu, dans le cas de la perte du pénis. Il y a donc autre chose qui est en jeu dans ce refus et dans l'inconséquence à laquelle il conduit. Question de poids et de mesure. Question d'étalon.

On peut concevoir la psychanalyse comme un lieu de versions intensives, effectuant des opérations de *changes signifiants*, cependant non-réglables, entre des strates différents — des formations hétérogènes et étrangères — du procès de symbolisation. Écarts, collisions, transductions, de régimes symboliques multiples. Versions polyglottes et polygraphes traversant des sédiments de signes affectés appartenant à des *temps* différents du sujet. Cette pluralité des régimes symboliques est aussi, à un autre niveau, celle qui est visible dans le cours discontinu de l'histoire sociale, par les modes différents de la subjectivité qu'elle a actualisé ou refoulé, en fonction des procédures d'échanges signifiants qui caractérisent chaque forme de la socialité.

Or non seulement la socialité contemporaine par ses procédures d'échanges et de production, n'actualise plus un mode de symboliser *emblématique*, celui que connaissaient les sociétés archaïques (et qu'à certains égards perpétue le langage du rêve) mais elle tend à briser le miroir de la représentation pour ouvrir sur un régime des signifiants marqué par la non-figure et par l'opération. On ne saurait limiter ce mouvement à une seule instance : il est lisible à de multiples niveaux (esthétiques, économiques, libidinaux) affectant peu à peu inégalement l'ensemble des métabolismes sociaux et leur productions signifiantes, et tendant à l'implantation d'un autre système socio-symbolique. Le sujet *opératif et génératif*, comme effet et agent de ce mode de signifier, n'est plus le sujet unitaire et ponctuel de la représentation réflexive dont la cogitation cartésienne et la perspective monocentrée avaient marqué historiquement la constitution, mais il situe une modalité nouvelle du subjectif et de la sujétion, que les termes de « décentrement », ou d' « excentricité » ne suffisent nullement à aborder. Ces nouvelles modalités de la signifiance, qui ébranlent le trinaire sémiotique, sont à rapporter à la relève historique en profondeur de la socialité capitaliste « libérale » fondée en principe sur la délégation et la rationalité du représentant universel, par une socialité différente, épistémo-technocratique sur son versant de domination, mais d'*interrelation sans mesures* sur son versant de transformation révolutionnaire potentielle. Avant que la symbologie économique, par exemple, ne rencontre le problème énigmatique des inconvertibles, la symbologie signifiante brisait l'exigence du référent, avec la peinture abstraite et les écritures textuelles, et même dépassait l'exigence du sème vivant et présent, avec la combinatoire opérative des langages mécanographiques. Il y a là une conjoncture cohérente, qui traduit un bouleversement encore en cours. On voit de mieux en mieux comment la surface représentative et figurative où venait se réfléchir un horizon référentiel, et se rassurer le sujet centré (cadrage qui était lui-même le dépassement de l'épaisseur cryptophorique d'une signifiance symboliste) se défait pour laisser place, en quelques points de fracture, à une opérativité sans précédent, corollaire d'un nouveau sujet, et d'un rapport changé à la « production » et à l' « échange » en général, c'est-à-dire en fin de compte *aux pouvoirs d'engendrement et de génération*, et à ce qui, dans le rapport social, inscrit par le métabolisme signifiant, l'interrelation de ces « pouvoirs ».

C'est bien quelque chose de ce que signifie la position monocentrique et monarchique qui est modifié. Mais à un niveau logico-historique, il faut le souligner, qui n'est pas immédiatement et sans détour, celui des figures et figurations stratifiées de l'inconscient des sujets. Car celui-ci est en débat avec des modes de la symbolisation qui ne sont pas uniquement (et même surtout pas) ceux que les échanges sociaux *actuels* font prévaloir, mais qui perpétuent des régimes signifiants dyschroniques qui n'en continuent pas moins leurs effets. C'est pourquoi c'est dans la logique de l'étalon figuratif que peut se formuler, selon un certain strate, la question du père et celle du phallus, bien qu'à d'autres égards le régime socio-symbolique dans lequel nous sommes entrés commence à rendre anachronique, et à retraduire tout autrement, dans le langage de l'infigurable, le lieu des questions et des fonctions qui s'y jouent.

NOTES

1. J. M. Keynes, *Essais sur la monnaie et l'économie*, Payot, Paris 1971, p. 106 (titre original : *Essays in Persuasion*, Londres 1931).
2. Cf. *Economie et symbolique*, Seuil, Paris 1973.

3. S. De Brunhoff, *La politique monétaire*, P.U.F., Paris 1973, p. 24.

4. *Essais sur la monnaie et l'économie*, chap. V *Le retour à l'étalon-or*, p. 81 (Je souligne).

5. *Ibid.*, p. 80.

6. *Ibid.*, chap. VI, p. 105.

7. *Ibid.*, p. 82.

8. *Ibid.*

9. *Ibid.*, p. 83.

10. *Ibid.* p. 81.

11. *Ibid.*

12. *Ibid.* p. 82.

13. Cf. *Numismatiques* et *Économie monétaire et philosophie idéaliste*, in *Économie et symbolique*, cit., Paris 1973.

14. *Essais sur la monnaie et l'économie*, cit., p. 81.

15. Ernest Jones, *Théorie du symbolisme*, in *Théorie et pratique de la psychanalyse*, Payot, Paris 1969, p. 117.

16. *Ibid.* p. 117.

17. *Ibid.*

18. *Ibid.* p. 118.

19. *Ibid.*

# A PROPOS
# DE LA DOMINATION MASCULINE
# DANS LES RAPPORTS HOMMES-FEMMES

*par*

Maurice GODELIER

Les inégalités sociales qui existent entre l'homme et la femme dans notre société sont de plus en plus remises en question par de larges fractions de la population appartenant à des milieux fort divers et menant leur combat de manière différente. Des positions théoriques, des formes de luttes qui, hier encore, avaient du succès, voire de l'importance, sont près d'être dépassées devant l'ampleur du mouvement, les débats et les analyses qu'il suscite, devant le rôle actif de la classe ouvrière et des partis de gauche dans ce mouvement.

Pour certains, une domination des hommes dans la vie sociale est considérée comme la plus importante des formes d'oppression et doit en conséquence être combattue en priorité. On reconnaît là la position de certains courants « féministes »; elle a souvent eu les faveurs de la bourgeoisie, grande ou petite, du moins lorsque certains proclamaient que la « guerre des sexes » est la première des batailles sociales à mener.

Pour d'autres, au contraire, la domination masculine est la moins importante des formes d'oppression sociale, venant loin derrière l'exploitation de classes, la domination impérialiste, la ségrégation raciale. A la limite, et ce fut parfois l'attitude de certains milieux de gauche et de militants, cette domination-là pouvait attendre, appelée à disparaître avec l'extinction de l'exploitation de classes, de l'impérialisme et du racisme.

Aujourd'hui on ne peut plus attendre : la lutte pour l'égalité de la femme dans la société est devenue une lutte des masses et avant tout de la classe ouvrière, puisque c'est sur les travailleuses que s'accumulent toutes les conséquences négatives de l'inégalité entre les sexes. Cette revendication est désormais solidement reconnue comme faisant partie du combat de la classe ouvrière pour changer la société, pour mettre fin à l'exploitation des masses laborieuses par la classe qui détient tous les monopoles des moyens de production, du pouvoir d'État et de la culture, et bénéficie ainsi de toutes les inégalités.

Or, *sans jamais se confondre*, toutes les inégalités sociales *s'alimentent mutuellement* et bénéficient toujours à la même classe, c'est-à-dire contribuent chacune pour sa part propre à la reproduction du mode de production capitaliste et de cette forme de société. C'est pour cette raison fondamentale que la lutte contre les inégalités sociales dont sont victimes les femmes s'inscrit nécessairement dans le combat de la classe ouvrière et de la gauche tout entière à côté des luttes contre l'exploitation de classe, la domination impérialiste et la ségrégation raciale. Ce sont autant de pièces d'un même combat et leur liaison n'est pas d'opportunisme tactique.

Mais une fois reconnue cette action dans le même sens de toutes les formes d'inégalité, il importe de déterminer l'importance réelle, le poids spécifique de chacune d'entre elles dans la *hiérarchie des causes* qui déterminent le fonctionnement et l'évolution de notre société. Pour cela il faut d'abord s'interdire de les *prendre* les unes *pour* les autres, encore moins de les *réduire* les unes *aux* autres. Il faut donc pour chacune en déterminer la nature, l'ancienneté, l'origine et le mode d'évolution spécifiques pour découvrir son mode d'articulation avec les autres et ses effets réels sur le fonctionnement de notre société de classes. L'inégalité entre les sexes n'existe pas seulement dans la société capitaliste. Elle est plus ancienne qu'elle. Il faut donc pour l'analyser avoir recours aux données comparées de l'anthropologie et de l'histoire.

Si l'on se tourne vers les sociétés de classes de l'antiquité occidentale (Grèce, Rome) ou orientale (Chine, Japon), ou au Moyen Age vers les sociétés étatiques de l'Amérique précolombienne (Incas, Aztèques) ou les sociétés à castes de l'Inde, la vie sociale y est dominée par les hommes. Posséder la terre de la cité, sacrifier aux dieux, la défendre les armes à la main, exercer les magistratures et la souveraineté politique, développer la philosophie, les mathématiques et le reste, ce sont là avant tout privilèges masculins dans l'Athènes classique et être pleinement homme c'est d'abord être un homme (et non une femme) et être libre (c'est-à-dire n'être ni métèque, ni esclave, ni Grec étranger, ni barbare, ni même artisan). La femme grecque libre est enfermée par les liens du mariage dans la famille de son époux et maître. Elle dirige en partie l'économie domestique. Le maître dispose à son gré de ses esclaves féminines en matière sexuelle.

Aristote définit clairement ces relations de sujétion lorsqu'il écrit dans « La Politique » : « *Les parties primitives et indécomposables de la famille sont le maître et l'esclave, l'époux et l'épouse, le père et les enfants...* », et ajoute : « *Hésiode a eu raison de dire que la première famille fut composée de la femme et du bœuf de labour. En effet, le bœuf tient lieu d'esclave aux pauvres.* »

Le rapport entre structure de la famille et structure du mode de production se devine ici, ainsi que les fondements d'une double sujétion de la femme, dans la cité d'une part, dans la famille de l'autre.

Mais les Grecs sont un cas de société de classes et, de surcroît, *patrilinéaire* comme la nôtre. Qu'en est-il des sociétés où la filiation est *matrilinéaire* et dans les sociétés sans classes [1]?

Il faut d'abord préciser la grande différence entre sociétés *patrilinéaires* et sociétés *matrilinéaires*. Chez les premières, la femme est soumise à son mari qui a aussi autorité sur ses enfants. Chez les secondes, la femme est subordonnée *à son frère* qui a également autorité sur ses enfants, lesquels n'appartiennent pas au lignage de leur père (de l'époux) mais de leur mère (de leur oncle maternel). Il est très différent pour une femme d'être soumise à l'autorité d'un frère ou à celle d'un mari; il est indéniable que la sujétion des femmes est beaucoup moins forte et leur autorité sociale beaucoup plus grande dans une société matrilinéaire que dans une société patrilinéaire. Mais le pouvoir est en dernière analyse masculin, et il n'y a là nulle trace d'un matriarcat, d'un gouvernement aux mains des femmes.

Aucun fait ne le vérifie et si l'on a associé l'existence de sociétés matrilinéaires à la domestication des plantes et à la transformation des activités de cueillette réservées aux femmes chez les chasseurs collecteurs en activités agricoles, la démonstration est loin d'en être faite; et l'on trouve des régimes à inflexion matrilinéaire chez des peuples chasseurs collecteurs (les Indiens montagnais du Canada). Il faut donc procéder avec patience et prudence avant de généraliser d'autant que le tableau des sociétés s'est plus ou moins vite brouillé au cours des quatre derniers siècles et altéré profondément sous l'effet de l'expansion coloniale européenne. On constate en effet, d'une façon générale, un déclin du statut des femmes par rapport aux hommes et le recul ou la transformation d'anciennes sociétés matrilinéaires devenues aujourd'hui patrilinéaires. Cela est dû au développement du travail salarié masculin, du commerce des produits de base et des cultures commerciales, et surtout au délabrement rapide des anciennes collectivités tribales. La famille nucléaire centrée sur l'homme a été poussée au premier plan et consolidée comme unité domestique de production et de consommation; la femme y est beaucoup plus dépendante de l'homme économiquement et socialement qu'auparavant, quel que soit le système de parenté antérieur.

Compte tenu de la portée statistique de ces affirmations, on peut présenter trois aspects généraux de la domination masculine lorsqu'elle existe au sein des sociétés sans classes :

1. La femme occupe dans la division du travail une place importante, mais ses activités (cueillette, chasse aux petits animaux, transport du bois de chauffe, cuisine) sont moins valorisées que celles des hommes. Elle a la propriété de son propre outillage, mais le contrôle des territoires de chasse et de cueillette, de même que la guerre pour conserver ces territoires ou les étendre, sont avant tout tâches masculines.

2. Les rapports de parenté, c'est-à-dire les rapports sociaux qui règlent le mariage et la filiation, donc la continuité biologique et sociale des groupes, reposent sur la prohibition de l'inceste. Certaines femmes sont interdites au mariage. Le mariage se fait par échange de femmes entre les groupes et cet échange est en général placé sous le contrôle des hommes. La femme en ce sens est moins autonome dans sa personne que l'homme; en contrôlant sa personne on contrôle la reproduction des groupes sociaux et les droits de ces groupes sur leurs ressources.

3. Sur le plan politique et symbolique, l'autorité est, en dernière analyse, masculine. Les femmes sont considérées comme plus proches de la nature et dangereuses pour les hommes et pour l'ordre social par leur capacité même de reproduire la vie et par le sang de leurs menstruations. Chaque sexe a ses propres secrets auxquels il initie les jeunes, mais les rituels d'initiations les plus élaborés, les mythes les plus mystérieux, les savoirs les plus précieux restent entre les mains

des hommes. De plus, dans de nombreuses cérémonies d'initiation féminines interdites aux hommes, la leçon enseignée par les vieilles femmes aux jeunes est la soumission aux hommes.

Mais cela résumé, il importe aussitôt de souligner avec force que *l'inégalité entre les hommes et les femmes*, souvent rencontrée dans les sociétés sans classes *n'a pas donné naissance aux classes et à l'État.* Bien entendu, nous sommes loin de disposer d'une analyse scientifique satisfaisante des mécanismes d'origine des classes et des diverses formes d'État, mais l'on sait déjà que c'est par un tout autre processus et pour des raisons toutes différentes que des divisions sociales nouvelles sont apparues, que se sont distingués, par exemple, des lignages aristocratiques ayant des privilèges économiques, politiques et rituels, et des lignages de gens du commun qui reconnaissaient dépendre des premiers pour la reproduction de leurs conditions matérielles, sociales et religieuses d'existence. Mais les uns et les autres échangent encore des femmes, sont parents par alliance.

Avec l'État, classes ou castes pratiquent l'endogamie (l'obligation de se marier à l'intérieur du groupe social); mais nous ne sommes plus ici dans le monde des sociétés de chasseurs collecteurs où, souvent, pour la gestion des affaires publiques, un large *consensus* devait être atteint au terme de discussions entre hommes et femmes, aînés et cadets.

Mais si l'inégalité sociale entre les sexes n'a pas donné naissance aux inégalités de classes, *elle s'est maintenue au sein des rapports de classes et en a reçu un contenu nouveau.*

Une femme de lignage aristocratique jouit d'un statut bien plus élevé qu'un homme et *a fortiori* qu'une femme d'origine ruturière. Un roturier même libre de sa personne et, plus encore, un dépendant ou un esclave ne pouvaient, en général, épouser ni même toucher une aristocrate. Un noble, au contraire, avait en tant que tel des droits sur les femmes de ses dépendants; il les cumulait avec ceux qu'il avait sur les femmes de son propre lignage, dont le mariage était un élément décisif de la stratégie de son lignage pour le pouvoir et la richesse. Pour prendre un exemple dans nos propres sociétés occidentales, Witold Kula a montré que les seigneurs polonais du XVIII^e siècle intervenaient directement dans les mariages de leurs paysans, leur interdisant de se marier hors de leurs domaines et obligeant les veufs en âge de travailler à se remarier rapidement pour faire fonctionner à plein leur exploitation agricole qui reposait sur la coopération des sexes dans la production. Plus près de nous, chacun connaît l'effort des juristes bourgeois de l'époque napoléonienne pour codifier les droits du mari sur sa femme et du père sur ses enfants, afin de protéger la propriété privée et garantir la transmission des patrimoines.

Nous voici revenus à notre point de départ et aux luttes d'aujourd'hui pour abolir les inégalités sociales entre les sexes. La connaissance des sociétés passées ou différentes des nôtres est loin d'être suffisante pour pouvoir dresser un tableau nuancé des multiples types de condition féminine ayant existé ou existant encore, pour pouvoir reconstituer l'essentiel des causes de l'apparition de l'inégalité entre les sexes dans les sociétés sans classes et de son maintien au sein des sociétés de classes.

On voit déjà clairement que les raisons profondes ne résident pas dans un complot des hommes contre les femmes ni dans les motifs habituellement invoqués par les hommes des sociétés primitives. Ceux-ci légitiment l'infériorité du statut économique, politique, rituel des femmes par le fait que les femmes seraient impures et sources de désordre, puisque le sang coule de leur sexe et contamine la nature et la société. En même temps la femme est reconnue comme porteuse de vie et sa dévalorisation est souvent ambiguë.

Cette « explication » qui fait de la sexualité la cause première de l'infériorité de la femme sur tous les plans n'est qu'un mythe qui légitime l'ordre social. Certains psychanalystes, plaçant la sexualité au point de départ de toutes les aliénations et oppressions de l'histoire, ne font rien d'autre que produire des mythes à défaut d'une véritable théorie scientifique de la sexualité qui en analyserait les effets réels.

Bien plus que de la sexualité et de l'ignorance des mécanismes de la vie, la dissymétrie en faveur des hommes dans les plus anciennes sociétés sans classes est née de *raisons objectives inintentionnelles :* d'un état des forces productives qui obligeait les femmes à se spécialiser dans des tâches productives moins valorisées mais compatibles avec leur activité de reproduction qui commençait aussitôt après la puberté et les soins permanents à donner aux enfants dont le sevrage était tardif, puisqu'il n'existait pas de substitut au lait maternel [2].

Quelles que soient les formes historiques véritables de la sujétion féminine, et les causes de son apparition et de son prolongement jusqu'à nous, les raisons pour l'abolir viennent des contradictions mêmes de la société capitaliste d'aujourd'hui. L'avenir n'est jamais seulement le prolongement du passé et le socialisme ne saurait être un retour à l'ancienne « démocratie » des sociétés de chasseurs-collecteurs.

Aux raisons nouvelles de combattre pour l'égalité des sexes, s'ajoutent des raisons nouvelles d'espérer. D'une part, le développement des forces productives est tel qu'il permet d'envisager la disparition graduelle de l'économie domestique dont la charge pèse avant tout sur les femmes. Cela entraînera une transformation profonde des rapports *personnels* entre les sexes dans le sens d'une coopération à la place de l'ancienne dépendance. D'autre part, les progrès de la biologie offrent de plus en plus à la femme les moyens d'être maîtresse du procès de reproduction de la vie. Cela démythifie peu à peu les rapports sexuels et les transforme.

Mais surtout, les femmes participent de plus en plus aux luttes politiques de notre société et y découvrent les liens réels qui existent entre l'inégalité dont elles sont victimes et les autres formes d'inégalité sociale, l'exploitation de classe, la domination impérialiste, le racisme; leur lutte n'a plus besoin de revêtir des formes marginales. Elles découvrent que cette lutte ne saurait être menée jusqu'au bout dans le cadre de notre société et qu'il faut changer radicalement cette dernière. C'est l'objectif même des luttes de la classe ouvrière qui crée donc, dans son combat, *les moyens de résoudre des contradictions plus vieilles que celles des classes.*

Cela ne se fera pas automatiquement et ne peut se faire puisque l'inégalité sociale des sexes a ses bases propres qui ne se *réduisent* pas aux rapports de classes. Mais c'est dans cette direction qu'une solution est désormais possible. En créant les conditions permettant de résoudre des contradictions plus vieilles que celles de la société de classes qu'elle combat, la lutte de la classe ouvrière fait du socialisme un humanisme qui n'est pas l'humanisme abstrait des philosophes, réalisation d'une essence abstraite de l'homme, mais la transformation concrète des rapports sociaux qui permettra ce que l'histoire n'a jusqu'alors offert qu'à des minorités exploiteuses, le développement multilatéral de l'individu mais, cette fois, au sein d'une société sans classe exploiteuse. Et l'on peut déjà pressentir que dans une telle société les femmes inventeront du neuf qui ne copiera aucun modèle masculin préétabli.

## NOTES

1. Dans les sociétés *patrilinéaires*, la filiation est comptée à partir du père, du père du père, etc. Dans les sociétés *matrilinéaires*, la filiation est comptée à partir de la mère, de la mère de la mère, etc.
2. La mortalité infantile était telle que le « remplacement » des deux parents exigeait (en moyenne) la naissance de cinq enfants.

# JOUISSANCE ET INHIBITION A L'ÉCRITURE

*par*

Ginette Michaud

Écriture, inscription des signes, jeu de clavier de la jouissance asymptote avec le corps de la mère. Conjonction mortelle. A l'horizon de laquelle l'objet s'évanouit. — La mort; désir de mort lié si fortement au désir sexuel pour le corps de la mère, que l'acte sexuel lui-même participe de l'interdiction. Crainte de la castration, plaisir interdit par le père. Angoisse d'autant plus grande qu'à l'affût de la jouissance désirée se profile le désir de mort.

Certains patients viennent parfois à l'analyse avec cette double facette de l'impuissance : impuissance sexuelle et inhibition à la production de textes.

Quelques cas nous servent de référence. Ils nous éclairent sur le lien entre les différentes inhibitions à la production de textes, le rapport au désir *peur/de* la mère.

Ils nous amènent à formuler une hypothèse sur le type de lien infantile avec le corps de la mère et d'autres concernant le lien entre la jouissance sexuelle et le plaisir de produire de l'écrit, plaisir ou inhibition à la publication de cet écrit en rapport non seulement avec l'assomption du rapport œdipien mais avec des mécanismes plus archaïques de maîtrise intervenant dans la constitution du corps autoérotique.

Le projet de ce travail était d'articuler le rapport de la Jouissance sexuelle et de l'Inhibition à l'Écriture.

La réflexion sur les cas cliniques conduit à faire la distinction entre l'inhibition à l'écriture proprement dite et les différentes inhibitions à la production de textes écrits (imprimés et ou circulants).

L'examen des symptômes ou des inhibitions souligne le rôle de l'instrument de « production » du texte.

Depuis Freud, les instruments médiateurs de l'enregistrement de la pensée (machine à écrire, magnétophone, secrétaire), ont permis d'observer de nouveaux types d'inhibition à la production de textes ou de symptômes qui les équilibrent.

Ces inhibitions et symptômes correspondent aux impossibilités d'utiliser certains moyens de production offerts par la technologie. Dans l'utilisation de l'instrument le plus proche d'un symbole corporel pennien (le stylo) est déjà en germe ce qui va être le phénomène commun de l'inhibition à l'écriture proprement dite et de l'inhibition à la production de textes, c'est à dire l'utilisation d'un instrument prolongeant le corps dans un geste qui inscrit celui-ci dans le monde, la main et l'instrument qui la prolonge de même que la parole et l'instrument qui la pérénise.

(C. F. : Leroi-Gourand : le geste et la parole, l'homme et la matière.)

La sémiotique travaille le texte comme matière. Elle permet l'utilisation pertinente de l'analyse de l'acte de production que fait l'anthropologie, analyse

qui s'opère autour de la double articulation nécessaire à l'accomplissement de l'acte producteur et qui fait entrer l'objet produit dans le champ d'une production échangeable.
Corps // outil // matière
Corps // instrument // texte.

La double articulation est une nécessité pour que le produit fini puisse entrer dans le circuit des échanges. Si une des articulations manque l'objet sera produit par une sessibilité simple qui introduit la dualité corps-produit du corps (ex : corps-fecès).

Le produit du corps n'ayant alors qu'une seule adresse possible. : la mère, sous forme de don.

Cette double articulation qui est nécessaire à la production d'un objet échangeable fait apparaître le médiat entre le corps et le matériau : outil ou instrument.

Le stylo, le clavier (de machine à écrire), le magnétophone, tous instruments par lesquels peut passer la production de texte peuvent être frappés d'inhibition selon l'intensité de l'angoisse provoquée par la situation d'écriture. Plus il y a d'écriture sans parole plus il y a d'inhibition (stylo, machine à écrire).

Plus il y a de possibilités d'éviter l'affrontement à l'écriture par la parole et ses médiats moins il y a d'inhibition.

Le moyen technique que représente le magnétophone permet simplement de lever l'inhibition à la production de texte, et ne fait souvent que souligner l'inhibition à l'écriture.

Le magnétophone étant dans le meilleur des cas remplacé par une personne.

Plus on s'approche de la vérité de l'écriture, de l'écriture comme marque, comme approche du dit, du code, de la langue, autrement dit du A plus on s'approche de l'ordre de la jouissance et de l'angoisse de son interdit.

L'évitement de cette angoisse par la parole (ordre du plaisir) permet au désir d'écrire de fonctionner dans le dire, la parole, le langage autrement dit le circuit de la signification.

Parfois les inhibitions peuvent être complexes, certains écrivains ne peuvent produire un texte qu'en dictant à une autre personne, certains doivent lire à haute voix le texte déjà écrit par eux mais n'ayant de valeur que repris dans la parole.

Le passage par l'autre (A), par la main ou l'oreille de l'autre pour anéantir certaines inhibitions, la nécessité de l'écoute de l'autre à la condition souvent de l'exclusion de son regard (comme dans l'analyse), pose la place de l'autre (A) dans l'opération.

Produire un texte, c'est au plus facile de parler à l'autre à défaut de parler à l'Autre (dans le meilleur des cas).

Selon le rapport du sujet à l'écriture et à la parole, la jouissance de l'Autre (le texte) sera plus ou moins entamée, selon le rapport du sujet à la jouissance de l'Autre (A), celui-ci devra affronter ou non l'inhibition, assortie de plus ou moins de symptômes phobiques d'évitement de la situation d'écriture.

L'inhibition c'est l'impossibilité d'aller à la rencontre du lieu, de l'objet, de la figure de l'angoisse, c'est-à-dire du lieu de la représentation *codée* du désir interdit dont l'angoisse est qu'elle surgisse là, précisément au moment de la rencontre.

Le symptôme est au service de l'écriture, il est sur la ligne de la moins grande difficulté motrice (empêchement), dans la matrice proposée par Lacan et peut faire céder l'inhibition. Ceci lors du processus inévitable de la nécessité imposant des fuites circulaires, suites organisées de symptômes. C'est alors qu'apparaît l'importance des « instruments » qui les supportent. Ou bien lors d'un processus analytique quand la présentification du désir interdit, par un glissement (repéré ou non dans l'analyse) permet l'advenue d'un désir ne supportant pas la même dose d'angoisse.

L'inhibition cède, l'action d'écrire n'est plus qu'empêchée. Cet empêchement va du trouble mineur que sont l'absence de concentration et la dispersion, aux comportements loco-moteurs de fuite et à n'importe quelles tâches surinvesties momentanément, plus ou moins organisées en représentations symptomatiques (à la limite du voyage obsessionnel de l'homme aux rats).

Ces comportements traduisent une procrastination qui cédera dans une douleur à interroger.

Dans la situation d'écriture la représentation du désir interdit peut apparaître sous deux formes : soit écriture comme trace laissée sur la feuille blanche, soit apparition d'un mot précis (un symptôme phobique d'un patient est la crainte que ne s'écrive contre son gré le mot « Non » à l'infini).

Le désir pour la mère et sa réalisation dans la métaphore de l'écriture n'est pas à prendre au pied du « non » que le père impose. Le désir pour la mère peut n'être pas un désir génitalisé, fantasmes et rêves des cas utilisés pour ce travail nous invitent à prendre à la lettre la phrase de Barthes : « L'écrivain est quelqu'un qui joue avec le corps de sa mère [1]. »

Corps n'est pas une métaphore pour sexe.

La menace ou la réalité de la disparition du corps de la mère (mort) engage le sujet à un travail écrit qui devient nécessaire.

Nécessaire pour ne pas laisser disparaître ce qui avait été inscrit par le corps de la mère et pas encore symbolisé donc menacé de disparition.

Passage de la trace à la marque [2].

Écrit impossible avant qu'un deuil réel ou symbolique de la mère ne soit fait.

Le deuil instaure une distance par rapport au fusionnel des zones érogènes qui se constituent par la symbiose des corps de la mère et de l'enfant.

La mort rend donc impérative l'écriture, recherche des traces, qui sont constituées par les béances érogènes qui ne s'inscrivaient pas comme telles tant que par sa présence (réelle ou hallucinatoire), la mère comblait le manque par les parties privilégiées de son corps, causes et objets du désir de l'enfant :

— voix
— regard
— sein
— pénis.

La mort de la mère oblige à ce que se cristallise brutalement la démarcation corps, zones érogènes et objets du désir, ce qui dans l'ordre fusionnel n'est pas fait. (Corps non séparé des objets.)

Par l'écriture le sujet cherche à se marquer (se démarquer par rapport à ses objets), leur reconnaissance en tant que séparés du corps inscrivant en eux et pour le sujet une perte possible. Ceux-ci deviennent le support d'un désir qui le signifie comme autre que ses objets et qu'il découvre.

Par la suite l'écriture devient possible, l'écrit devient la formalisation d'un discours, celui du sujet ainsi advenu, repéré, pour peut que celui-ci puisse s'engager dans le processus de subjectivation.

Le processus de subjectivation implique la séparation de l'objet et l'indication manquante de sa place, case vide faisant fonctionner le désir ou l'objet équivalent ($\varphi$ imaginaire $^{-\varphi}$). Le processus de subjectivation implique également l'inscription première *(Wahrnehmungszeichen)* du signifiant (S1) organisateur de l'opération de symbolisation qui permet d'articuler le sujet ($) avec : ce signifiant originaire S1, le A, et le produit de l'opération (*a*) manque dans le sujet de l'objet du désir, marqué symboliquement par la barre dans les graphes de Lacan. Ces quatre éléments $S_1$ $ $S_2$ $^{(A)}$ a étant constitutifs de l'opération du discours et dont la place est indiquée dans les tétrapodes construits par Lacan.

L'inscription par le corps érogène de la mère des traces sur le corps de l'enfant va organiser en des points précis, zones de plaisir, la « différence » inscrite dans le corps (Leclaire) qui va appeler la satisfaction par l'objet, réelle ou hallucinée. On peut supposer que les mécanismes de charges d'excitation (déplaisir) et de décharges *(Abfuhr)* fonctionnent en phénomènes de battements (systole-diastole) où l'objet *a*, clapet du système, ne s'élabore que dans ce mouvement d'appel-expulsion.

Antérieurement à l'inscripton première du signifiant originaire (permettant *Bejahung* et *Verneinung*), objet du refoulement proprement dit *(Verdrängung)* nous avançons l'hypothèse qu'il existe des mécanismes plus primitifs (*Vereinigung-Austössung;* rassemblement unitaire du corps-explosion) qui par battements répétés tracent le lieu de la zone érogène, correspondant à la mise en forme de (*a*) par approximations successives, tentative de constituer le corps comme somme de zones érogènes, somme des différences sensibles où peut s'inscrire le plaisir.

Les fonctions mathématiques les plus proches exprimant ce dont il s'agit pourraient être les fonctions intégrales et dérivées : corps sexuel = corps de plaisir = somme des différences ($S \neq$).

Corollaire de ces fonctions, que devient $\Delta \neq$ quand la limite tend vers zéro? C'est là qu'affleure, à la limite du plaisir, l'angoisse différentielle de la jouissance.

Le plaisir c'est la différence, la jouissance c'est le collapsus de la limite. Cette maîtrise progressive impliquant la séparation de l'objet et le renoncement à la satisfaction que représente la réponse (même hallucinatoire) peut avoir été empêchée chez des sujets ayant un problème avec l'écriture. Le processus de constitution du corps auto-érotique et les processus de symbolisation n'ont pu s'articuler.

L'hypothèse étant que l'enfant qui tente de maîtriser le non-retour de l'objet du désir par l'hallucination (inscrite par les traces mnésiques) puis par le deuil de l'objet opère un déplacement (objet transitionnel et symbolisation des produits du corps).

Ceci parallèlement à l'apprentissage de la symbolisation (7e-9e mois : stade du miroir).

La phase du miroir, moment de défusion de l'Autre et de l'image spéculaire doit avoir un support dans un détachement progressif des corps mère enfant. On conçoit qu'un hiatus puisse exister dans le processus d'inscription en général lorsque ces deux temps ne sont pas en harmonie (sevrage tardif).

Dans l'inhibition à l'écriture, deux séries de troubles seraient donc à distinguer :

Le premier lié à l'inscription des zones érogènes correspondant à un défaut de maîtrise des processus primitifs *(Ausstössung)*.

Le second lié à l'impossibilité d'intériorisation du processus de subjectivation qui renvoie à la mise en place de la métaphore paternelle.

Assomption de la castration permettant le langage et au sujet (écrivain) que son discours produise à la place de l'objet manquant (phallos imaginaire), un écrit.

$$\frac{S_1}{\$} \rightarrow \frac{S_2}{a} \qquad \frac{\text{agent}}{\text{sujet}} \quad \frac{\text{Autre}}{\text{produit}}$$

Mise en abyme inscrite dans la figure du discours le rapport du sujet à son objet est inscrit de façon dynamique.

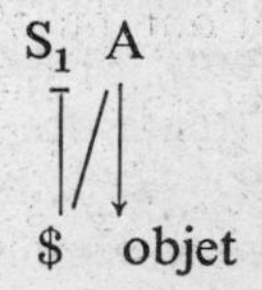

L'écrivain est celui dont la case du produit est occupée par le texte. Le signifiant premier $S_1$, ordonnateur du mouvement de signifiance vise pour le sujet à faire passer à l'autre ses propres signifiants, à constituer par le corps de l'autre les mots qui vont inscrire les affects dans les objets (regard, voix, sein).

Mouvement de recherche d'une partie du corps jamais métabolisée dans la signifiance qui insiste en tant que telle, objet du refoulement primordial, emmeteur clandestin organisant le « mouvement de la signifiance » en machine cybernétique, corps-caisson noir, mémoire électronique du corps qui permet de l'oublier à partir du moment où le lieu de l'émission du message fait partie du code. Oubli inscrit dans la structure réglant le système de transformation des messages pulsionnels qui ne pourront être décodés au-delà. Attirance nécessaire au processus de l'analyse : remonter le sens de l'oubli; Attirance destructrice du processus d'écriture.

« Pour pouvoir écrire il faut oublier l'oubli. » Oury J.

Écrire son corps c'est pour l'enfant se constituer en corps érogène, zones de différences par où le besoin va affleurer à la surface corporelle, *sans effraction*, de façon privilégiée dans la zone des orifices.

Phénomène de bord, limite finie de capture de l'objet; cette capture-lachage des corps de la mère comblant les failles homéomorphes du corps de l'enfant est une première maîtrise d'inscription des traces qui sont en attente des objets dont ils sont les représentants.

Ces objets par la suite délimités et détachés du corps

de la mère fixent les besoins ainsi localisés et sont les supports de la dialectique désir-demande (ordre de l'affect dont la trace érogène inscrite joue le rôle de représentant).

La clinique nous fait supposer que la maîtrise de ces processus archaïques de constitution des traces est nécessaire à l'enfant pour que se joue normalement cette phase d'inscription signifiante correspondant, dans son développement, au stade du miroir et qu'elle soit rendue difficile par un contact prolongé dans la réalité avec le corps de la mère.

On peut supposer également qu'existe un temps nécessaire entre la maîtrise des processus archaïques permettant au corps érogène de se constituer comme tel et le moment du stade du miroir.

Que ce temps corresponde aux différents stades de rapport à l'objet décrit dans les travaux analytiques des diverses écoles n'est pas en contradiction avec cette hypothèse.

L'inhibition la plus pure est celle où l'empêchement touche à l'écrit (la page blanche) les traces (demi-mots) sont là en attente quelque part dans le sujet qui n'a pas fait le deuil de leur complémentaire. Tout écrit sera recherche des demi-mots inscrits dans le corps de la mère, abolition de la différence des bords, mise en corps totale fusionnelle : jouissance absolue angoisse maximum.

La mère n'est pas une somme d'objet érotiques, elle ne le devient que lorsque le processus de constitution du corps érogène de l'enfant est accompli en même temps qu'à partir du corps de la mère se délimitent les différents objets qui pourront être les supports d'affects libidinaux et entrer dans la dynamique des investissements d'objets. Insistons sur l'importance de cet « entre deux » qu'est le « contact » dans tous les sens du terme : contact avec le monde par la constitution des zones sensibles au contact avec le corps de la mère, dont on sait par l'expérience, qu'il est un élément vital pour que s'élabore pour l'enfant une distinction moi-monde (Spitz), prémisse sentiment de réalité.

Cette distinction moi-monde s'effectue par des mouvements dialectiques que nous appellerons les opérateurs « lâcher-retenir ».

Le mouvement pulsionnel amenant au niveau des zones érogènes les phénomènes de charge-décharge dépend autant de ce que nous avons appellé l'émetteur clandestin du désir, signifiant tombé dans l'oubli, que de la constitution progressive des objets enfin extériorisés qui correspondent à ce qu'il est convenu d'appeler la mise en place de la relation d'objet. Ceci se rapproche de ce que propose Julia Kristeva.

« L'introduction du « social » dans le fonctionnement sémiotique condition du symbolique [3] »; et qui correspond à ce qu'indique Lacan : le besoin est déjà marqué par son objet, on a faim de .

Les mécanismes opérateurs « retenir-lâcher » s'ils représentent les prémisses de constitution du corps-contact (J. Oury) se retrouvent dans la dialectique du rapport à l'objet une fois celui-ci constitué.

Il peut donc exister dans la problématique de l'inhibition à l'écriture un élément dépendant de l'articulation de ces opérateurs et de l'objet que représente alors le texte.

La superposition « lâcher-retenir » (motricité) et l'objet dépendant de cette dynamique est habituellement superposée à l'objet anal.

Si parfois le texte de l'écrivain a cette signification il peut aussi être le support d'autres types d'objets ou la métaphore d'une partie du corps du sujet. Les opérateurs lâcher-retenir interviennent alors comme mécanisme de défense contre la psychose.

Les opérateurs « lâcher-retenir » s'ils correspondent à un stade de développement dans la maîtrise sphinctérienne déterminant la constitution du produit de l'opération comme objet anal sont des mécanismes qui dépassent, au niveau de la structure, le collage forcé avec la métaphore organique.

Le texte est aussi la chose lâchée, l'objet déposé correspondant au niveau de l'affect de plaisir au plaisir de faire, poser, déposer en un lieu une marque indiquant sa place par rapport au monde [4].

Écrire c'est donc se reconnaître en tant qu'ayant une place qu'on indique par le fait même de l'écriture.

Territoire inscrit entre la défusion du corps de la mère et la reconnaissance du père.

L'angoisse de l'inscription est une angoisse pure retrouvée dans les différents cas sans écran spéculaire (symptômes ou scénarios fantasmatiques). L'interdit de la jouissance s'y inscrit à l'état brut. L'angoisse de la marque (constitution du texte) ne vient qu'à la faveur d'une lutte que le sujet a à soutenir contre le désir de la mère (déni d'existence).

Le désir de la mère n'est pas que son fils écrive mais qu'il écrive quelque chose, un objet (féces) à elle donnée qui lui garantira que le produit total enfant

— texte né d'elle est consommable sur le marché et la protège donc elle, quelque part, contre la castration.

Pour l'écrivain subissant un tel désir de sa mère, l'inscription de son être dans le texte est vécu par lui comme déni d'existence.

Lorsqu'écrire devient une nécessité, certaines inhibitions ne cèdent qu'en faisant supporter l'acte d'écrire par un substitut de la mère, personnages familiers ou médiats divers.

Participation et garantie que représente le fait de dicter à un autre le texte qui devra affronter la loi du père.

Le fait pour l'écrivain, soit de faire participer l'autre à l'acte d'écrire soit de lui demander une lecture préalable [5] peut représenter la garantie maternelle comme preuve d'identité avant d'affronter le jugement de ses pairs.

Écrire devient la possibilité pour l'écrivain de s'inscrire comme sujet en produisant le texte. Passage au niveau de la création sublimée d'une dimension de pro/jection dans le monde.

Idéal du moi? point de voyance du miroir concave d'où le sens de l'organisation spéculaire apparaît.

Pour que l'écrivain puisse approcher ce point de l'idéal du moi il faut qu'il soit en position de voyance (rapport du sujet à lui-même.)

Rapport dépris de l'Autre (la mère) abandon de la garantie de l'Autre. Accès à l'Ⱥ Entrée dans l'ordre symbolique où le texte séparé du corps affronte le monde de la culture, donc de la castration.

La loi du père n'est pas pour l'écrivain un vain mot.

Avant de s'y affronter il faudra qu'il ait pu quelque part avoir le droit à la jouissance (y compris la jouissance sexuelle). Ce droit à la jouissance dépend de l'accès à la totalité de son corps par la garantie de l'amour de la mère. La nécessité de cette garantie (la mère acceptant que le corps de l'enfant en jouisse en dehors d'elle) se retrouve et au niveau de la jouissance sexuelle et au niveau de la possibilité d'écrire, mais dans l'analyse la levée de l'inhibition sexuelle et de l'inhibition à l'écriture ne sont pas superposées.

Nos seules références étant des cas d'inhibition chez l'homme.

L'analyse de ces cas nous permet d'avancer quelques hypothèses :

I. — *L'inhibition sexuelle cède en premier* lorsque l'analyse du surmoi archaïque maternel interdisant la jouissance du corps est menée à bout.

L'enfant, (l'adulte), objet du désir *de* la mère ne peut désirer jouir de son propre corps, a fortiori avoir un *désir* pour la mère, génitalisé, objet de refoulement. Ce désir *pour* la mère va « apparaître », c'est-à-dire être la création de l'analyse passant à travers rêves ou fantasmes par le désir *pour* l'analyste.

L'enfant (l'adulte) partie du corps fusionné de la mère n'a pas d'identité, n'a pu inscrire dans son corps un désir pour un objet séparé. Les cas analysés sont à la limite de la Psychose, l'image du corps est perturbée, le corps est vécu comme horreur, objet de non-plaisir narcissique.

La conduite de l'analyse permet l'analogie avec la conduite des analyses de psychotiques : Travailler d'abord au niveau de l'image du corps, puis ensuite au niveau de l'émergence du désir (de la libido narcissique d'abord).

L'analyse passe par une phase d'amour de transfert massif (comme dans les psychoses) rapidement établi, qui amène un matériel de demande d'amour à la mère, toujours déçue (dans l'anamnèse et la cure) et d'investissement sur une personnalité (la mère ou son représentant) dont le discours de l'interdit de jouissance est le représentant du désir de la mère.

C'est la modification et l'analyse du transfert qui permet la 2e phase de l'analyse. L'investissement narcissique, en même temps que se projette dans l'analyse la garantie quc cet investissement représente.

C'est alors que peut être levée en partie :

II. — *L'inhibition à la production de textes :* l'apparition du narcissisme par l'analyse de la demande d'amour à la mère, la maîtrise de la peur ou rejet de cette demande d'amour permet au sujet de faire un *don* à la mère, gage de son amour *à lui.* Le texte n'est plus un morceau de corps, livre de chair à payer le prix de l'amour de la mère (donc impossible à écrire) mais prend valeur d'objet anal avec la jouissance du « lâcher-retenir » pour lequel il lui faudra-quand même! — la parole rassurante de la mère « L'investiture ». C'est l'amour *pour* la mère ou plutôt *pour* l'amour de la mère.

C'est à ce moment de l'analyse que les patients ont souvent recours aux médiats autres que l'écriture pour lever l'inhibition à la production de textes (magnétophone, femme, secrétaire, etc...), et ont le plus grand besoin de la garantie de l'Autre c'est toujours le rapport à la mère qui domine la vie, l'écriture, l'analyse.

Ce passage accompli, apparaît le sentiment d'identité et en même temps (temps analytique qui peut varier de quelques semaines à plusieurs années), la problématique œdipienne, le désir *pour* la mère.

III. — *L'inhibition à l'écriture cède alors* en même temps que se désarticulent les deux pôles métaphoriques de l'acte d'écrire.

Écrire = désir *pour* la mère.

Écrire = tuer le père, s'identifier à lui et affronter ses pairs.

C'est à ce moment de l'analyse que se ferme le cercle. Pour affronter ses pairs, se reconnaître dans son écrit, retrouver ses signifiants, le sujet en vient par des détours analytiques divers à la problématique de la recherche de leur inscription, de leur imprégnation *(Prägung)* donc du rapport au corps de la mère.

Le thème de la séparation, du sevrage, apparaît alors (enfin et non au début de l'analyse) amenant à l'anamnèse chez ces patients la notion de sevrage tardif (bien au-delà de la phase du miroir), d'où l'hypothèse provisoire que nous avons avancée à mettre à l'examen du matériel théorique et clinique apporté par d'autres collègues et qui pourrait être évoqué dans la discussion.

NOTES

1. Barthes, « Le plaisir du texte », *Tel Quel*, Seuil, Paris, p. 60.
2. Derrida, « L'écriture et la différence », *Tel Quel*, Seuil, Paris, p. 339.

3. Julia Kristéva : La révolution du langage poétique chapitre Procès de la signifiance page 67. Édition du Seuil.

4. Hypothèse phylogénétique que l'on retrouve dans les études éthologiques sur le marquage du territoire chez les animaux.

5. Exemple : L'imprimatur qu'attend Sartre de Simone de Beauvoir.

C. F. les *interviews* de Sartre dans le « Nouvel Observateur » de juin 1975.

# IDÉAUX SEXUELS

*par*

Guy Rosolato

Les idéaux, comme les désirs, ont leur cours secret. Pour peu que l'on se désintéresse de leurs configurations imaginaires, qui pourtant marquent si fréquemment une existence, on glisse vers une perspective pragmatique qui se contente de les confiner dans le registre de l'illusion ou du fantasme, jusqu'à n'y voir qu'une erreur à corriger. Ou bien, encore, leur reconnaîtra-t-on fallacieusement un statut intangible en les confondant avec la science ou la vérité qu'ils soutiennent.

Par ailleurs le réalisme veut qu'on ne fasse que prendre, en un juste choix, au jour le jour, les plaisirs et les peines, dans une adhésion sans problème. Le désert où l'aborigène d'Australie poursuit sa quête nomade devient pour nos contemporains l'image de la vie immédiate. Mais ne le retrouve-t-on pas tel quel dans tout horizon? Et la proie, lézard à fixer à la ceinture, ne se saisit pas tout à fait comme elle se présente. Elle a une ombre.

Les idéaux modèlent la réalité. Ils offrent les voies les plus variées, parfois détournées, pour atteindre dans cette même réalité les satisfactions courantes, mais aussi le *merveilleux*.

Ce qui est attendu prend l'attrait d'un monde qui se transforme et s'améliore, même s'il faut se plier à une « épreuve de réalité », même en ne faisant que s'y résigner. Ce que l'on craint devient aussi le pire sans mesure.

Ainsi l'idéal se constitue-t-il en même temps avec une face d'horreur qui, par retournement, de sa proximité avec l'obstacle, en vient à se mêler au plaisir recherché.

Mais l'invocation du réalisme ne suffit pas toutefois à expliquer la mise à l'écart des idéaux. Il y a aussi la force de l'*hypocrisie* pour laquelle il importe qu'un idéal inavouable reste insoupçonné, ou recouvert par d'autres projets trompeurs, plus faciles à servir de façade. A cela s'ajoute le refoulement, ou la méconnaissance. Celle-ci est une nécessité intrinsèque au fonctionnement de l'idéal qui pour mieux agir ne doit pas dévoiler ce contre quoi il sert de remède. Ainsi travaille-t-il par une menée occulte, à travers les moyens, à atteindre sa propre *fin, dernière*, à oublier.

Si l'idéal fait office de portant, ou de relais pour le désir, faut-il ajouter qu'il peut soutenir aussi bien l'inertie régressive en se présentant comme une panacée, garante des attentes dociles, ou, dans des issues plus négatives, entretient-il l'envie, le fanatisme, ou le système des délires.

C'est à ce prix que sa juste portée, évitant ces écueils, assure le goût, simplement, de la vie.

En nous fixant la tâche de décrire, sans nulle intention normative, les seuls idéaux qui concernent l'exercice de la sexualité nous garderons à l'esprit leur double polarité, du meilleur et du pire. On voit l'enjeu : si de tels idéaux existent chez le psychanalyste, ils infléchissent nécessairement le sens donné, dans la théorie et dans la pratique, à la sexualité.

Mais au préalable, pour mieux faire comprendre la suite, nous devons dire un mot de l'idéalisation et des idéaux en général, exposer les concepts de relation d'inconnu et d'objet de perspective, en rapport avec une théorie du narcissisme.

### *Idéalisation. Idéaux. Transcendance. Relation d'inconnu.*

Les idéaux sont, comme le fantasme et le désir, toujours présents et nécessaires. Varient leur objet, leur mode de fonctionnement, depuis les besoins les plus prosaïques jusqu'aux relations vitales pour lesquelles des tabous imposent le champ du sacré. Mais ils sont susceptibles d'être éclairés par la mise en évidence des rapports qu'ils nouent avec les fantasmes inconscients, les intérêts les plus égoïstes, et surtout les réalités refusées qu'ils dissimulent. Ceux qui sont affichés peuvent être en contradiction absolue, et en conflit, avec d'autres idéaux, exclus, ou ignorés ; et leur apparente absence, même si elle est revendiquée, peut bien servir de camouflage.

Il y a dans l'adhésion à un idéal un effet reconstituant, roboratif, narcissisant. Les désillusions, fussent-elles présumées, se trouvent conjurées. Le désir se double d'un espoir qui force à la foi. Un idéal consciemment accepté devient un signe que l'on arbore, — que d'autres partagent ou abhorrent. Le mouvement qui engage au ralliement et incline au prosélytisme se nourrit de l'intention de découvrir le *même* projet dans notre *semblable*.

Or l'idéalisation qui intéresse de prime abord l'objet ne saurait être envisagée en faisant abstraction des formations distinctes telles que le Moi Idéal et l'Idéal du Moi. De même faut-il tenir compte d'un plan dynamique idéal qui s'offre comme le meilleur moyen pour atteindre l'objet ou la satisfaction. Ce sont ces correspondances que Freud a commencé à décrire dans son article « Pour introduire le narcissisme » (1914).

L'idéalisation est un mécanisme archaïque qui tente de corriger dans le sujet et dans l'objet ce qu'ils ont de « mauvais »; cela ne va pas sans une dépense libidinale projective qui vide le sujet de ce qu'il perçoit comme « bon ».

Mais l'idéal ne vise pas qu'une satisfaction hallucinatoire du désir; il nécessite un centrage sur un objet « total », ou sur le Moi, dans une perspective consciente et dans un comportement orienté. Ce passage du fantasme, de l'idéalisation, à l'idéal se fait par la délimitation d'une *source de perfection*, d'une puissance maximale, interne ou externe, capable de corriger un manque, une souffrance. Au Moi Idéal correspond l'idéalisation (et les idéaux qui s'en approchent), à l'Idéal du Moi les idéaux les plus élaborés.

Ceux-ci supposent que puissent s'accomplir quatre opérations :

— l'écart posé, la distance prise à l'égard du traumatisme qui ne submerge pas la psyché; les mécanismes de refoulement, de désaveu et de dénégation entrent en action;

— un centrage a lieu sur une source de perfection aux qualités multiples répondant à la mosaïque des pulsions partielles, donc objet qui se donne comme « total »;

— et partant, une image idéale de perfection et de puissance se construit. Elle utilise les expériences de satisfaction, mais aussi celles d'une complétude narcissique donnée par l'image du corps et parallèlement par la découverte des ressorts du langage qui maîtrise l'*absence* de l'objet et use du pouvoir de renversement par la négation et par le jeu des substitutions symboliques;

— enfin, une *prévision* s'assure, dépendant de la permanence du désir qui maintient un projet malgré les aléas concevables d'une entreprise en voie de réalisation : ici apparaît la dimension de l'inconnu.

Dans cet ordre d'idées nous appellerons *transcendance* le mouvement qui prend ses distances à l'égard de l'opposition dehors/dedans, sans toutefois la rendre caduque, qui se met en perspective par rapport à une actualité d'environnement, prise par exemple, au plus près d'un souci technologique [1], dans la mesure où elle devient envahissante et tyrannique par ses exigences de soumission conformiste, mouvement qui n'en est pas pour autant un repli narcissique sur le Moi et qui se tourne vers un changement où se manifeste la *relation d'inconnu.*

Nous devons relever dans cette trajectoire un effet

de focalisation particulièrement net avec l'idéal. Un champ est délimité, ouvert à la prospection de l'inconnu; nous nommerons cette voie celle de la *relation d'inconnu polaire.* Mais ce qui est tenu en dehors de cette zone n'en est pas moins un lieu d'inconnu; seulement cette région est *refoulée*, sans qu'il y ait d'exploration prévue en elle. Nommons-la celle de la *relation d'inconnu extrinsèque.*

La science qui a des méthodes précises pour rendre compte de ses zones sûres de prospection s'efforce toujours de donner des définitions qui servent de frontières à sa relation d'inconnu polaire.

Pour les idéaux en général ce champ se détermine à l'usage. Nous verrons les cinq types que prennent les idéaux sexuels. L'intérêt de cette description tient surtout au fait que chacun d'eux peut devenir un système qui écarte les autres, les refoule.

*Idéaux sexuels. Sublimation. Objet de perspective.*

Freud a distingué dans « Pour introduire le narcissisme » *l'idéal sexuel* des autres organisations idéales. Il le définit comme le résultat du débordement de la libido du Moi sur l'objet qui se trouve ainsi magnifié selon un modèle infantile de relation amoureuse, ou plus précisément par la fascination de l'énamoration (Verliebtheit). Mais il souligne surtout la fonction réactive, compensatoire de cet idéal qui se substitue à ce qui manque au Moi au cours des défaillances narcissiques, par incapacité d'aimer ou lorsque surviennent les désillusions relatives à l'Idéal du Moi.

Il en résulte une « dépendance accablante » envers cet idéal sexuel, psychanalyste ou partenaire amoureux.

Il semble que dans ces cas le sexe et l'énamoration deviennent un ultime recours qui détourne des autres projets. On comprend qu'un système social qui donne le pas au collectif dirigé tienne à contrôler de telles fuites.

Et le sexisme, en tant qu'idéal, peut être considéré comme un tel détournement.

En outre Freud avait dénoncé l'incompatibilité entre « la vénération d'un idéal du Moi élevé » et la sublimation. Il avait même indiqué une particularité de cette relation : l'idéal peut inciter la sublimation à s'amorcer, mais l'accomplissement de celle-ci « reste complètement indépendant d'une telle incitation »[2]. Que veut dire cet accomplissement *complètement indépendant?* Nous devrions y voir une mobilité à l'égard de l'idéal, avec des remises en cause, grâce à un exercice mental apte à mettre l'objectif en confrontation avec d'autres points de vue (par l'oscillation métaphoro-métonymique, dirons-nous). Cette mobilité, ce *jeu créatif*, engendre une proximité élaborative de l'énergie libre avec l'étrangeté des connexions mentale ainsi suscitées, utilisable dans une forme d'esprit particulière, telle que, par exemple, l'humour Cette possibilité de réflexion conduit à situer la sublimation au cœur du narcissisme et de ses satisfactions.

Le narcissisme, par sa référence à l'auto-conservation, met en jeu dans le dédoublement projectif l'affrontement léthal et la pulsion de mort. Cette problématique se noue au niveau du sexe par une relation d'inconnu qui concerne la mort et, en même temps, l'Autre comme être sexué.

Toute cette question se résume dans l'idée de bisexualité que Freud a tant de fois remise sur le tapis. Il faut, pour bien aborder cette discussion, partir, comme C. David l'a fait récemment avec justesse, d'une bisexualité *psychique* [3]. En effet, on ne saurait aujourd'hui s'attarder dans des considérations anatomo-physiologiques qui oublient trop facilement l'emprise du fantasme. Si la *différence des sexes* a un substrat anatomique, elle prend, à travers les différentes structures mentales, les formes les plus diverses, par extension ou restriction de telles ou telles qualités, en ne gardant pour point d'ancrage que la *différence, sexuelle, phallique.* La bisexualité assurément n'a un sens plein que comme psychique. Par là elle soutient toute la dialectique sexuelle, à travers les introjections et les identifications aux *deux* sexes, entretenant toutes les variations de la pathologie et de l'*érotisme.*

Le narcissisme peut bloquer cette bisexualité, son mouvement, en préservant une *totalité* où le pénis maternel, par une surimpression indispensable, fournit l'image et l'illusion permanente de complétude. Par ce truchement la réflexion spéculaire garde une totalité qui paradoxalement n'assume pas le sexe, c'est-à-dire sa différence. Ce « hors sexe » est donc une *homo*-sexualité fondamentale qui ne s'engage pas (encore) dans les oppositions des différences sexuelles, orientée qu'elle est vers la tâche de sauvegarder avant tout un projet vital, où le phallus devient dans son unité synonyme de narcissisme trophique.

Mais l'*objet de perspective*, en tant qu'objet identifiable, ou localisable comme fétiche tenant lieu de pénis maternel, permet en s'appuyant sur l'oscillation métaphoro-métonymique, une expérience centrale du symbolique [4]. Il est le pivot grâce à quoi le sujet accède *par le corps* et par le sexe (d'où son importance en psychanalyse) à l'épreuve existentielle du peu de réalité de l'objet, de son abolition possible, en traversant l'*épaisseur* de l'imaginaire, comme *préfiguration* de l'élaboration de la prise verbale de la négation. Par ce biais l'objet de perspective montre ses liens avec le narcissisme, la pulsion de mort et la relation d'inconnu. Nous le prendrons comme repère dans l'examen des idéaux sexuels.

Et pour en revenir à la sublimation cette notion semble devoir s'élucider principalement selon les deux directions indiquées plus haut, la mobilité symbolique et l'étayage sur la pulsion de mort dont l'énergie libre est ainsi exploitée, mais aussi à partir d'une connaissance des idéaux sexuels et de l'objet de perspective qui leur est propre.

*Le narcissisme.*

Mais avant d'aborder ces idéaux il faut encore nous expliquer sur le narcissisme puisque, comme Freud nous l'a appris dans son texte de 1914, leur constitution en dépend de par leurs racines infantiles.

Si, depuis, le narcissisme a pu être considéré comme une notion inutilisable, taxée de trop d'imprécision, c'est d'avoir été réduit à un seul de ses aspects (le plus souvent le retrait libidinal sur le Moi). Il importe donc d'apercevoir toute l'ampleur de son organisation, en ses composantes nécessaires. Cette description, qui comporte cinq branches, servira grâce à chacune d'elles à situer les types d'idéaux sexuels.

1. Avançons d'abord la plus connue : le retrait d'investissement libidinal sur le Moi. Son origine est donnée par le rejet. C'est dire la précocité de ce narcissisme secondaire (le narcissisme primaire étant le moment fantasmatique d'une antériorité idéale). Ce recrutement libidinal devant les vicissitudes pulsionnelles et les traumatismes est sans doute défensif. Mais il est également un effort de densification qui s'écarte de l'éparpillement objectal, de l'altération, et de l'écoulement libre de l'énergie pulsionnelle. On voit les deux aspects contradictoires du narcissisme. Dans son versant négatif, — la forme « rétractée », schizoïde —, la rupture douloureuse des liens avec l'objet pourrait conduire à l'évolution psychotique des potentialités schizo-paranoïdes. Dans le versant positif la fonction *trophique* du narcissisme supporte la cohésion, l'unité et l'estime de soi, la cohérence temporelle et le sentiment d'être vivant. La possibilité de se trouver dans l'image du semblable et de s'en distinguer, avec la valence d'aliénation que comporte cette opération, passe par le temps narcissique du stade du miroir.

2. L'idéalisation fonctionne conjointement au retrait, Des instances comme le Moi Idéal, le Moi grandiose (H. Kohut) ont pour répondant une projection idéalisante sur l'*objet de projection narcissique*. Mais il faut mettre en regard le *but* également idéalisé recher-

ché sous deux formes : l'*exultation* et l'*extase*, et différemment selon les individus et selon les *religions.*

A l'*extase* se ramène l'idéalisation des tensions abolies, le nirvâna, avec, dans l'optique de Freud, la satiété du nourrisson qui s'endort, le sommeil, et le séjour dans le ventre maternel comme prototype; on y ajoutera la mort, en tant que consolation suprême. Au narcissisme *primaire* appartient cette série qui aspire à un équilibre absolu, retour à un état antérieur, où le point d'origine et la fin se rejoignent : on y reconnaîtra l'objet électif du mythe.

L'*exultation* recueille l'exercice vital d'une tension, de la plénitude d'une charge pulsionnelle tenue à la limite de l'explosion, orgasme perpétué, allant à exalter l'*exploit.* Dans ce sens l'idéalisation porte plus sur la tétée du nourrisson que sur son sommeil consécutif. Le narcissisme *secondaire* correspondrait plus à l'*économie dynamique* qui accède à l'exultation par le retrait libidinal *et* par la *projection idéalisante.* On doit en effet décrire un narcissisme projectif, débordant, à l'opposé du narcissisme rétracté, où l'expansion se joue des obstacles, et dont la puissance se répand et déferle sur l'objet, le rehaussant ou le réduisant à une idéale dimension.

3. Avec le *dédoublement* narcissique le Moi Idéal est projeté sur un objet de projection narcissique; le Moi Idéal est ainsi objectivé dans le double, servant comme Rank l'a montré, à conjurer la mort.

Mais deux voies sont impliquées par ces effets. Elles sont déterminées par les événements de la petite enfance, par la structure œdipienne, les relations au parents et leurs défauts. La prévalence de l'une sur l'autre en dépend : soit la jubilation de l'unité spéculaire vécue, soit au contraire l'affrontement agressif léthal.

4. Il faut ensuite envisager les contradictions propres au narcissisme telles qu'elles découlent du dédoublement et de ses impasses. Il s'agit de la *double entrave* (double bind) en tant qu'*injonction paradoxale.* Ce sont les cercles vicieux du narcissisme. On peut en décrire quatre types de base, selon :

*a*) Le rapport des *générations :* l'injonction étant : « sois comme ton père (ou ta mère) sans être comme lui (ou elle) ». La solution impérialiste du narcissisme est de réduire les trois générations sous une seule domination (être le père et le père du père).

*b*) la *différence des sexes :* au cœur de la bisexualité l'ordre serait : « aime l'autre sexe comme le tien » avec les identifications qui en dérivent.

*c*) Le *pouvoir :* avec l'injonction : « aie le pouvoir de vaincre le pouvoir ».

*d*) Enfin *la vie et la mort :* avec la formule : « vivre c'est mourir ».

On remarquera que les deux faces du narcissisme, de régression et de progression, se distinguent dans les virtualités de la double entrave qui aboutit à une impasse, ou qui devient l'épreuve réellement surmontée à chaque réussite.

5. Enfin la nécessité narcissique de maîtriser les contraires et de maintenir les potentialités, tels qu'ils viennent au premier plan avec le dédoublement et la double entrave, induit l'exercice de l'*oscillation métaphoro-métonymique :* c'est un mode de pensée qui use du processus primaire pour permettre le maintien,

ou la sommation des courants contradictoires, occasion de jubilation ou de dépassement. Cette oscillation trouve généralement à s'appliquer d'une manière spécifiquement narcissique selon les modèles décrits plus haut, dans les quatre variétés de double entrave. Il faut envisager également d'autres organisations qui gardent cependant les liens étroits avec le narcissisme, justement par l'exercice de cette oscillation. Ainsi dans les perversions sexuelles celle-ci se centre sur un objet érotique, le fétiche. Ainsi l'invention créative (dans le jeu esthétique ou ailleurs) s'appuie sur le franchissement métaphorique qu'entretient cette oscillation, même virtuellement.

Ce détour était indispensable avant d'examiner les idéaux sexuels parce que toute idéalisation met en jeu non pas un seul élément, le plus flagrant, du narcissisme, mais toute la constellation qui le compose.

***

Nous sommes en mesure maintenant d'exposer ces configurations en nous référant à la relation d'inconnu, à l'objet de perspective et à la structure narcissique.

L'idéal est un leurre qui piège le désir; par là il s'avère être le moteur d'entreprises qui sans ce jalon ne pourraient s'accomplir. Au surplus, des idéaux communs fixent l'identité d'un groupe et permettent une affluence des identifications et des efforts qui aident ces réalisations.

Mais en tant que leurre l'idéal détourne d'un état déplaisant et s'emploie à le compenser. Son inconvénient est patent : il fait perdre l'appui premier qu'est le rappel de l'imperfection à corriger; il peut, dans une optique obsessionnelle, ne proposer que des buts impossibles à atteindre; la besogne fait oublier le résultat; enfin il procure une assurance fataliste où l'attente passive se suffit puisque l'avenir et l'histoire doivent mener infailliblement à l'issue espérée.

Lorsque nous décrivons cinq types d'idéaux sexuels, — le sexisme, la perversion, l'amour, la passion, la mystique —, dans lesquels se distribuent les conditions requises par quiconque pour obtenir le plaisir issu des organes sexuels, nous extrayons des formes particulièrement poussées, idéalisées selon leur propre démarche, et ne souffrant pas justement de mélange avec les autres (ce qui ne veut pas dire que leurs combinaisons ne s'observent pas).

*Le sexisme.*

Nous parlerons en premier du sexisme parce qu'il représente de nos jours un des idéaux sexuels les plus prisés, et prônés par une pensée militante. C'est la prévalence, quasi exclusive, de l'intérêt porté à la copulation et à l'orgasme; pratique, curiosité et recherche d'information sont axés sur le « rapport sexuel » [5].

L'influence de la psychanalyse est bien souvent arguée : n'a-t-elle pas dénoncé le rôle néfaste du refoulement sexuel? Et W. Reich n'a-t-il pas prévu l'assainissement des maux psychiques et sociaux par une vie sexuelle libre d'entraves puisque refoulement et sublimation conviennent aux répressions idéologiques?

La radicalisation de cette thèse se fait en attribuant au seul accomplissement de la copulation la vertu de régler toutes les difficultés de l'existence.

Si le sexisme refuse la relation amoureuse, ou ne la tolère que pour le temps de la séduction, c'est apparemment pour permettre de varier les plaisirs, la froideur, ou le cynisme venant à point pour interrompre la liaison. La succession des partenaires, leur multiplication simultanée répondent bien à un idéal d'indépendance qui pourtant ne se défait pas de l'idée de n'avoir pas à reproduire la fixité du couple parental, sa banalité, ses heurts et ses désaccords, ou n'ose pas atteindre une vie mieux réussie, ou en refuse le résultat matérialisé par une naissance. Cette *insécurité*, qui est aussi la crainte d'un engagement dont on puisse être la dupe ou la victime, par lequel on ait à souffrir, pèse couramment sur les « années d'apprentissage » des jeunes gens. Elle correspond également à la séparation, décrite par Freud, entre le sexe et le sentiment celui-ci ne renvoyant, sans comparaison possible, qu'à la relation parentale privilégiée.

Le sexisme a ses attraits. Il appartient aux générations nouvelles qui secouent le joug des traditions, qui prennent le parti de l'égalité sexuelle, et dirait-on, de la vie, de la santé, contre la mort; il va de pair avec des vues dynamiques capable d'affronter le pouvoir. Ainsi peuvent se régler les quatre types de double entrave.

Il arrive que dans ce contexte l'évolution se fasse vers un isolement narcissique renforcé par les gratifications mêmes qui se répètent au cours des années. La castration au lieu d'être vécue en son temps et réactivée à la puberté peut être reportée, avec une problématique immuable, à la ménopause chez la femme, et dans les deux sexes aux premières atteintes du déclin, soit encore au moment où s'accomplit le passage des générations. Ce report de la castration à une période tardive provient d'un concours de circonstances où les réussites successives répondent à une structure narcissique restée intacte.

Il serait naïf de ne pas reconnaître les échecs relatifs au sexisme. Sans doute dans toute libération faut-il faire la part de celle qui n'est qu'imaginaire. Suffit-il de se dire « affranchi », de clamer n'avoir aucun tabou alors que des interdits et des dégoûts banals restent dans une norme courante? Des obsessionnels vivent les quelques écarts qu'ils s'octroient comme de grandes transgressions, de grands excès, qui valent pour eux toutes les révoltes.

Mais le sexisme peut n'avoir que le visage d'une pornographie mercantile sans qualité, n'être que l'exclusion de toute autre perspective, la distraction des nantis, individus ou peuples, ou le nouvel opium des autres. Seul un religieux respect pour les plaisirs promis voudra ignorer ces avatars.

Le sexisme vit aussi d'un *savoir* sur le « rapport sexuel », — dans le fil d'une certaine sexologie. Sa pratique courante elle-même poursuit une plus grande variété de situations éprouvées et accumulées. Et l'expérimentation, la statistique (le rapport Kinsey) permettent la quantification des actes, selon l'âge et les partenaires, avec l'objectif majeur, pivot de toutes les recherches, de décrire l'*orgasme*. De plus, *tout le processus sexuel est considéré comme la réalisation d'un besoin.* Les possibilités physiologiques sont explorées afin de découvrir les modalités comparées de l'orgasme propre à chaque sexe, avec, pour la femme les oppositions entre clitoris et vagin (M. J. Sherfey) [6].

Ce savoir vise à être transmis et l'éducation sexuelle trouve ses prosélytes qui enseignent principalement l'anatomie et la physiologie des rapports génitaux, le développement et le cycle sexuels, ou les méthodes de contraception.

Si un abord direct de ces questions ne peut être que bénéfique, encore que chaque explication charrie son optique personnelle, faut-il aussi ne pas être fasciné par l'idéal sexiste du savoir. On *parle* du sexe et cela paraît dérisoire. Il y a a cela plusieurs raisons. L'enfant, quoi qu'on lui dise, et malgré toutes les élucidations, n'abandonne pas toujours ses propres « théories ». Le plaisir masturbatoire connu reste en-deçà de ce qui est imaginé à propos d'un coït *non encore vécu.* La parole explicative semble loin d'un plaisir secret, considéré comme défendu, et d'une jouissance à venir. Il est probable que l'idéal sexiste hérite de cet état de choses, de même que, dans une autre direction le projet mystique. L'écart quant à la jouissance est d'autant plus grand que l'idéal est plus valorisé.

Cette différence entre un savoir sans fin et un éprouvé irréductible *fait du rapport sexuel, des organes en cause, un point de fuite où nous désignerons l'objet de perspective. La relation d'inconnu polaire est canalisée ici dans la poursuite d'un savoir, théorique et pratique, centré sur un besoin, à quoi se ramène le rapport sexuel.* Et l'oscillation métaphoro-métonymique qui porte sur cet objet de perspective, joue entre la linéarité d'un savoir toujours décalé et l'ouverture, propice à la jouissance, où se profilent, tenus en laisse, les autres idéaux.

*Les perversions sexuelles.*

Un des souhaits auxquels poussent les vues précédentes est d'aplanir les obstacles qui gênent l'abord direct au sexe. Dès lors se déploient des manœuvres vers ce but au point qu'il s'absorbera entièrement dans les *moyens* pour y parvenir. Il y a dans les perversions sexuelles une fuite en avant qui atteint l'orgasme même par les voies les plus tortueuses, devenues indispensables.

Il est vrai que les difficultés réelles d'origine sociale sont majorées par une aggravation des interdits et par des craintes imaginaires qui alourdissent la peur de la castration et les rivalités rencontrées au cours du passage à l'état adulte. La copulation est perçue comme une entreprise insurmontable.

Une des premières solutions pour y parer est le repliement sur des satisfactions régressives, déjà éprouvées dans le domaine prégénital : l'opération consiste à se rabattre sur le plus connu.

Mais un autre procédé s'attaque directement à ce qui fait problème au premier chef : la différence des sexes elle-même. D'une manière centrale pour les perversions sexuelles, la solution *fétichiste* postule la prédominance du pénis et sa surimpression chez la femme (la mère originellement); il se concrétise dans le fétiche, afin que la différence sexuelle soit *désavouée*.

Le fétiche est ainsi la représentation par excellence

de l'*objet de perspective.* L'oscillation métaphoro-métonymique qui s'y attache se localise strictement sur un objet érotique apte à conduire à l'orgasme.

Mais les choses sont moins simples. Les relations sexuelles s'avèrent nécessiter l'accord d'un(e) partenaire : d'un autre. Cette contingence ruine dès lors le « rapport sexuel » isolé en lui-même. Car le refus toujours possible, par l'existence d'un choix, que dicte la recherche de certaines qualités, d'une beauté donnée, ou la reluctance faite de dégoûts précis, bref entrant dans un type idéal, introduit inéluctablement à *une économie de la rareté.* Celle-ci s'organise avec le système des unions lié à la propriété privée sur laquelle se répercute le désir, — système où la femme tient la place d'un bien échangeable. Tout sexisme se heurte, Reich en tête, à la barrière de la rareté, structurée par les castes, les tribus ethniques, les aristocraties, les classes sociales. On peut alors imaginer, — et les constructeurs d'utopies ne s'en sont pas privé —, d'imposer l'éradication de tout refus. Cela suppose, bien sûr, quelque violence directive s'appuyant sur une organisation qui exalte le service civique. Désormais devrait succéder à la liberté totale du sexisme une liberté contrainte ou *prennent corps* les fantasmes *sado-masochistes* fondamentaux : la règle exigera que l'on se plie aux volontés sexuelles de tous ceux qui voudront profiter de ce droit, en guise de force.

Par ce contrat singulier, qui aurait la vertu d'annuler la propriété de chacun pour soi-même envers quiconque, une relation à l'autre s'efforce de contrôler l'inconnu d'une libre relation de choix. Le fétichisme cependant semble devoir, quoique exemplaire, échapper à cette régulation. Pourtant s'il ne se borne qu'à des manipulations solitaires, il garde implicitement une relation fantasmatique avec la mère.

Dans les trois autres perversions importantes, l'homosexualité, le sado-masochisme et le voyeurisme, le point extrême du fétichisme sert de butoir : il est inclus dans une relation ou justement *l'autre peut être pris à témoin de ce passage à la limite.* Un tel renversement, virtuel ou en acte, participe à l'oscillation métaphoro-métonymique liée à l'objet fétiche : dans l'homosexualité avec le renversement des rôles sexuels; dans le sado-masochisme avec la double entrave relative au pouvoir; dans le voyeurisme (voir/être vu, opposition qui prend toute sa force de fascination en surmontant la *distance*, à l'abri de l'auditif et de la communication verbale, donc dans l'évocation directe du *contact*, mais à l'opposé) avec le rappel de l'expérience perceptuelle du fétichisme.

Tout érotisme puise dans ces renversements indispensables aux perversions, y trouve son alphabet, se diversifie par les identifications bisexuelles, par leurs réponses en miroir chez l'autre, par la mise à l'écart d'une des deux polarités prise dans une latence qui s'épanouit entièrement chez le partenaire.

En ce qui concerne la relation d'inconnu dans les perversions on peut donc penser qu'elle est axée sur la *différence des sexes*, au détriment d'une autre acceptation d'inconnu. Une radicale contestation des limites imposées ou imposables au sexe est sans cesse entretenue par oscillation dans une instable *transgression.* Même si le pervers est prisonnier de pratiques stéréotypées, il n'est pas sans savoir qu'il évolue au principe des renversements, en suscitant les procès qui peuvent être faits au nom d'une norme, d'une règle établie, ou de la réalité, — ou contre elles. Le *secret*, pour lequel il a une certaine affinité, ne dépend pas tant du sentiment d'appartenir à une minorité refusée par le milieu, ou d'avoir une juste connaissance des ressorts érotiques, mais de cette radicale subversion de la réalité par le moyen du signifiant (sexuel en l'occurrence), et sans que cela toutefois puisse se dire, puisqu'il s'agit de désaveu.

*L'amour.*

On ne peut nier que de prime abord l'amour aspire à la *réciprocité* de la *demande*, de l'échange et du don. Mais c'est là schématiser à l'extrême des relations complexes. Sans doute la quête qui vise bien évidemment le plaisir charnel passe par le temps d'un *aveu*. Il est question de dire, parfois difficilement, que l'on aime, et d'obtenir les preuves que l'on est aimé. L'absence d'écho est une souffrance où l'on se sent dévalorisé. Cette correspondance, cette reconnaissance réciproque trouve son sommet dans l'illumination de la *rencontre*, avec les premiers signes échangés. L'objet vient à la place de l'Idéal du Moi. Par cette focalisation des investissements un seul être répond de l'unicité du sujet, de son estime de soi, et résume à lui seul tous les charmes de l'autre sexe. Ce choix réactive les effets de dédoublement où s'exalte ce sentiment, que connaissent bien les amants, d'une complémentarité incomparable dans la différence et l'identité des sexes, mais aussi dans une communauté de vues, de goûts et de projets, qui donne à la réciprocité de l'amour ou de la tendresse sa valeur de découverte réitérée, attendue depuis « toujours ».

Cet accord s'étend à des idéaux qui dépassent la chose sexuelle, en révélant « dans l'éperdu peut-être, une ouverture sur l'*identité de cause*, la seule qui consacre le couple à jamais » (selon l'expression d'A. Breton à propos de Trotsky et de sa femme [7]). A ce trait non négligeable se greffe aussi le sentiment heureux de *donner*, sans calcul, ni retour.

L'amour puise dans la concordance narcissique qui accomplit l'adhésion parfaite et la réciprocité sans faille, la force de l'Eros pour assurer malgré les difficultés, les désaccords et la haine, qu'une communication restera possible, qu'une parole conduira au terrain commun de l'alliance retrouvée.

Mais l'amour veut aussi défier le temps, n'avoir pas de fin, se poursuivre dans les enfants, ou même perpétuer le souvenir d'une histoire exemplaire faite de victoires sur les vicissitudes de l'existence (ou comme avec Ulysse, dans la plus ancienne des légendes, en contant l'aventure de la fidélité). Cette pérennité se bâtit de *serments*, se scelle avec le mariage, *sacrement* ou *contrat*. La monogamie a ainsi ses racines psychologiques dans l'infrastructure narcissique qui s'articule avec le *pacte* symbolique de la parole donnée.

Mais on ne peut décrire les relations amoureuses sans leurs fluctuations. Le pacte est un centre autour duquel s'ordonnent des variations; si l'on n'oublie pas que l'amour précède l'aveu, en est donc relativement indépendant, dépasse la réciprocité par le don sans retour, et dure même quand l'autre n'y répond plus, toute l'ampleur des marges qui l'entourent fait qu'il est sans cesse susceptible de débordement, en deçà par rupture qui en fait chose nulle et non avenue, au-delà par une vivacité passionnelle qui n'a que faire de cette contrainte.

Mais le besoin de permanence prend vite les formes de la *possession* dont les termes se fixent par des contrats. La femme entre comme bien d'échange dans le système économique général. La monogamie est alors plus étroitement liée au travail et à l'héritage, surtout dans la valorisation capitaliste qui culmine au XIXe siècle. Ailleurs, dans le monde arabe par exemple, la polygamie assure également la prééminence masculine et guerrière de cette possession. Il en est résulté, sans doute, une nostalgie tenace d'un amour libre et réciproque allant jusqu'au renversement où la femme, par compensation, aurait tout le pouvoir de choix et de décision, et la volonté souveraine d'imposer des épreuves à surmonter. Le chant, l'épopée, la poésie d'influence musulmane en sont marqués; ils ont probablement induit les rêveries et l'amour courtois européens.

Ainsi, avec les nuances et les dosages de narcissisme et de relations anaclitiques, un subtil équilibre s'établit entre le pacte et la capture : ou bien les deux vont ensemble, dans une entente mutuelle; ou bien le désaccord est complet comme dans les mariages imposés : mais alors l'amour, s'il n'advient pas, s'efface devant une loi qui signifie un idéal social dominant; l'aliénation n'est tout à fait contraignante que si cet idéal périclite.

Accepter la monogamie suppose une possibilité de cristallisation narcissique sur un seul partenaire ce qui, dans les meilleures conditions, permettrait de libérer d'autres secteurs sociaux d'une charge narcissique trop massive. Cela implique de n'être pas vulnérable aux aléas de la foi donnée. Mais à l'inverse cette relation devient aussi le refuge, le confort et le conformisme, de ceux qui se résignent à ne pas remettre en cause un état imparfait mais sûr, face aux désirs qu'accompagnent les révisions, les troubles et l'insécurité. Des variétés psychologiques de l'amour se dessinent si nous mettons en exergue l'idéalisation selon l'importance donnée aux qualités de l'objet et au pacte. Les premières, quand elles servent d'amorce, sont déterminées par des modèles de l'enfance, principalement parentaux, dans une similitude ou dans une différence exogamique. Mais ces qualités varient en nombre, depuis la stéréotypie de quelques traits, jusqu'à l'accumulation, jamais atteinte, de perfections exigées. En général la surestimation complète le tableau.

Quant au pacte il dépend de la durée qu'on lui fixe, amour éternel, contrat à révisions et à reconductions, ou laps sentimental de quelques copulations. Il varie aussi avec les conditions requises pour sa rupture, quand un certain niveau d'*infidélité* aux idéaux communs, sexuels ou non, est franchi, sachant qu'un renversement spécieux peut faire de la tolérance mutuelle, ou unilatérale, un gage de l'amour.

A l'aide de ces données deux formes prennent un

certain relief. C'est d'abord l'*énamoration*, — dans le sens de la propention à s'amouracher. Seul importe ici l'éclosion, le tout début du pacte, la reconnaissance dans la demande, sans qu'il y ait nécessité de poursuivre une relation avec des partenaires qui n'ont qu'à se succéder; leurs qualités mêmes passent au deuxième plan. La *séduction* est seule fascinante, et parfois d'autant plus que l'écart franchi dans l'échange est plus grand (évoquant cette différence de langues entre adulte et enfant dont parlait Ferenczi), différence de milieu, ou de qualités, réduites aux limites de la répulsion, franchie grâce aux moindres signes de connivence.

Lorsque la compensation porte à la fois sur les idéaux déçus et sur la médiocrité de l'objet, le pacte prend un poids particulièrement astreignant : c'est le cas envisagé par Freud à propos d'idéal sexuel (et de *Verliebtheit)*.

Si l'intensité des sentiments vient étayer les projections narcissiques nous sommes déjà dans l'amour-passion.

Enfin dans un autre sens la réduction des qualités de l'objet peut aller jusqu'à une expérience de « purification » qui cherche la limite de l'être : et nous nous engageons là dans l'amour mystique.

Ces variations nous montrent l'importance de la reconnaissance mutuelle, de la réciprocité, de l'aveu et de la foi dans la parole donnée. Assurément les mots font l'amour, et le défont. L'objet de perspective se situe donc bien sur un plan symbolique avec le *pacte* tel qu'il s'établit dans la relation à l'Autre. Du coup toute son équivoque surgit : il perd tout sens quand l'amour disparaît; et le contrat qui subsiste est au service d'autres valeurs et d'autres idéaux.

Mais l'amour ne se contente pas de paroles. En définitive le *corps érogène* est l'aboutissement et le point de relance du désir. Nous dirons qu'il porte toute la relation d'inconnu polaire parce qu'en lui s'incarne l'acte, où dérive la parole de la dilection.

En conséquence l'oscillation métaphoro-métonymique circule entre le verbe, la parole donnée et le corps, entre l'âme et la chair. Le pacte oscille entre la métonymie juridique du contrat et la métaphore de la foi donnée *dans le corps*. Que l'un ou l'autre de ces pôles, indispensables dans leur écart au courant amoureux, s'efface et nous nous trouvons transportés dans une autre constellation des idéaux sexuels.

*La passion.*

L'intensité des sentiments, leur pressante fascination, dès la première emprise du coup de foudre, indiquent que la passion est sous le signe de la *violence*. Qu'il s'agisse d'états passionnels, virant facilement à l'érotomanie, à la jalousie, à l'énamoration, oblige à prendre en considération le voisinage des délires paranoïaques, avec la tourmente émotionnelle et le débordement impulsif qui les caractérisent.

La violence provient d'un continuel affrontement à l'*impossible*. Mis à part le cas où le sentiment est partagée, ce qui pousse la relation amoureuse à l'incandescence, la passion se renforce des obstacles auxquels elle fait front; elle se nourrit de la force même et des contraintes du *destin*.

La réciprocité devient impossible parce que l'autre est écrasé par les projections : le Moi Idéal se transporte en masse sur un *objet de projection narcissique* de sorte que la propre participation de l'autre, sa libre disposition sont submergées par l'idéal projeté. L'écart ne peut être comblé et envenime la situation. Ainsi dans l'érotomanie les relations affectives sont imposées en suivant les étapes évolutives décrites par Clérambault, quelles que soient les réactions, les protestations, les aspirations et les qualités de l' « objet ». La réciprocité n'est plus qu'une exigence de soumission au schéma préétabli. Plutôt qu'un savoir poursuivi, plutôt qu'une communication où la demande laisserait le champ libre à une réponse, la passion se complaît dans une *ignorance* qui constitue le milieu à maintenir pour que l'impossible se dresse comme seule épreuve à surmonter qui vaille. La croyance fait basculer une relation conditionnelle en une affirmation construite par l'illogique du pacte *unilatéral qui s'impose.*

La relation passionnelle ne se contente pas d'un bonheur d'équilibre et de calme. Elle se porte aux points de conflits insolubles : la société traque les amoureux (Roméo et Juliette), et la mort seule est à la mesure de leur exaltation (Tristan et Yseult).

Elle est donc à l'opposé des idéaux de flegme technocratique, toujours maître de lui-même, ou de l'ataraxie du sage ou du superman.

L'énergie ainsi mise en circulation a été appréciée par toute la pensée romantique, continuée par le surréalisme, pour sa force mutante et révolutionnaire, reconnue à sa juste valeur.

Il faut pour qu'elle atteigne son *point de fusion* que l'idéalisation soit à son maximum. La passion postule un droit de justification en se donnant comme la vertu même de la perfection acquise par l'excès. Saint Thomas constatait autrement cette liaison : « Plus une vertu est parfaite, plus elle engendre la passion ».

Mais là où la passion rencontre plus sûrement l'impossible c'est dans la grande proximité entre l'amour et la haine. Le passage de l'un à l'autre, sinon leur simultanéité, entraîne de puissantes tensions qui libèrent de l'énergie, mais aussi une déperdition consécutive.

La charge de haine de la passion dépend des retournements entre les deux formules « Je suis aimé / Je ne suis pas aimé », c'est-à-dire dans une direction narcissique essentiellement passive, à laquelle il paraît *impossible* de se soustraire sauf par la force. Les situations conflictuelles ne peuvent se conclure alors que par le recours, que toutes les supputations préparent, à la violence.

A l'alternative précédente répond le contrôle de toute-puissance que recèle le couplage de deux injonctions : « Il faut m'aimer » / « Il ne faut pas m'aimer » qui se transforment en « Il faut me haïr » / « Il ne faut pas me haïr », double entrave que le sujet veut prescrire à autrui afin d'affirmer la prépondérance de son Moi Idéal.

La relation narcissique s'engage ainsi plus facilement dans son versant négatif de dédoublement et d'affrontement mortel. Ce sont les éléments déterminants de l'histoire infantile, principalement en fonction du père, qui la font s'infléchir dans ce sens.

La violence est aussi un forçage de la réalité pour amener l'objet à adhérer, par les sentiments, les qualités et le pacte au schéma narcissique. Mais cette aliénation projetée a son répondant intérieur avec l'ignorance posée comme inertie aveuglante, mais que pourrait renverser la volupté d'une ardeur sexuelle explosive en illumination, véritable but de la passion. La relation d'inconnu semblerait devoir s'abolir dans cette forme particulière d'idéal puisque le caractère impérieux que prend la croyance l'oblitère. En fait elle se déporte sur l'éventualité toujours invoquée d'une issue par la violence : là se situerait donc la relation d'inconnu polaire.

Et l'objet de perspective se résume dans les images de puissance et de pouvoir que rassemble le Moi Idéal dans ses projections sur le *double* et l'*objet de projection narcissique*. S'il y a un jeu métaphoro-métonymique possible, à condition que l'étau passionnel le permette, c'est lorsque ces visées du Moi Idéal peuvent paraître dérisoires (ce serait l'humour dont parle Freud à propos de la paranoïa) en regard d'une relation d'inconnu ouverte sur l'Autre. L'enjeu de l'oscillation est donc le pont entre un narcissisme léthal et un narcissisme trophique.

*L'amour mystique.*

Cette forme d'amour n'est nullement tombée en désuétude. Nombreux sont ceux qui recherchent une extase dans une situation qui ne garde que virtuellement un lien avec le corps d'autrui (ce qui ne veut pas dire que la résultante ne soit pas somatique), tout en portant le plus grand intérêt à l'impact de l'Autre.

Cette cinquième forme d'idéal n'est pas délimitée abusivement. Elle rappelle certains traits spécifiques des figures précédentes : l'orgasme à travers l'extase; le fétichisme avec l'objet de *culte;* le pacte symbolique et la violence de la passion dans les relations avec la puissance suprême. Mais ici l'objet est dépouillé de ses qualités afin d'atteindre l'être par la plus grande puissance d'abstraction narcissique. C'est pourquoi cette figure se voit souvent au début d'une vie sexuelle, soit comme repli négatif de défense, soit comme prélude de virtualités non encore *incarnées.* Elle comble aussi le désenchantement de certaines existences.

Les religions donnent des images de cet amour. Le polythéisme grec montre l'attrait érotique qui unit les humains et les dieux; l'accouplement est l'enjeu qui pousse aux ruses, aux désespoirs et aux refus (tel Ulysse).

L'extase est connue dans le judaïsme (hassidique), dans le christianisme comme dans l'Islam. La mystique des religions monothéistes s'appuie sur une relation personnalisée avec la divinité, ou, d'une manière plus déliée, par focalisation négative.

Et dans le bouddhisme la mort prend la vertu d'un anéantissement idéal, parfaitement accompli dans l'extase du nirvâna.

Actuellement même en dehors de tout cadre religieux traditionnel, le foisonnement des mouvements ésotériques et des sectes occultistes libère une tendance qui est, bien inconsciemment, une approche des lignes de force de l'érotisme, une réflexion sur elles, et souvent un court-circuit dans leur développement (A telle enseigne que l'amour mystique reste toujours soupçonnable de retrait phobique à l'égard d'une sexualité charnelle).

Si la copulation est dans nombre de cas écartée elle n'en garde pas moins une présence, négativement, comme relation dans l'absence, ou « sacrifice complet du Moi » (Freud) [8].

Le noyau de l'amour mystique est l'intrication de la sexualité et de la mort. Car la prise en considération de la plus lointaine portée du *désir*, dont on trouve ici la présentation radicale et l'apogée, substitue à tous les objets celui qui est doué de toutes les perfections, pensé et en même temps *ineffable*, ou simplement qui se mue en un vide, un inconnu absolu. Face à cette image narcissique le Moi est dilaté par le rapport qu'il noue, et en même temps, par comparison, ramené à une petitesse humiliée. Cette relation ne peut viser qu'une *autre-jouissance* qui lorsqu'elle s'exprime à travers sa résonance somatique devient l'indicible de l'*extase*, à entendre ici dans son analogie avec l'orgasme.

L'extase intéresse nos contemporains au long d'une quête dont le trajet mental a ses balises (voyez le Mont Analogue de Daumal, ou l'œuvre de H. Hesse), et sa mise en train par les drogues. Le rapport sexuel participe à l'exultation religieuse comme orgasme cosmique [9].

L'amour mystique porte à son ultime conséquence la transcendance du désir en découvrant la voluptueuse relation avec le maître absolu qu'est la *mort*.

On discerne ce qui est préservé ainsi : par transposition, une relation (homosexuelle) avec le support de l'autorité et de la puissance réelles, tel le père; une mise à mort jubilatoire mais aussi la conservation, la « momification » introjectée, du père mort, qui selon les cas, est à l'origine d'un deuil ou d'une mélancolie, d'un « dépassement symbolique », ou d'une célébration extatique de fusion avec la mère dans le « sentiment océanique ». Enfin des délires théologiques personnels comme celui de Schreber se greffent évidemment sur cette configuration narcissique.

Nous nommerons donc comme objet de perspective en cause le *cadavre :* image qui mène à une appréhension de la mort, sans la recueillir existentiellement. Par rapport à lui la *jouissance* donne la mesure d'une *vie extatique* qui surmonte cette image en n'affrontant qu'un seul et ultime adversaire, principalement dans sa résultante de *mort psychique*. Il découle de cela que la relation d'inconnu polaire oriente vers la plus lointaine région, à savoir, sur les traces épurées du désir, l'Autre, mais extrait hors de ses manifestations concrètes dans le semblable, et sans le repère d'une enclave comme l'inconscient : l'inconnu. Et l'oscillation métaphoro-métonymique sera celle qui fera sourdre la jouissance des rituels mentaux qui investissent l'image du cadavre *(perinde ac cadaver)* dans sa nullité pour saisir l'Autre, nullité des images et des mots. La métaphore ne pourra jaillir que de cette aridité. C'est ainsi que la pulsion de mort est très spécialement utilisée à ouvrir une brèche, en abolissant les « qualités ». Moyennant quoi le *seul* mouvement de la transcendance se transforme métaphoriquement en la *résurrection* de l'extase au cœur d'un abandon mortel.

Une telle abstraction, qui doit dissimuler les analogies avec les idéaux sexuels précédents, de par le projet même de la *mystique*, conduit aux expériences de vide. On distingue parmi elles [10] certaines régressions qui ne sont qu'une exaltation morbide et désespérée de la mort, et une *union* mystique par *nescience*, épreuve négative, pour atteindre les sources de l'être, sur la voie possible d'une combinaison avec l'expérience *poïétique*. Nous retrouvons le secret usage de la pulsion de mort qui donne accès à l'*énergie libre* du processus primaire.

Ces cinq figures décrites pourraient être présentées comme le résultat d'une enquête empirique : ainsi se distribuent les humains quand ils sont saisis par leurs idéaux sexuels. Et ainsi se marquent-ils, d'une façon patente, dans les cas les plus accusés, comme fascinés par un de ces types. Et plus cette adhésion est grande plus l'exclusion des autres idéaux devient manifeste. L'idéal est, redisons-le, un puissant système de refoulement.

Il importe donc en analyse de déceler ces profils, leurs rapports entre eux selon qu'ils s'excluent, se rejoignent, ou se subordonnent, en suivant l'évolution de tel idéal vers tel autre. S'il y a des affinités entre, par exemple, le sexisme et les perversions, ou entre l'amour, la passion et la mystique, il faut imaginer les articulations et les itinéraires qui relient les cinq pointes de cette étoile. Ainsi pour le sexisme dominant, la mystique peut être, par la voie de la désillusion, le temps d'accès à la castration; à l'inverse la relation amoureuse ou la relation sado-masochiste deviennent pour la structure passionnelle un mode de dégagement. Ces transformations équivalent aux variations d'éclairage dues à une modification de structure. Un *changement* dans les fixations sexuelles ne peut être perçu que grâce à ces repères : telle relation à prédominance sado-masochiste, tel mysticisme défensif, telle fidélité protectrice, telle labilité du sexisme phobique, progressera vers une forme voisine, souvent d'une manière temporaire, avant de perdre son caractère astreignant.

Le donjuanisme peut correspondre à chacune des cinq formes, mais aussi les combiner entre elles.

On envisagera également des configurations mixtes qui peuvent, de plus, avoir une mobilité maniaque ou perverse.

Mais les idéaux sexuels ne doivent pas être artificiellement isolés des autres idéaux, religieux, politiques, scientifiques, esthétiques, moraux. Rappelons cette *identité de cause* dont parlait A. Breton comme base du couple en amour. De plus vastes articulations et constellations existent, avec leur force de cohérence propre.

En décrivant le lien qu'ont les idéaux avec la relation d'inconnu et l'objet de perspective il s'agissait de cerner les points de fixation spécifiques de chaque forme autour desquels *joue* l'oscillation métaphoro-métonymique. La relation d'inconnu *polaire cache et montre* à la fois : en l'occurrence un aspect de la sexualité écarté pour un autre à découvrir, ainsi que plus généralement, un sens de la mort pour un autre.

Les psychoses qui se constituent à partir de l'amour passion ou de l'amour mystique, mais aussi bien des autres formes, engrènent le délire sur la relation d'inconnu et l'idéal. On pourrait avancer que dans les psychoses l'inconnu est lui-même non advenu, ou aboli, puisque le glissement immédiat vers une organisation délirante ne fait qu'obturer un vide insupportable. En fait il y a une sensibilité extrême à l'inconnu, qui se précipite en colmatage dans le délire paranoïaque, ou qui *s'y absorbe*, dans l'autisme schizophrénique.

En mettant le narcissisme au centre de cet examen des idéaux sexuels nous tenions à souligner sa nécessaire participation, suivant des proportions variables, à toutes les relations d'objet. En outre, ses composantes tissent leur trame perceptible dans chaque figure :

1. Le *retrait libidinal* accompagne le centrage qui a lieu sur l'objet mais aussi sur le Moi, au bonheur duquel travaille l'Idéal. Ce sont : les restrictions perverses; l'isolement des amants; le monoïdéisme passionnel; les raréfactions mystiques; le radicalisme sexiste.

2. Le *dédoublement* participe aux projections, entre l'image spéculaire et la prise en considération de l'Autre. On citera : la correspondance des orgasmes (sexisme); la différence des sexes (perversions); la reconnaissance mutuelle de l'amour; la violence et le double de la passion; la relation divine, extatique, de la mystique.

3. L'*idéalisation*, telle que nous l'avons vue tout au long, est liée à la relation d'inconnu polaire et indique dans quelle voie la vie vaut la peine d'un engagement sans restriction.

4. *L'oscillation métaphoro-métonymique est le point de départ d'un art érotique qui pourrait se développer dans l'harmonie des différents jeux soutenus par chacun des objets de perspective.*

5. Enfin il y a lieu de noter les solutions narcissiques aux quatre positions de la double entrave, — selon :

— les générations : filiation spirituelle (mystique); par sommation et inversion (perversions); selon la chair (amour); écartée (sexisme); en rupture ou imposée (passion).

— la différence des sexes : orgasmique et physiologique (sexisme); désavouée (perversions); œdipienne (amour); paroxystique (passion); transcendée (mystique);

— le pouvoir : se calque sur les idéalisations fondamentales;

— la vie, la mort : à chaque fois la définition de la *vie* est modifiée par l'idéal dominant : sexe; scission et oscillation (perversions); pacte et reconnaissance; violence; confrontation à la mort (mystique).

L'étude des idéaux sexuels en fonction du narcissisme permettrait de jeter quelque lumière sur la sublimation. On ne peut se contenter d'identifier celle-ci uniquement par la substitution d'objet qui la distingue de l'idéalisation. Il faut aussi tenir compte du modelage narcissique de l'objet et du schème idéal par rapport auquel les substitutions doivent suppléer aux insuffisances qui en découlent.

Mais en outre, pour qu'il y ait sublimation une certaine mobilité pulsionnelle doit être acquise : du côté des pulsions de vie avec les oppositions (différence des sexes et bisexualité) et tout autant du côté des pulsions de mort avec les renversements sur soi et sur les autres. Cette mobilité va de pair avec la substitution d'objet mais surtout avec le traitement particulier de l'oscillation métaphoro-métonymique. Et c'est parce qu'une réponse est proposée aux énigmes axées sur les quatre types de double entrave, auxquels achoppe le narcissisme, mais qu'il contribue à résoudre sur un plan collectif et symbolique, que l'on peut parler de sublimation. La transcendance n'est qu'une particularité de la sublimation. Elle table sur une *répétition des plaisirs* qui *s'échappe* de la pulsion de mort, ainsi exploitée par une prospection de l'inconnu.

Enfin cette étude des cinq idéaux sexuels doit déboucher sur une autre exploration. Si l'on est à même de percevoir leur présence au sein d'une théorie psychanalytique, à chacun d'eux doit correspondre une orientation propre : au sexisme la psychanalyse *technologique;* à la structure perverse, la *transgressive;* à l'union amoureuse, la *logodynamique ;* à la relation passionnelle la forme que nous appellerons *idéaloducte*, où s'impose un idéal commun; et en regard de l'amour mystique nous identifierons la *psychanalyse au négatif*.

NOTES

1. Cf. P. Nemo, *L'homme structural*, Grasset, Paris 1975.
2. S. Freud, *Pour introduire le narcissisme*, in *La vie sexuelle*, p. 99. P.U.F., Paris 1969.

3. C. David, « La bisexualité psychique », 35e Congrès des Psychanalystes de langues romanes, in *Revue Française de Psychanalyse*, 5-6, 1975.

4. Cf. mon texte : « Le fétichisme dont se *dérobe* l'objet », in *Nouvelle Revue de Psychanalyse*, 2, 1970.

5. Cette définition diffère de celle qui décrit le sexisme comme une *lutte des sexes*, mais elle la subsume.

6. M. J. Sherfey, « The evolution and nature of female sexuality in relation to psychoanalytic theory », *J.A.P.A.*, n. 1, 14, janv. 1966, pp. 28-228.

7. In *Perspective cavalière*, Gallimard, Paris 1970, p. 190.

8. S. Freud, *Psychologie collective et analyse du Moi*, in *Essais de psychanalyse*, Payot, Paris 1963, p. 136.

9. Cf. Leary, *La politique de l'extase*, Fayard, Paris 1973.

10. J. Maritain, « L'expérience mystique naturelle et le vide (1938) », *Œuvres* (1912-1939), Desclées de Brouwer, Paris 1975.

LA COMPOSITION, L'IMPRESSION ET LE BROCHAGE DE CE LIVRE
ONT ÉTÉ EFFECTUÉS PAR FIRMIN-DIDOT S.A.
POUR LE COMPTE DES ÉDITIONS U.G.E.
ACHEVÉ D'IMPRIMER LE 9 FÉVRIER 1977

*Imprimé en France*
Dépôt légal : 1er trimestre 1977
N° d'édition : 936 — N° d'impression : 9936